I volti della storia

266

Titolo originale: *Under the Wire*
First published in Great Britain in 2013 by Quercus
Copyright © 2013 Paul Conroy
The moral right of Paul Conroy to be
identified as the author of this work has been
asserted in accordance with the Copyright,
Designs and Patents Act, 1988.

Traduzione dall'inglese di Lisa Crea

Prima edizione: ottobre 2013
© 2013 Newton Compton editori s.r.l.
Roma, Casella postale 6214

ISBN 978-88-541-5630-2
www.newtoncompton.com

Realizzazione a cura di Il Paragrafo, Udine - www.paragrafo.it
Stampato nell'ottobre 2013 presso Puntoweb s.r.l., Ariccia (Roma)
su carta prodotta con cellulose senza cloro gas provenienti
da foreste controllate, nel rispetto delle normative ambientali vigenti.

Paul Conroy

Confesso che sono stata uccisa

Missione senza ritorno nell'inferno siriano

Newton Compton editori

Prologo
«DROGANO I GIORNALISTI
CAZZO»

*In memoria di
Marie Colvin, Rémi Ochlik, Neil Conroy e dei 72.305 siriani
morti fino al momento della stesura del libro.*

Prologo
«DROGANO I GIORNALISTI, CAZZO»

18 marzo 2003, Kahmishli, Siria

Il gommone sembrava ridicolo e fuori luogo nella piccola stanza d'albergo. Guardai le quattro grosse camere d'aria di camion sul pavimento, legate insieme da pezzi di corda e di legno. Avevo persino aggiunto le cinghie del mio kit fotografico. Dopo giorni di duro lavoro, il mio gommone fai-da-te era finalmente pronto per essere sgonfiato e trasportato al suo sito di lancio: la riva occidentale del fiume Tigri, in Siria. La sua missione: un viaggio di sola andata dalla Siria all'Iraq settentrionale. Guardai fuori dalla finestra della squallida stanzetta e osservai il paesaggio brullo: deserto, chilometri di deserto ininterrotto. Poi posai di nuovo gli occhi sul gommone. Sembrava più incongruo che mai.

Era frutto della mia disperazione. Mentre l'America e i suoi alleati si preparavano a invadere l'Iraq, la stampa mondiale, prevedendo una vera e propria manna televisiva, aveva cominciato a radunarsi nei punti strategici lungo il confine iracheno. Io avevo scelto di entrare nello Stato ormai spacciato di Saddam Hussein passando dalla Siria settentrionale. Avevo intenzione di prendere contatto con un gruppo di irriducibili ribelli curdi noti come Peshmerga, e seguirli nell'avanzata verso Baghdad dalla loro roccaforte montagnosa nel Nord. C'era un piccolo problema, però: per attraversare il fiume lungo il confine, avevo bisogno dell'autorizzazione dello spietato servizio di intelligence del regime siriano. E di fronte all'imminente conflitto iracheno, la polizia segreta siriana aveva puntato i piedi. Erano passate tre settimane e il Mukhabarat si rifiutava ancora di accordarci l'autorizzazione.

L'attesa sarebbe stata sopportabile se solo la città di confine di Kahmishli, avamposto desertico al crocevia di Iraq, Turchia e Siria, non fosse stato uno dei luoghi meno ameni della Terra in cui rimanere bloccati. Non c'erano bar né ristoranti, e la speranza di ottenere il famigerato pezzo di carta che ci avrebbe consentito di passare nelle zone settentrionali dell'Iraq sotto il controllo curdo si affievoliva sempre più.

Come se non bastasse, tutto cominciava a diventare tristemente familiare. Ogni giorno, da settimane, circa venticinque giornalisti assonnati si trascinavano fuori dal letto per recarsi al quartier generale dell'intelligence, a cinquecento metri dall'hotel. Ci facevano accomodare in un ufficio, ci offrivano un tè caldo e, dopo un'ora, un ufficiale dall'espressione impassibile ci raggiungeva nella stanza. Scuoteva la testa e annunciava con aria vagamente ostile che ci era stata negata per l'ennesima volta l'autorizzazione a entrare in Iraq. I giornalisti, sempre più avviliti, se ne tornavano lentamente al suggestivo Petroleum Hotel, il cui servizio era purtroppo all'altezza del nome che portava.

E quindi ci eravamo ritrovati in trappola, lontani dalla battaglia che avremmo voluto seguire e bloccati in quella che sembrava la versione squallida e incompiuta di un ostello britannico, isolato in mezzo al deserto.

Un tempo il quartier generale dell'intelligence era un luogo accogliente, ma la situazione era profondamente cambiata. Al posto dei ritratti di famiglia c'erano fotografie di pessima qualità dei ricercati dalle autorità siriane. Ormai sembrava più la sede di una qualche commissione della Russia stalinista. La noia, il nervosismo e la frustrazione delle ultime settimane erano evidenti sui volti dei miei colleghi giornalisti, che se ne stavano seduti a bere tè con lo sguardo perso nel vuoto, sperando che accadesse qualcosa, qualsiasi cosa.

Ricordo un giorno particolarmente noioso in cui la stanzetta era gremita. I giornalisti che non erano riusciti a trovare posto sul divano o sulle poltrone si erano seduti per terra, su dei cuscini, e molti faticavano a restare svegli. A un tratto, la porta si spalancò su quella scena di totale apatia e apparve una donna con una vecchia giacca marrone scamosciata e una benda nera sull'occhio sinistro. Rimase immobile sulla soglia e passò in rassegna la stanza in un istante con un movimento felino del capo, scrutando il variegato gruppo di giornalisti che aveva di fronte.

«Oddio, drogano i giornalisti, cazzo. Devono aver messo qualcosa nel tè», esclamò disgustata. Non aggiunse altro. Girò i tacchi e uscì dalla stanza.

Alcuni colleghi non riuscirono nemmeno a trovare la forza di alzare lo sguardo su di lei, tanto erano storditi. Altri voltarono la testa nella sua direzione, limitandosi però a sbattere le palpebre. Fu quella la prima volta che vidi la leggendaria Marie Colvin.

Quando la delusione rituale dell'ufficio del Mukhabarat cominciò a far sentire tutto il suo peso, il mio piano di attraversare l'Iraq e unirmi ai ribelli sembrò destinato a fallire. Era giunto il momento di agire. Così, mentre la linfa vitale abbandonava i giornalisti radunati al Petroleum Hotel, ebbi l'idea del gommone.

Avevo dei complici: il regista norvegese Paul Refsdal, una giovane collaboratrice occasionale del «New York Times» di nome Liz e Ali, un tassista curdo. Ali aveva il compito di trovare il materiale necessario a costruire il gommone e di fungere da contrabbandiere per farci attraversare i checkpoint siriani disposti lungo il fiume. Avevamo bisogno di camere d'aria di camion, corda, legno, reti e di pompe manuali, e Ali si procurò il tutto con incredibile rapidità nelle botteghe dei vicoli di Kahmishli.

Ali era una superstar. Portava sempre una tuta sintetica di un acceso color senape visibile anche dalla Luna e si illuminò come un bambino quando gli dissi del piano. I curdi che, come lui, vivevano nella regione di Kahmishli, avevano sofferto molto per mano del regime siriano. Forse Ali vide in quell'operazione l'occasione di prendersi una piccola rivincita sull'intelligence siriana.

Il piano consisteva nell'impermeabilizzare la nostra attrezzatura avvolgendola in buste di plastica e penetrare in Iraq guadando a piedi il tratto di fiume largo circa un chilometro e mezzo. Usando delle bottiglie di Coca-Cola vuote, fabbricammo dei giubbotti di salvataggio completi di funi di sicurezza con cui assicurarci al gommone. L'assemblaggio era stato abbastanza semplice. Mi ero limitato a gonfiare le camere d'aria e a legarle con della corda prima di aggiungere il fondo, fatto di assi di legno tenute insieme da spago per pacchi e fissate poi alle camere d'aria. Il gommone era fatto in modo da poter essere sgonfiato, trasportato fuori dall'albergo fino a un'auto in attesa e rigonfiato una volta sulle rive del fiume.

Tentammo di mantenere segreto il piano. Tra i giornalisti si nascondevano dei consulenti per la sicurezza, ex militari che, a sentir loro, avevano fatto tutti parte del SAS (Special Air Service) britannico. Ora, datemi pure del cinico ma, dopo quasi vent'anni trascorsi nelle zone calde del pianeta, ho conosciuto più ex SAS di quanti avrebbero potuto addestrarne all'epoca. C'erano alcune eccezioni (lo staff per la sicurezza della BBC era fantastico) come Kevin Sisson e Kevin Sweeny, due persone a cui avrei affidato la mia stessa vita, ma sono certo che molti si erano promossi da addetti alla logistica o al catering a membri dei commando di forze speciali o dell'élite della Royal Mari-

ne con una passata di bianchetto e una scansione di file. Erano
sul posto per fornire consulenza nell'ambito della sicurezza ai
giornalisti, quelli di Sky News, per esempio. Il loro vero lavoro, tuttavia, consisteva nell'impedire loro di fare stupidaggini
come costruire gommoni. Ma non avevano alcun controllo sui
freelance della stampa presenti a Kahmishli. Così, quando alla
fine scoprirono il nostro piano, ci dissero senza mezzi termini
che avremmo messo nei guai tutti quanti tentando di attraversare
il confine in modo illegale.

Il giorno della partenza ci sbarazzammo di tutto quanto non
fosse lo stretto necessario. Liz gettò via il giubbotto antiproiettile, il casco e una quantità sorprendente di biancheria di seta e
Paul abbandonò un'intera valigia di vestiti. Io non avevo bagagli
in eccesso né giubbotti antiproiettile, quindi aggiunsi al mio kit
fotografico qualche stecca di Marlboro. Avvolgemmo tutto in un
doppio strato di sacchi dell'immondizia in modo da evitare che i
dispositivi elettronici si rovinassero e da avere abiti asciutti una
volta giunti dall'altra parte.

Avevo spedito Ali in avanscoperta con cinquecento dollari per
far sì che l'esercito siriano guardasse dall'altra parte mentre passavamo i checkpoint. Tornò dalla missione puntuale, alle otto.

Avevamo discusso per ore su come attraversare l'hotel con il
gommone senza destare sospetti, ma alla fine decidemmo che
non era possibile. Quindi lo calammo giù dalla finestra con un
cavo da rimorchio fino al taxi di Ali, parcheggiato di sotto. Poi
noi sfilammo con nonchalance nell'atrio, sotto lo sguardo so-
spettoso degli uomini della sicurezza.

Lungo il tragitto verso il confine, restammo in silenzio. L'invasione dell'Iraq era già iniziata e sapevamo di correre un grosso
rischio attraversando illegalmente una zona di guerra a bordo

di un'imbarcazione di fortuna. Era un piano assurdo, ma ormai eravamo decisi. La notte nel deserto era limpida e stellata, punteggiata di tanto in tanto dai lampi delle bombe della coalizione che esplodevano in qualche punto dell'Iraq.

Fortunatamente Ali, che indossava ancora la sua discreta tuta color senape, aveva fatto un ottimo lavoro: attraversammo i checkpoint con i soldati che ci facevano cenno di passare senza quasi degnarci di uno sguardo. Cinquecento dollari ben spesi. Il viaggio fino al fiume fu carico di tensione ma senza sorprese. Chiedemmo ad Ali di fermarsi in un punto prestabilito lungo la strada. Ci salutammo e poi Ali se ne tornò verso il taxi strascicando i piedi e battendosi la fronte con l'indice: il gesto universale che sta per "questi sono pazzi".

Prima di diventare giornalista, avevo trascorso sei anni nell'esercito britannico. Sebbene non avessi mai raggiunto le vette del feldmaresciallo Montgomery e non potessi rivendicare alcun ruolo nelle forze speciali (principalmente perché odio correre), ero un soldato abbastanza capace. Avevo passato quattro anni in Germania come osservatore avanzato, quindi conoscevo l'importanza della ricognizione. E avrei giurato di aver fatto un buon lavoro con il fiume che stavamo per attraversare. Tanto più che ero stato affiancato da uno degli "ex marine della regina". Ma il corso d'acqua serpeggiante che avevamo osservato pochi giorni prima non somigliava affatto al torrente impetuoso che ci scorreva davanti.

Malgrado la mia esperienza militare, non avevo tenuto conto del rialzo delle temperature verificatosi nei giorni precedenti alla nostra invasione dell'Iraq stile D-Day. Le nevi delle montagne circostanti si erano sciolte, trasformando il fiume tranquillo nella massa d'acqua scura e agitata che avevamo di fronte.

«Appena mettiamo piede in acqua ci ritroviamo a Baghdad», dissi tra il serio e il faceto a Paul e Liz. Il silenzio che seguì indicò che entrambi erano certi che avremmo potuto davvero ritrovarci nella capitale irachena la mattina dopo.

Cominciammo ad assemblare il gommone senza dire una parola. Prima gonfiammo le camere d'aria, ma la pompa ci abbandonò quasi subito. Accovacciati in un piccolo uadi accanto al fiume, trasalimmo increduli al suono di voci provenienti dalla cima della collina. "Soldati siriani", pensai. Sebbene Ali avesse speso bene i nostri cinquecento dollari, sapevamo che non avremmo potuto nulla contro le pattuglie di confine come quella che si stava rapidamente avvicinando.

Ci rimettemmo a gonfiare l'imbarcazione con rinnovata urgenza. Altre voci, più forti stavolta. Legammo il gommone a un alberello e lo facemmo scivolare nelle acque tumultuose. A un tratto, una raffica di mitra ci passò sopra la testa. I proiettili erano vicini: non al punto da ucciderci, ma era evidente che non eravamo più al sicuro.

Abbandonammo il gommone e risalimmo in fretta il fiume verso un paesino dove forse avremmo potuto rubare una barca più tradizionale. Avanzammo in silenzio giungendo a uno stretto sentiero che correva lungo la riva. Alla nostra sinistra c'erano alcuni edifici bui e apparentemente disabitati. «Meglio aggirarli», dissi agli altri. Ma proprio in quel momento alcuni soldati ci urlarono qualcosa in arabo e udimmo il suono terrificante dei fucili armati che ci fece fermare sul posto.

Un soldato si precipitò fuori da una delle case abbandonate. Gridava come un ossesso, puntandoci addosso il Kalashnikov. Sulla soglia degli edifici vicini, apparvero altri soldati che ci corsero incontro nel buio. Per un lunghissimo istante, pensammo che ci avrebbero sparato.

Il comportamento migliore da adottare quando si hanno davanti dieci soldati con i fucili spianati che gridano: «Mani in alto!» è quello di assumere l'aria del turista smarrito e dire: «Buonasera»

nella lingua locale (se la si conosce) con tutta la gentilezza di
cui si è capaci. Ma, in questo caso, non ottenemmo l'effetto spe-
rato. Il soldato che ci aveva visti per primo doveva essere sotto
shock. Continuava a urlare e sembrava davvero intenzionato a
farci fuori sul posto.

Quando ci si trova in situazioni del genere è confortante sapere che c'è qualcuno che mantiene il sangue freddo. In quella
particolare circostanza, invece, i soldati sembravano un gruppo
di reclute giovani e dal grilletto facile: una pessima combinazione.

Ci portarono in una stanzetta illuminata da una lampadina da 10
watt. Gli unici mobili erano alcune sedie da ufficio e una casset-
ta di munizioni rovesciata che fungeva da tavolino. Ci legarono
subito alle sedie e ci lasciarono in compagnia di due giovani
guardie visibilmente nervose con i Kalashnikov armati e pronti
a fare fuoco.

Nell'ora o due che seguirono, ogni tanto qualcuno entrava nella
stanza, ci gridava qualcosa in arabo, si arrabbiava, gridava ancora più forte e poi se ne andava. Forse è la stessa cosa che fa
un inglese all'estero: se all'inizio qualcuno non capisce, alza il
volume, perché pensa che sia sordo. E così era per quei giovani arabi: non facevano che urlare sempre di più. Fu un sollievo
quando nella stanza entrò finalmente un soldato che ci sorrise
e ci chiese in un inglese impeccabile: «Allora, di dove siete?»

«Liverpool», risposi.

Lui mi rivolse un gran sorriso. «Steven Gerrard, Michael Owen.
Il Liverpool: che squadra. Adoro Steven Gerrard!».

"Perfetto", pensai. "Uno spirito affine". «Il Manchester United
fa cagare», ribattei con il sorriso più accattivante che riuscii a
fare.

Il soldato concordò con la mia analisi e si lanciò in una lunga
discussione sui pro e i contro di due delle più acerrime rivali del

calcio britannico. Poi mi slegò le mani, mi preparò un caffè e mi offrì una sigaretta.

In quel momento una voce proveniente da un angolo della stanza sibilò: «Immagino tu non possa chiedere al tuo nuovo amico di slegare anche noi». Era Paul, il regista. Preso dalla conversazione con il soldato, mi ero completamente dimenticato di Paul e Liz. Ad ogni modo, il mio nuovo amico fu così gentile da slegare anche loro. Mi sentii più sicuro e azzardai una domanda.

«Non è che potresti chiamarci un taxi che ci riporti a Kahmishli? A quanto pare, ci siamo persi», dissi in tono esitante.

Il suo sorriso svanì. «Mi dispiace, amico: dovete parlare con altre persone prima di andarvene».

Le quarantotto ore successive furono uno strano viaggio nella misteriosa e labirintica struttura dei servizi segreti siriani. Prima ci portarono sotto scorta armata in un complesso di edifici in mezzo ai monti, dove ci perquisirono e ci interrogarono. Poi ci trasferirono in un'altra costruzione dove ci sottoposero alla stessa procedura. E così per due giorni.

Noi tre avevamo già preparato una storia di copertura: eravamo dei giornalisti e ci eravamo persi alla ricerca di rifugiati di guerra lungo il confine. Certo, era una scusa debole e poco credibile, ma la ripetemmo come un mantra fin quasi a crederci noi stessi. Ma io non riuscivo a scacciare il timore che gli agenti dell'intelligence potessero scoprire la videocassetta che mi mostrava intento a costruire il gommone e che avevo nascosto nella giacca. Così, durante uno dei numerosi spostamenti da un edificio all'altro, la tirai fuori e la gettai dal veicolo in corsa.

Le nostre guardie ci svegliarono all'alba del secondo giorno. Furono gentili e amichevoli: erano giunti alla conclusione che non costituivamo per loro una minaccia e non eravamo gli invasori americani che avevano inizialmente temuto. Tuttavia, rimasero piuttosto seri.

«Oggi dovete incontrare il generale Omar», annunciò uno di loro con aria dispiaciuta.

«E non è una cosa buona?», chiesi io, scuotendo la testa.

«Non è una cosa buona», rispose lui, confermando i miei sospetti.

Scendemmo giù dalle montagne e, dopo un'ora, ci trovammo di fronte a una parete di cemento nel bel mezzo del deserto. I muri, ricoperti da filo spinato, circondavano una base militare immensa, impenetrabile e minacciosa. La sua posizione e le sue fortificazioni mi diedero l'impressione che molti vi entrassero ma pochi vi uscissero. Le guardie tacquero. Con mia grande sorpresa, quella che sembrava una lastra inamovibile di cemento armato si aprì, lasciandoci entrare.

Una volta all'interno, l'autista si fermò davanti a una serie di porte d'acciaio rinforzato che sembravano non condurre da nessuna parte: non c'erano edifici in vista. Scendemmo dalla 4x4 e seguimmo un soldato in quello che ricordava il bunker segreto del cattivo dei film di James Bond.

Dissi a Paul che non sarei riuscito a reprimere l'ilarità se fossimo stati accolti dal generale Omar intento ad accarezzare un gatto bianco a pelo lungo.

«Non ti azzardare a ridere, cazzo!», sibilò Paul mentre scendevamo sempre più giù.

Ci fermammo davanti a due enormi porte d'acciaio, sempre circondati da guardie, e attendemmo il segnale per entrare. Nel frattempo, cercai disperatamente di scacciare le immagini di cattivi di James Bond e gatti bianchi. Quando giunse il segnale, mi morsi un labbro, per sicurezza.

«Cristo santo», mormorai entrando.

Non c'erano gatti bianchi ad accoglierci, ma poco ci mancava. Sulla parete di fronte a noi c'era un enorme ritratto del presidente siriano Bashar al-Assad e, sotto, una grossa scrivania di mogano, fuori luogo in quel bunker spartano, ma degna di ogni cattivo di Bond che si rispetti.

Stavo malissimo. Seduto dietro la scrivania, su una poltrona con lo schienale alto, c'era il generale Omar. Sentii il bisogno irrefrenabile di ridere. Lui era perfettamente nella parte. Si voltò verso di noi con lenta disinvoltura e si soffermò a scrutare i tre giornalisti malvestiti che aveva di fronte. Poi sorrise.

"Oh, no", pensai. Aveva un dente d'oro, un completo di sartoria immacolato e i capelli unti pettinati all'indietro. Non ce la facevo più. Sentivo i miei compagni pregare che non ridessi. Il generale Omar disse, sempre sorridendo: «Quindi volete andare in Iraq?».

Noi gli sorridemmo ossequiosamente di rimando e spiegammo che ci eravamo persi di notte nei pressi del fiume in cerca di rifugiati.

«Ma abbiamo trovato la vostra barca», obiettò lui, sempre con il dente d'oro in bella vista.

Silenzio. La parola "barca" rimase sospesa nell'aria come un oggetto solido. Provai a rispondere, ma l'unica parola che uscì dalla mia bocca fu un "barca" a mezza voce. Il generale sorrise di nuovo.

«Sì, abbiamo trovato la vostra barca», ripeté, visibilmente compiaciuto.

A me venne di nuovo da ridere. «Ah, quella barca. Sì, la barca».

«Sì, la barca», disse lui, facendomi il verso.

Il gioco era finito e, come se non bastasse, stavo sogghignando.

«Ah, sì. Mi dispiace. Eravamo disperati».

«State cercando di andare in Iraq?».

Noi tre annuimmo imbarazzati, come scolaretti nell'ufficio del preside.

«Be', siete giornalisti e dovete fare il vostro lavoro. Qui in Siria crediamo nella libertà di parola, quindi vi lascerò andare», dichiarò il generale.

Ero sbalordito. Eravamo lì, nella tana del lupo, dopo essere stati colti con le mani nel sacco dal servizio di sicurezza più temuto del regime siriano, e il generale Omar, che, a quanto pareva, era a capo della polizia segreta nordorientale, ci avrebbe lasciati andare così.

«Però dovete lasciare la Siria. Immediatamente», aggiunse, sempre sorridendo.

Noi annuimmo con foga. «Certo, certo».

Ci restituì le attrezzature confiscate e i suoi uomini ci riportarono al Petroleum Hotel, dove fummo accolti da Ali, che aveva l'aria piuttosto nervosa. Paul e Liz partirono il giorno stesso per Damasco. Alla fine Paul riuscì a entrare in Iraq con uno di quei visti per chi dichiarava di voler fare lo scudo umano. Liz, invece, venne rapinata a Damasco e non ebbi più sue notizie.

Io rimasi in albergo e mantenni un basso profilo nell'attesa che le acque si calmassero, ma già pensavo a un piano B. Come previsto, gli altri giornalisti mi scansavano perché avevo "rovinato tutto". Io me ne stavo in camera a fumare e a leggere i manuali delle istruzioni della mia macchina fotografica perché non avevo libri e tutti i canali televisivi erano in arabo. Dopo due sere così, feci una capatina al ristorante in cerca di qualcuno disposto a parlare con un giornalista paria. Niente: la mia presenza fu accolta da sguardi gelidi e ostili. Venivo accuratamente evitato, come se rivolgermi la parola potesse rendere impossibile penetrare in Iraq.

A un tratto la porta del ristorante si aprì ed entrò Marie Colvin. Si guardò intorno e gridò ai giornalisti riuniti nella sala: «Chi è quello che ha costruito la barca?».

Calò il silenzio e tutti si voltarono a fissarmi.

«Sono io», risposi mestamente.

Marie si avvicinò a grandi passi al mio tavolo e mi porse risoluta la mano. «Marie Colvin», disse nel suo inconfondibile accento americano. «Finalmente uno con le palle, qui in giro. Ti piacciono le barche, eh?».

Quella sera, complice una bottiglia di whisky, nacque un'amicizia. La reputazione di Marie come reporter di guerra tosta, una delle più brave e temerarie di quegli anni, la precedeva. Il coraggio terrificante di cui aveva dato prova dopo aver perso l'occhio a causa di una granata a razzo in Sri Lanka era leggendario.

Avevo sentito anche altre storie: il suo ostinato rifiuto di abbandonare i rifugiati inseguiti dall'esercito indonesiano a Timor Est, decisione che le permise di salvare centinaia di vite; la sua marcia di otto giorni attraverso un valico di montagna in Cecenia, sfidando la fame, il pericolo e il mal d'altitudine per sfuggire alle forze russe; il modo in cui si era introdotta, grazie a un travestimento, nella città irachena di Bàssora, completamente blindata, durante la guerra fra Iran e Iraq; la caparbietà che aveva dimostrato restando a Baghdad durante il bombardamento alleato della città nel 1991. Erano quelle le storie che spiegavano perché Marie si fosse guadagnata la reputazione di essere sempre tra gli ultimi giornalisti a lasciare i luoghi più pericolosi del pianeta nei momenti più rischiosi.

Un whisky dopo l'altro, riuscii a penetrare gli strati della sua personalità e la leggenda divenne più umana. Mi fu subito evidente la sua indole ribelle: ammirava il mio tentativo di entrare illegalmente in Iraq su un gommone improvvisato e trovava ridicoli gli altri giornalisti che mi evitavano. Ma, mentre sorseggiavamo la bottiglia di Glen Diescl, lo scotch più economico in circolazione, rivelò anche un lato più dolce e tranquillo. Parlò a lungo della vela, una passione condivisa che ci offrì un antidoto al caos della guerra. E, malgrado fosse ritenuta una delle più grandi corrispondenti di guerra, era anche molto autoironica. Aveva un incredibile senso dell'assurdo.

Trascorsero otto anni prima che incontrassi di nuovo Marie, in un hotel in Egitto. Eravamo diretti in Libia come inviati del nostro giornale per seguire insieme gli ultimi mesi del governo del colonnello Mu'ammar Gheddafi. Nel corso dell'anno seguente, mentre il conflitto libico si acuiva intorno a noi, stringemmo un legame unico, tipico di chi condivide a lungo gli orrori della prima linea. Assistemmo alla brutale uccisione di civili innocenti, ai feroci scontri tra i ribelli e le forze di Gheddafi, ai bombardamenti della NATO e alla caduta della capitale Tripoli. Non ci univa solo il rapporto professionale, ma anche una vera amicizia che sapevamo entrambi sarebbe durata negli anni.

Tuttavia, il nostro sodalizio e la vita di Marie finirono in tragedia. Un anno dopo l'inizio del nostro primo incarico insieme, Marie cadde accanto a me tra le rovine di una casa bombardata in Siria, il Paese in cui ci eravamo conosciuti parlando appassionatamente di barche davanti a una bottiglia di whisky.

1
«PAUL, HO UN PIANO»

8 febbraio 2012, Coleford, Devon

Il fumo azzurrognolo della sigaretta si levava pigramente tra i raggi del sole della prima mattina. Io me ne stavo seduto su una sedia, con i piedi sul tavolo, a bere il mio quinto caffè. Erano solo le nove e avevo già perso il conto delle sigarette che avevo fumato. Squillò il telefono. Feci un profondo respiro, bevvi un enorme sorso di caffè e risposi. Era Andrew, responsabile del picture desk del «Sunday Times».

«Paul, Marie Colvin è in viaggio per il Libano e vuole che tu la raggiunga lì stasera. Sta andando in Siria», mi comunicò. Poi, dopo una breve pausa, aggiunse: «Senza visto».

Dissi a Andrew che sarei riuscito a prendere un aereo per il Libano solo il giorno dopo. «Nessun problema», ribatté lui prima di riagganciare. L'immensa macchina del giornale si mise subito in moto: le agenzie di viaggio cominciarono a cercare i biglietti e migliaia di dollari vennero rimessi agli uffici prenotazioni degli aeroporti. Nel giro di pochi minuti, ricevetti le email con i dettagli del volo e dei vaglia per una barca di soldi: il tutto nel tempo che mi ci volle a fumare l'ennesima sigaretta.

Ero tranquillo. Sentivo l'adrenalina dissipare la tensione che si era piano piano accumulata nel mio corpo. «Finalmente», mormorai.

Partire "senza visto" significava entrare illegalmente in Siria.
Il regime di al-Assad concedeva pochi visti alla stampa e, se pure si riusciva a ottenerne uno, il pacchetto comprendeva anche
funzionari della sicurezza, spostamenti organizzati dal governo
e stretta sorveglianza da parte dei servizi segreti. La guerra non
è mai fatta solo di bombe e proiettili, ma anche di manipolazione
dei media e di propaganda. In altre parole, se si vuole davvero
conoscere la verità, bisogna passare sottotraccia.

Il «Sunday Times» aveva impiegato settimane per decidere
quale giornalista inviare in Siria, il che era sufficiente ad acuire
la tensione al pensiero dell'imminente pericolo. C'è sempre una
certa ambivalenza quando si riceve la notizia di un incarico in
una zona di guerra. Se pure si urla di sollievo dentro, bisogna
mantenere una minima parvenza di calma: non si possono dimenticare i propri cari e non è consigliabile fare salti di gioia in
giro per casa.

La mia vita familiare era complicata. Ero separato e vivevo con
la mia nuova compagna, Bonnie, che, avendo udito buona parte
della telefonata, era già in lacrime. Sapeva cosa ci aspettava.
Era stato così anche alcune settimane prima, quando mi avevano
comunicato che mi avrebbero inviato in Siria con Miles Amoore, uno degli astri nascenti del giornale. Sapeva che, una volta
laggiù, tra noi sarebbe caduto un silenzio di tomba. Era troppo
pericoloso fare telefonate o spedire SMS: i redattori e i giornalisti
temevano che anche solo accendere un telefono cellulare o satellitare potesse dare alle forze di sicurezza siriane la possibilità
di individuare la posizione degli inviati.

Cosa si dice a qualcuno che sa che stai per partire per una delle
zone più a rischio del pianeta? Le mie rassicurazioni suonavano
vuote persino a me. Erano solo parole. La televisione del nostro
soggiorno nel Devon era piena di immagini di bombardamenti,

morte e sofferenza mentre le truppe del governo siriano radevano al suolo la città di Homs con l'artiglieria pesante. Niente avrebbe potuto alleviare il dolore e la disperazione che Bonnie provò quando uscii di casa quella mattina di febbraio.

Lavoravo per il «Sunday Times» sin dall'inizio della rivolta in Libia, l'anno precedente. Alla fine avevo trascorso ventidue settimane laggiù. E avrei dovuto comunicare a mia moglie Kate e ai miei tre figli che presto sarebbe ricominciato tutto da capo.

Lungo il tragitto di un'ora verso la casa della mia famiglia, ebbi modo di riflettere. La cosa più difficile era senza dubbio salutare i miei figli. Sebbene ci fossero già passati decine di volte, vedermi partire non era diventato più facile né per loro, né per me. Kate sarebbe rimasta in silenzio, furibonda per via del mio approccio sconsiderato alla vita. Sapevo che il suo risentimento derivava dal fatto di vedere me, una persona cara, partire e rischiare di non tornare. Ciononostante, non ha mai cercato di fermarmi. Ho sempre avuto il suo pieno appoggio. Solo che per lei diventava sempre più difficile ogni volta che me ne andavo. La paura che potessi rimanere ferito o morire e l'impatto che una tragedia del genere avrebbe avuto sui nostri figli cresceva a ogni incarico. Ma io avevo sempre avuto la fortuna di non vedere le cose dal loro stesso punto di vista. Nella mia testa, sarei tornato, sempre. Mai avuto alcun dubbio.

La tensione nella casa di Totnes, dove vivevano Kate e i bambini, si tagliava con il coltello. Non solo ormai vivevo con Bonnie, ma stavo per andarmene di nuovo in guerra. Durante l'ultima missione, appena un mese prima, i ribelli dell'Esercito siriano libero erano stati costretti a farci uscire dalla Siria a bordo di una motocicletta. In seguito avevamo scoperto che gli uomini del governo ci davano la caccia. E io stavo per tornare proprio lì.

Il più piccolo dei miei figli, Otto, di dieci anni, mi disse a bruciapelo: «Papà, stavolta finisce male. Io te l'ho detto».

Kate era sulla stessa linea. «Paul, stai tirando troppo la corda. Non puoi continuare così: prima o poi finirai i jolly», sentenziò.

Di fronte a quell'esplosione di gioia, azzardai una battuta: «Tanto mi porto le mutande a prova di proiettile».

Ma non ottenni nemmeno l'ombra di un sorriso da nessuno di loro. Anche mio figlio Max, di ventun anni, mi disse che aveva un brutto presentimento. L'unico che non si improvvisò indovino e non predisse catastrofi fu Kim, di diciotto anni. Anche lui è un fotografo e forse mi capiva. Ad ogni modo, fu come andare al mio funerale.

Negli anni trascorsi nell'esercito britannico, il mio lavoro di osservatore avanzato non era il più appetibile. Ero di stanza in Germania al culmine della Guerra fredda, quando la Cortina di ferro esisteva davvero e la minaccia dell'invasione da parte dei Paesi del Patto di Varsavia, guidati dalla Russia, era quanto mai concreta. Io, il comandante di batteria e l'autista avevamo il compito di lasciare che il principale fronte di battaglia sovietico ci passasse accanto nella sua marcia verso l'Europa, per poi ritrovarci dietro le linee nemiche. Da quella posizione poco invidiabile, dovevamo individuare i bersagli e trasmettere ai nostri reparti di artiglieria pesante le coordinate delle truppe sovietiche. Nella realtà, avremmo probabilmente avuto un'aspettativa di vita di dieci minuti, che sarebbe comunque stata cinque volte più lunga rispetto a quella di chi armava l'artiglieria.

Io e l'esercito non andavamo molto d'accordo. Avevo la tendenza a lasciare il mio posto ogni volta che mi pareva, il che capitava piuttosto spesso. A pensarci bene, passai la maggior parte della mia carriera agli arresti per un motivo o per l'altro anziché in giro a sporcarmi le mani. Cercavo di farmi congedare, ma i miei superiori lo sapevano bene e, per punirmi, mi trattenevano.

Alla fine, decisi di piantare dell'hashish nel mio armadietto e feci una soffiata anonima al comandante di batteria, infilando un biglietto scritto a mano sotto la porta della sua stanza. Lui fece prontamente perquisire il mio armadietto e, dopo lunghe ricerche, i soldati rinvennero l'hashish. Fui processato dalla Corte marziale e condannato a nove mesi da scontare nel carcere militare di Colchester. Il giorno in cui uscii, ebbi un colloquio con il comandante della prigione: una pura formalità.

«Cosa farai quando lascerai l'esercito, Conroy?», mi chiese, visibilmente annoiato da quelle domande di rito.

«I salti di gioia, signore», risposi io, serio e senza il minimo sarcasmo.

Lui si limitò a dire: «Lo porti via, sergente maggiore».

Fine della storia. Ero finalmente un civile. Potevo uccidere un uomo con qualsiasi oggetto di uso quotidiano, sapevo costruire esplosivi e minare una stanza, ero in grado di identificare un carro armato Soviet T-72 di notte e conoscevo la gittata della maggior parte delle armi moderne. Così scelsi la strada più ovvia per una persona con le mie credenziali: divenni tecnico del suono. Trascorsi due anni nella penombra degli studi di registrazione. Alla fine, ero pallido come un fantasma e con le occhiaie nere: la famigerata abbronzatura del tecnico.

Gli anni volarono e feci di tutto, tremando al suono di parole come "stabilità" o "pensione". Vissi nelle grotte a Creta, raccolsi pomodori, ricostruii chiese medievali e girai il mondo insieme a vari gruppi musicali, diventando un profondo conoscitore di qualsiasi sostanza illegale. Ma, ovunque andassi, portavo sempre la telecamera e la macchina fotografica e sviluppai una vera passione per i soggetti che immortalavo.

Alla fine degli anni Novanta finii nei Balcani per filmare un convoglio che distribuiva aiuti alla gente affamata del Kosovo. Gli aiuti consistevano per lo più in un'improbabile accozzaglia di vecchi vestiti. Per mesi, gli abitanti di un villaggio andarono in giro come i Village People. Ero affascinato da ciò che stava accadendo nei Balcani. Quando il convoglio ripartì, rimasi altri sei mesi per fare fotografie e girare un film. Era fatta. Avevo trovato la mia strada ed ero sceso di nuovo in campo.

8 febbraio 2012, Totnes, Devon

Preparai in silenzio l'attrezzatura. L'ultima volta che ci avevano fatto entrare illegalmente in Siria, i nostri contatti ci dissero che potevamo portare solo una borsa a testa e che dovevamo rinunciare al giubbotto antiproiettile perché era troppo ingombrante a bordo di una motocicletta. Mi regolai di conseguenza e presi due macchine fotografiche con due lenti, un portatile, un telefono satellitare, schede di memoria, caricabatteria, trasmettitore satellitare, telefono di ricambio e telefono libanese. Aggiunsi qualche paio di calzini e di mutande e una maglietta, infilandoli negli spazi rimanenti della borsa.

Poi chiamai Marie. Era già a Heathrow. «Paul, si parte. Mi sto imbarcando. Tu dove sei?», mi chiese con contagioso entusiasmo.

Marie era su di giri. Avevamo documentato la maggior parte del conflitto libico insieme e non vedeva l'ora di ricostituire la squadra e rimettersi al lavoro.

«Sbrigati», disse. «Dobbiamo entrare al più presto. Siamo più indietro di tutti, stavolta! Ah, a proposito: senti se puoi farmi avere dei soldi dal giornale. Non vogliono darmene perché non ho ancora presentato la nota spese per la Libia».

«Ma come, sei al verde? Il giornale non ti ha dato niente?», esclamai ridendo, incredulo all'idea che Marie stesse partendo per una zona di guerra senza un soldo. Le promisi che ci avrei provato, ma ero praticamente certo che non avrei ottenuto nulla.

Quando riagganciai, mi ritrovai a ridacchiare. La passione di

Marie era travolgente. Per lei, fare la reporter non significava battere la concorrenza, anche se le piaceva essere la prima ad arrivare e l'ultima ad andarsene. Era soprattutto spinta da una profonda indignazione morale di fronte alle sofferenze dei civili che vengono inevitabilmente coinvolti in tutti i sanguinosi conflitti del pianeta.

Alcuni anni prima, in un celebre e appassionato discorso tenuto a Londra a St Bride's, su Fleet Street, una chiesa tradizionalmente associata ai giornalisti, Marie aveva affermato l'assoluta necessità di inviare i reporter nei luoghi più pericolosi. Era convinta che il giornalismo di guerra fosse un modo di raccontare verità scomode, di costringere i governi a giustificare la loro condotta informando l'opinione pubblica di cosa facevano in loro nome. Il suo lavoro serviva a denunciare il dramma dei civili, in modo da poterlo mostrare al mondo e svelare le brutali conseguenze delle decisioni prese ai piani alti. Può sembrare esagerato, ma Marie credeva che, senza i corrispondenti di guerra, i governi avrebbero fatto ciò che volevano, propinando le loro bugie e la loro propaganda senza contraddittorio e compiendo le peggiori atrocità lontano dagli occhi curiosi della gente. Dal suo punto di vista, il reportage era una sorta di prima bozza della storia con cui fendere la tempesta di sabbia della propaganda che imperversava ogniqualvolta si verificava uno scontro tra eserciti e tribù o terroristi.

Quando stavamo per entrare in Siria, gli schermi televisivi della Gran Bretagna erano pieni di immagini video mosse e sgranate riprese da civili e attivisti siriani. Quel materiale amatoriale di cadaveri insanguinati e di donne e bambini urlanti che supplicavano di essere salvati dalle bombe del governo, non faceva altro che alimentare il desiderio di Marie di documentare la strage dei civili causata dal conflitto. Laddove altri corrispondenti di guerra erano diventati gradualmente immuni agli orrori della guerra, e i

loro sensi e le loro emozioni erano come anestetizzati in seguito
alle terribili esperienze vissute, Marie era riuscita a mantenere intatta la sua indignazione anche dopo venticinque anni di onorata
carriera. Era per questo che copriva i conflitti anche se aveva già
più di cinquant'anni. Ed era per questo che era una dei migliori,
tanto da essersi guadagnata paragoni con la sua eroina nel campo
del giornalismo: la leggendaria Martha Gellhorn.

Mentre parlavamo al telefono, Marie riusciva a malapena a
controllare l'eccitazione. Non solo stavamo per partire per la Siria, ma il giornale ci avrebbe inviato nel cuore della rivoluzione:
la città di Homs e il quartiere asserragliato di Baba Amr. I civili
di quella minuscola enclave ribelle sopportavano un assedio medievale. Negli ultimi giorni le truppe del governo siriano avevano
bombardato l'area con razzi e artiglieria pesante, seminando la
morte tra la popolazione.

Sentii un'altra scarica di adrenalina. Nel gennaio 2011 avevo
cercato di raggiungere Baba Amr insieme a Miles. Avevamo attraversato il confine minato, schivando i soldati siriani, ma un
concentramento di truppe filogovernative alla periferia di Homs
aveva bloccato la nostra avanzata verso nord, impedendoci di
raggiungere la città. Conoscevo la Siria e sapevo quanto fosse
difficile muoversi e restare in vita.

Chiamai il «Sunday Times» per chiedere se potevo avere
del denaro da portare a Marie. La mia richiesta venne gentilmente respinta e mi fu chiesto di non immischiarmi. Marie
era sempre ai ferri corti con il giornale per via delle sue note
spese, che dimenticava immancabilmente di presentare per
mesi, a volte anni, con grande disappunto dell'amministrazio-
ne. Malgrado la sua bravura come corrispondente di guerra,
quando si trattava di tecnologia era rimasta all'età della pietra.
Avrebbe preferito vivere all'epoca della macchina da scrivere
e del telegrafo anziché in quella del portatile e del cellulare,

che spesso spegneva per evitare le chiamate indesiderate e inaspettate dei redattori.

Telefonai ai miei genitori, che si finsero forti. Mi fecero le solite raccomandazioni. Mio padre diceva: «Sta' attento, sai quanto si preoccupa tua madre». E lei: «Sta' attento, sai quanto si preoccupa tuo padre». Era sempre così, da anni. Sapevo che erano entrambi preoccupati a morte.

Ed ecco come avvengono i saluti. La famiglia se ne sta in piedi intorno a una Land Rover con il motore al minimo. Non è piacevole, mai, e ti lascia sempre con un nodo alla gola e gli occhi lucidi mentre ti allontani lentamente, salutando e tendendo il collo per cogliere un'ultima immagine dei tuoi cari, stretti gli uni agli altri. Mi stavo lasciando alle spalle un numero sempre crescente di persone preoccupate.

Il tragitto per Heathrow fu quasi un sollievo. Da quel momento in poi, dovevo concentrarmi su quello che mi aspettava. Parcheggiai all'aeroporto, presi la borsa ed entrai nel terminal facendo subito tappa alla Travelex, per ritirare i seimila dollari che il giornale aveva destinato alle mie spese. È sempre divertente osservare gli sguardi sospettosi e obliqui che ti lanciano i cassieri quando ritiri una somma ingente di denaro per poi ficcare le banconote in tutte le tasche, dei vestiti e della borsa, che hai a disposizione.

Quando l'aereo decollò, provai una sorta di sollievo: stava andando tutto liscio. Mi guardai intorno: famiglie, uomini d'affari e giovani, tutti diretti verso le destinazioni stabilite. Avevano piani di viaggio, cose da fare, cari che li aspettavano in aeroporto e la prospettiva di ricongiungimenti felici dopo dolorose separazioni. Poi pensai alle mie, di prospettive. La settimana successiva avrei deliberatamente messo il mio destino nelle mani di un gruppo di ribelli di cui non avrei mai conosciuto il vero nome. Non solo: ci sarebbero state un sacco di persone che avrebbero fatto di tutto per impedirmi di raggiungere la mia destinazione, o, peggio ancora, per farmi fuori. Ordinai un altro drink.

Giunto all'aeroporto di Beirut, passai il controllo passaporti senza problemi. Ma poi mi trovai di fronte la dogana e i controlli a spot della sicurezza aeroportuale, che potevano costituire un problema. Molti Paesi non amano i trasmettitori satellitari, e non c'è da stupirsi. Però ebbi fortuna. Davanti a me c'era una troupe televisiva carica di attrezzature. I doganieri libanesi piombarono immediatamente su di loro. Io rimasi in attesa finché non cominciarono a interrogarli e li vidi precipitare in un cupo sconforto. Proprio in quel momento, un gruppo di backpacker si avvicinò alla dogana. Mi mischiai a loro e passai con nonchalance davanti ai funzionari. Ero in Libano.

Chiamai Marie. Mi rispose al primo squillo, cosa piuttosto insolita, se non senza precedenti.

«Marie, ci sono. Dove sei, al Bristol Hotel?», le chiesi.

«No, cazzo. Ma ci sei mai stato lì? È così antiquato».

«Sì, Marie. Ci ho vissuto tre settimane con Miles, l'ultima volta che siamo stati in Siria».

«Cristo, non avete proprio un briciolo di gusto, voialtri! Ho fatto il checkout e ho prenotato al Rotana. È un cinque stelle. Non ci posso credere che siete stati al Bristol per tre settimane. Prendi un taxi e chiamami quando arrivi». E riagganciò.

Stremato dal volo, saltai sul primo taxi. «Vacanza?», mi chiese il tassista, mentre la pioggia invernale batteva sul parabrezza. Io annuii. A Beirut ci sono talmente tante fazioni rivali, ognuna con la propria complessa rete di opache alleanze, che non è mai saggio pubblicizzare il fatto che si sta per penetrare illegalmente in Siria. Così feci il turista cretino per mezz'ora prima di arrivare al Rotana.

Marie aveva scelto bene. Sul campo, era spartana come e più degli altri, ma, quando poteva, le piaceva concedersi un po' di

stile e un po' di lusso prima di cominciare un lavoro. Si rifiutava persino di entrare nelle zone di guerra senza la sua costosa
biancheria di seta, che, a detta sua, la faceva "sentire bene". Il
problema era che la perdeva sempre. Nel 1999, mentre i miliziani saccheggiavano la capitale di Timor Est, Marie tornò in hotel
dopo una giornata di duro lavoro e scoprì che l'edificio in cui
alloggiava era stato vandalizzato. I miliziani avevano spaccato
il televisore e distrutto i mobili, lasciando però miracolosamente intatto tutto ciò che era di valore: il registratore portatile, la
radio, i vestiti e il giubbotto antiproiettile. E, stranamente, non
se n'erano andati a mani vuote: la costosa biancheria di seta di
Marie era sparita. Se non altro, avevano buon gusto.

Chiamai la sua stanza. Nessuna risposta. Doveva essersi addormentata. Al check-in ero stato misteriosamente promosso in
classe club perché il receptionist si chiamava Paul e, mi spiegò,
faceva sempre così con i clienti omonimi. Così mi ritrovai in una
lussuosa suite con un bicchiere di scotch.

Per la prima volta in trentasei ore, mi concessi un po' di relax.
Da quando il giornale mi aveva chiamato, ero stato risucchiato
in un vortice di attività frenetica. Mentre il whisky mi scaldava il
corpo, la mia mente si placò e cominciai a rendermi pienamente
conto della situazione. Mi trovavo di nuovo in una città stra-
niera, senza visto per l'altro Paese straziato dalla guerra da cui
avremmo dovuto effettuare la nostra corrispondenza, con a disposizione solo l'ingegno, l'astuzia e una borsa piena di denaro.

La pianificazione, in quei casi, era tutto: una volta stabilito il da
farsi, il resto sarebbe venuto da sé. Avremmo potuto elaborare un
piano una volta in Siria, ma era un momento difficile. Un mese
prima ero riuscito a entrare, ma le circostanze possono cambiare rapidamente e quello che aveva funzionato allora poteva non
essere più un'opzione valida. Avremmo dovuto attraversare le
montagne via terra, perché la costa siriana era pattugliata gior-

no e notte e le acque erano tempestose e imprevedibili in quel periodo dell'anno, il che escludeva qualsiasi tentativo via mare.

Mi vennero in mente le sedute di pianificazione che avevo fatto con Marie l'anno prima, quando entravamo e uscivamo illegalmente dalla Libia. Sorrisi fra me: il piano generale era il più audace che avessimo mai concepito. Lo avevamo studiato sin nei minimi dettagli lungo un arco di tempo di sei mesi durante il conflitto libico. Il giorno del nostro primo incontro, otto anni prima, quando cercavamo di entrare in Iraq dalla Siria, io e Marie avevamo legato grazie a storie di guerra e di vela. Le due passioni che avevamo in comune non furono solo la base del nostro sodalizio, ma formarono anche l'ossatura del piano.

20 maggio 2011, Dafniya, Libia

Io e Marie eravamo avanzati per due mesi insieme ai ribelli libici che ricacciavano indietro le forze di Gheddafi facendole allontanare dal centro di Misurata verso la zona rurale di Dafniya. La battaglia aveva quasi raggiunto uno stallo e ci ritrovavamo spesso seduti in trincea o in qualche uliveto con molto tempo a disposizione. Le forze del governo, pur ripiegando, continuavano a bombardare le postazioni dei ribelli con enormi salve di missili e artiglieria, ma noi resistevamo e continuavamo a fare il nostro lavoro. Eravamo preoccupati, però: se la prima linea fosse rimasta a Dafniya, avremmo potuto perderci qualsiasi avanzata verso Tripoli da parte delle forze ribelli con base a ovest della capitale.

Marie aveva dedicato alla Libia buona parte della sua vita professionale: aveva incontrato Gheddafi in numerose occasioni e visitato, sotto la supervisione del governo, molte zone del feudo privato del dittatore. Nel 1986, quando era una giovane reporter, era stata invitata a casa sua e aveva persino dato la notizia esclusi-

va che gli americani intendevano bombardarla pochi giorni prima
che succedesse. La sua avvenenza e il suo carisma affascinavano
Gheddafi, sempre più pazzo e brutale, ma Marie aveva una sincera passione per la storia libica e non aveva intenzione di perdersi
il probabile ultimo capitolo di una vicenda lunga quarantadue
anni: tanto era durato il dominio di Gheddafi.

Insieme, avevamo trovato una piccola depressione nel terreno
in cui ripararci dagli attacchi dell'artiglieria. La prima linea era a
una cinquantina di metri, il che non ci faceva stare più al sicuro:
la maggior parte dei missili atterrava a centinaia di metri, a volte
a chilometri dal bersaglio. Era ormai ora di cena e la scatoletta
di tonno con il tozzo di pane bianco raffermo erano più invitanti
che mai nel bagliore giallo del plenilunio. Negli ultimi dieci minuti Marie era rimasta in silenzio. Sembrava immersa nei suoi
pensieri, così non la disturbai e strappai via un pezzo di pane.

Finalmente, parlò. «Paul, hai la cartina della Libia? Di tutta la
Libia?»

«Sì», risposi prontamente. «Perché? Volevi andare in qualche
bel posticino?», aggiunsi poi in tono ironico guardandomi teatralmente intorno.

«Coglione», ridacchiò lei. «Dammi quella cavolo di cartina».

Estrassi da una tasca la mappa sudicia e spiegazzata e la porsi a
Marie, che la tenne in aria tra indice e medio con un'espressione
disgustata. «Cristo. Dove cazzo la tenevi, Paul?»

«È meglio che non te lo dica», sghignazzai. «Ma perché ti serve
una cartina? Sono mesi che ci spostiamo su un'unica strada».

Lei mi ignorò. Aprì la mappa e la poggiò per terra, accanto
alla nostra cena. La studiò per qualche istante, trovò quello che
cercava e si voltò verso di me.

«Guarda», disse, indicando la capitale libica, Tripoli. «Ci sono
tre strade per entrare in città: da ovest, da est e da sud, passando
per il deserto».

Io annuii, senza capire dove volesse andare a parare.

«Secondo te cosa succederà quando attaccheranno Tripoli?», mi chiese, con un sorrisetto sardonico.

«Ehm… un gran bordello?», azzardai.

Marie mi sorrise radiosa. «Esatto. Ora, come cazzo ci arriviamo a Tripoli se tutte le strade sono bloccate ed è un gran bordello?».

Io alzai le spalle.

Marie fece una pausa a effetto prima di svelare cos'aveva in mente. Poi fece scivolare il dito sulla cartina, da Tripoli alla distesa azzurra del mare.

La guardai ammirato. «Sei un genio, cazzo. È perfetto». Mi ero subito innamorato del suo piano. L'idea di arrivare a Tripoli via mare mentre gli altri erano bloccati a combattere tutt'intorno al perimetro della città era così entusiasmante che non ne avevo analizzato i dettagli, e quindi non ero preparato al resto.

«C'è un problema, però, Paul: ci serve una barca», osservò Marie. «Tu hai ancora la tua? E, se sì, dove?»

«Certo che ce l'ho. Nel nord della Spagna, non lontano da qui», mormorai, mentre cercavo di calcolare a mente la distanza. «Nel caso, potrei portarla a Malta in una settimana».

Ed eccoci lì, con i missili che ci sfrecciavano sopra la testa, tonno e pane raffermo per cena, una cartina aperta di fronte e due sorrisi idioti stampati sulle facce fiere. Avevamo un piano.

Marie era cresciuta negli Stati Uniti, a Oyster Bay, sulla costa atlantica. Aveva la vela nel sangue. Molte notti avevo ascoltato le sue fantastiche avventure per mare. L'ultima era stata molto rischiosa: lei e il suo compagno Richard se l'erano vista brutta. Le previsioni del tempo davano cieli azzurri e venti moderati. Ma a bordo della barca la situazione era molto diversa. Un groppo improvviso li aveva colti alla sprovvista e si erano ritrovati nei guai. Prima, la randa era stata squarciata dai venti impetuosi: non un dramma, ma di sicuro un problema. Poi il rollatrinchetta si era bloccato: non bene. Come se non bastasse, le pompe di sentina avevano smesso di pompare l'acqua dallo scafo: molto male. Alla fine il motore era andato in avaria, lasciandoli in balìa di una barca ingovernabile. Quando chiesi a Richard di quell'episodio, mi disse che era l'unica volta in vita sua in cui aveva seriamente pensato di chiamare aiuto. Poi, però, gli sforzi congiunti dell'equipaggio li avevano riportati sani e salvi in porto.

Luglio 2011, Devon, Inghilterra

Una settimana dopo io e Marie ci ritirammo da Dafniya e tornammo a casa. Avevamo trascorso due mesi sotto assedio e avevamo bisogno di riposo per recuperare un po' di energie. Ma in realtà non ci fermammo mai. Una volta in Inghilterra, ebbe inizio una serie di lunghe telefonate durante le quali mettemmo a punto il piano della barca. Marie reclutò Ella Flaye, figlia del suo compagno Richard, come membro dell'equipaggio. Avrebbe dovuto restare di guardia mentre io e Marie sbarcavamo a Tripoli per seguire la caduta di Gheddafi.

La guerra in Libia era ancora a un punto morto: l'avanzata dei ribelli si era fermata e le forze di Gheddafi avevano ripiegato su posizioni difensive sicure. Gli aerei della NATO bombardavano quotidianamente obiettivi governativi, ma le forze ribelli, profondamente disorganizzate, non riuscivano a sfruttare quel vantaggio. Così, si continuava a combattere sullo stesso terreno in un circolo vizioso che sembrava non avere mai fine.

Nel Devon, pianificai la traversata per Malta, dove avremmo dovuto ormeggiare la mia barca prima dell'arrivo a Tripoli. Da Malta potevamo raggiungere la capitale in venti ore, purché i venti fossero a nostro favore. Tutto procedeva liscio, ma io e Marie sapevamo di dover ancora superare l'ostacolo più importante: non avevamo chiesto l'autorizzazione ai redattori del giornale. Fino ad allora si era trattato di un'operazione segreta di cui nessuno sapeva nulla, ma secondo le nostre previsioni i ribelli avrebbero ripreso l'avanzata verso Tripoli da un momento all'altro, quindi era giunto il momento che il giornale approvasse il piano.

Dopo un altro fitto scambio di telefonate, io e Marie decidemmo che era tempo di agire. Lei aveva una riunione presso l'ufficio di Londra e ne avrebbe approfittato per presentare ai redattori la nostra idea. Quando giunse il giorno fatidico, non potei fare a meno di immaginarmi i possibili scenari. Le avrebbero riso in faccia? Le avrebbero infilato una camicia con le maniche molto lunghe e l'avrebbero fatta portare via da due energumeni in camice bianco? Chi poteva dirlo?

Verso le cinque, squillò il cellulare: era Marie. Lo fissai qualche secondo: non sapevo se volevo conoscere il responso. Alla fine risposi.

«Capitano Conroy», disse la voce all'altro capo del filo, «si prepari a salpare il prima possibile in direzione di Malta».

«Stai scherzando, cazzo», farfugliai.

«No», ribatté Marie. «L'idea gli è piaciuta un sacco. Hanno persino detto che se la barca salta in aria te la ricomprano».

14 luglio 2011, Sant Carles Marina, Spagna

Me ne stavo tutto fiero in piedi sul pontone mentre mio fratello minore, Neil, ultimava i preparativi prima della partenza. Conosceva meglio di chiunque altro la barca, *Kitani*, uno yacht a vela WaterWitch, di dieci metri e con lo scafo in legno costruito nei primi anni Sessanta. L'avevamo portato dal Devon fino al Golfo di Biscaglia, dove eravamo stati costretti a rallentare per tre gior-

ni a causa di una tempesta prima di toccare terra a La Coruña, in
Spagna. Da allora, Neil aveva praticamente vissuto a bordo per
tre anni, curandone la manutenzione, e ora mi avrebbe accompagnato nella traversata di sette giorni non-stop fino a Malta.

Dopo il gin tonic delle cinque nel pozzetto, mollammo gli or-
meggi e procedemmo verso sud-sudest. Trovammo venti favo-
revoli al traverso di dritta, regolammo le vele di conseguenza e
ci rilassammo con una buona bottiglia di rosso e uno stufato di
chorizo. Di fronte a noi si stendeva il calmo mare Mediterraneo.
I venti provenienti dalla costa nordafricana erano piacevolmente
tiepidi e la vita ci sorrideva. Continuammo così per sette giorni,
mangiando il nostro pescato e allietando le guardie notturne con
un bicchierino di whisky. Fu la traversata più tranquilla della
nostra vita.

Quando la settimana finì, stremati dalle abbuffate di pesce e
dalle bevute che sembravano diventare sempre più impegnative
man mano che procedevamo verso sud, avvistammo terra dall'o-
blò di babordo. Neil dichiarò l'isolotto possedimento della Regina e ci preparammo a gettare l'ancora in St Thomas Bay, una
deliziosa insenatura a sud della capitale, La Valletta.

Festeggiammo con un bicchiere di rum, dopo di che Neil annunciò che sarebbe sceso a terra in cerca di abitanti del luogo e di
qualcosa da fumare. Nel frattempo, chiamai Marie e le comunicai
che la fase uno del piano era stata portata a termine con successo.
Era una donna felice. Neil tornò due ore dopo, tutto sorridente.
Aveva trovato un locale sulla spiaggia, The Zion, gestito da ra-
stafariani e aveva subito fatto amicizia con i padroni. Anche lui
era un uomo felice.

Dopo una settimana assolata trascorsa a pescare, nuotare e
fare qualche lavoretto sulla barca in previsione della traversata
verso Tripoli, Neil mi lasciò a terra con il gommone. Era stato
il viaggio più bello che avevamo fatto insieme. Ci abbracciam-

mo, poi io salii su un taxi per l'aeroporto. Lui era visibilmente
lieto di tornare a vestire i panni del capitano della nave e di
dare il suo contributo al nostro piano. Fu l'ultima volta che lo
vidi vivo.

Tornai a casa e aspettai. Sembrava che la guerra in Libia sarebbe rimasta per sempre a un punto morto. Ciononostante, io e
Marie continuammo a comunicare regolarmente, aggiornandoci
sulle iniziative dei ribelli o sulla loro inerzia, come accadeva
più spesso. Un giorno, stanca di aspettare, Marie annunciò che
sarebbe andata a fare una regata nel Mediterraneo per una o due
settimane a bordo di uno yacht capitanato da Griff Rhys Jones.
Ma mi avvertì che Tripoli sarebbe probabilmente caduta durante
la sua assenza. E così fu.

Ricevetti una telefonata dal «Sunday Times» con l'ordine di
partire subito per la Libia. Avrei dovuto incontrarmi con il corrispondente dall'Afghanistan Miles Amoore, che sarebbe arrivato
in aereo dal confine con il Pakistan per sostituire Marie. Io e Miles riferimmo della caduta di ez Zauia, una città strategica a una
cinquantina di chilometri a ovest della capitale, dell'invasione di
Tripoli e dell'assalto al palazzo di Gheddafi a Bab al-Aziziya in
una feroce battaglia di due settimane. Marie si perse la battaglia
per la capitale e poté raggiungerci solo pochi giorni dopo la sua
caduta, senza riuscire a nascondere la sua collera.

Eravamo molto avviliti: il nostro piano era stato compro-
messo dall'inaspettata rapidità dell'avanzata dei ribelli. Tutti
i nostri sforzi si erano rivelati vani, ma continuammo a corrispondere da Tripoli per il mese successivo prima di tornare in
Inghilterra. Al mio arrivo all'aeroporto di Heathrow dimenti-
cai di riaccendere il cellulare; poi, mentre ero in autostrada,
mi fermai per ascoltare eventuali messaggi e ricevetti decine
di notifiche di telefonate da parte di mio padre. Lo richiamai
subito, con mano tremante. Neil, mio fratello, il mio compa-

gno di viaggio e di anima, era stato trovato morto a bordo del gommone a St Thomas Bay. Aveva avuto un attacco di cuore fulminante a soli quarantacinque anni.

10 febbraio 2012, Hotel Rotana, Beirut, Libano

Mi svegliai tutto vestito sul letto, chiedendomi dove accidenti fossi. Mentre cercavo le sigarette, feci mente locale. Andai alla finestra e guardai lo skyline di Beirut: di fronte a me si levava una città risorta dalle ceneri di una feroce guerra civile. Pensai alle sfide che aspettavano me e Marie in Siria.

L'orologio ticchettava. Il conto alla rovescia era iniziato.

2
WONDERBRA BALISTICO

10 febbraio 2012, Beirut, Libano

Marie mi chiamò verso le dieci di mattina e ci accordammo per incontrarci mezz'ora dopo per fare colazione. Mi preparai a una lunga attesa.

A mezzogiorno vidi Marie entrare dall'ingresso posteriore dell'hotel, che aveva una dépendance sul retro. Era splendida: aveva i capelli freschi di parrucchiere e un'abbronzatura incredibile, frutto della sua recente avventura per mare. Lasciai che mi passasse accanto, poi gridai il suo nome. Lei si voltò di scatto e, vedendomi, sorrise radiosa. Marie, con i suoi capelli biondi e la figura alta e snella, riusciva sempre a sembrare elegante ovunque si trovasse. Era a suo agio tanto con i jeans aderenti e la camicia, la sua divisa nelle zone di guerra, quanto con i magnifici abiti che sfoggiava ai gala londinesi.

Ma non era solo il suo aspetto che sembrava adattarsi a qualsiasi situazione: era anche la sua personalità. Sapeva ammaliarti con una storia ma anche ridere e scherzare fino al mattino con i suoi modi disinvolti e il suo fascino naturale. Dietro quell'apparenza allegra si celava una profonda empatia verso gli altri e una grande sicurezza che la rendevano una compagnia piacevolissima. Parte della sua bravura come corrispondente derivava proprio da questa capacità di adattarsi facilmente a qualsiasi ambiente sociale. Si sentiva a casa con i londinesi del bel mondo e gli aristocratici britannici come con i signori della guerra curdi, i dittatori nordafricani e i tassisti afghani. O i fotografi di Liverpool.

Mi abbracciò forte e scoppiammo tutti e due a ridere. Era bello rivederla. Solo allora mi resi conto di quanto mi fosse mancata dall'ultima volta che avevamo lavorato insieme, nell'ottobre del 2011, in Libia. Il suo senso dell'umorismo nelle zone di guerra era insuperabile. I suoi epici racconti di avventure per mare, che allietavano le notti trascorse nel deserto sotto la luna e le stelle prima di una battaglia o di un attacco, facevano di lei la persona ideale con cui viaggiare nelle regioni lacerate dai conflitti. Ma, oltre a essere una collega divertente con cui lavorare, era anche un'amica con cui avevo costruito un solido rapporto.

Le amicizie che vengono forgiate dalla guerra sono molto profonde. Il volto pubblico di Marie, la donna che scriveva sui giornali, partecipava ai talk-show e parlava in pubblico, era quello di un'esperta corrispondente di guerra con una benda nera sull'occhio. Ma c'era molto di più. Quando mio fratello minore morì a bordo della mia barca a Malta, Marie mi chiamò immediatamente. Mentre mi offriva il suo sostegno emotivo, aveva già parlato con una lunga lista di persone a Malta che avrebbero potuto spostare la barca e occuparsene per conto mio. In qualsiasi momento di crisi, era lì al mio fianco per aiutarmi e consigliarmi. In poche parole, era una vera amica ed ero felice di svolgere un altro incarico insieme a lei.

20 ottobre 2011, Libia

Mi era stato detto di raggiungere Marie, così avevo recuperato le valigie dalla mia casa nel Devon e, ventiquattr'ore dopo, ero

già con lei in Libia, alla ricerca del cadavere dell'ex dittatore
Mu'ammar Gheddafi, che era appena stato giustiziato a Sirte, la
sua città natale. I ribelli avevano poi trasportato il corpo nella
città portuale di Misurata, i cui abitanti erano i più provati dalla
rivoluzione, avendo dovuto subire tutta la feroce vendetta del
colonnello.

Un contatto che ci aveva aiutato alcuni mesi prima, quando io
e Marie eravamo a Misurata, ci accompagnò a vedere il cadavere. I ribelli lo avevano portato al vecchio mercato africano alla
periferia della città, dove era stato sistemato in un congelatore
per la carne. C'era già un sacco di gente in fila, tra cui famiglie
con bambini. L'atmosfera era quella di una festa. Io e Marie
conoscevamo alcuni dei ribelli a guardia del congelatore, che ci
fecero cenno di venire avanti saltando la fila.

Ed ecco "il cane rabbioso del Medio Oriente", come lo aveva
definito Ronald Reagan, il corpo malridotto ma ancora ben con-
servato guardato a vista dai ribelli di Misurata che lo avevano catturato e ucciso. Aveva un'espressione stranamente serena, considerate le torture che gli erano state inflitte prima della morte. Si
trattava senza dubbio di Gheddafi, ma di un Gheddafi privato del
potere, spogliato della sua aura, non più re ma cadavere. Mentre
lo fotografavo, pensavo con stupore a come quell'uomo avesse
governato brutalmente un Paese, reprimendo qualsiasi dissenso
per quarantadue anni, per poi soccombere alla furia dello stesso
popolo da cui credeva di essere adorato e venerato. La sua era
stata una morte ironicamente ingloriosa per un uomo che aveva
cercato l'ammirazione per tutta la vita.

Dopo aver scattato le foto, individuammo la casa in cui Gheddafi aveva alloggiato durante la battaglia per la città di Sirte e in
cui aveva trascorso la sua ultima notte. Si trattava di uno scoop
per il «Sunday Times»: la redazione esteri ne fu entusiasta.

Il giorno successivo, mentre pianificavamo il volo di ritorno in Inghilterra, Marie ricevette una email dal redattore esteri del giornale, che le chiedeva di recarsi a Tripoli per documentare la situazione politica. «Vieni?», mi chiese, un po' avvilita.

«Neanche per idea. Non ho nessuna voglia di fotografare delle commissioni», replicai. Il mio odio per le commissioni era un residuo dei giorni dell'assedio di Misurata, quando mi ero rifiutato di fotografare dei vecchi babbioni che bevevano tè sotto le luci al neon mentre fuori infuriava la guerra. Marie fece le valigie e partì. Non la vedevo da allora.

10 febbraio 2012, Hotel Rotana, Beirut, Libano

Marie mi guardò tutta seria nell'atrio dell'Hotel Rotana. «Dobbiamo darci una mossa e cercare di entrare il prima possibile», disse.

«Propongo un caffè prima», risposi. Lei scoppiò a ridere e si sedette. «Hai già parlato con Leena?», le chiesi.

Leena era la faccendiera a cui ci eravamo rivolti io e Miles durante il nostro precedente incarico. Se avevi bisogno di qualcosa, di qualsiasi cosa, a Beirut, dovevi chiamare Leena. Negli anni Ottanta, durante la guerra civile, faceva la produttrice e la presentatrice televisiva e conosceva tutti i pezzi grossi della città. In pratica, era il nostro salvacondotto per la Siria. Aveva più di cinquant'anni ormai e non si esponeva più, per via di una promessa fatta alla figlia, sempre più preoccupata per lei, ma nessuno meglio di Leena aveva il polso della situazione politica in quella città turbolenta.

«Sì, ieri», rispose Marie. «Viene in hotel oggi. Secondo lei potremmo partire domani».

Io rischiai di sputare il caffè. «Domani?», esclamai sorridendo. Non volevo stroncare sul nascere le speranze di Marie, solo recuperare un po' di sano realismo. Le ricordai che io e Miles avevamo impiegato tre settimane per raggiungere il confine.

Marie mi guardò perplessa. «Ah, sì? Eppure sembrava abbastanza ottimista quando le ho parlato».

Io annuii. «Anche con noi lo era stata. Io e Miles siamo rimasti in standby per tre settimane. Stavamo impazzendo. Dico solo che le cose funzionano diversamente qui: sono molto più lente. Lo sai, sei stata abbastanza a lungo a Beirut. E non è cambiato nulla».

Per un attimo, Marie sembrò tornare con la mente al passato. Poi sorrise e disse: «Be', allora ho tempo per fare un po' di shopping».

E sparì alla ricerca di calzamaglie e snack energetici. Io tornai in camera e accesi il portatile. L'idea era quella di contattare alcuni degli attivisti che ancora trasmettevano da Homs su Skype e Twitter. Non fu difficile: nel giro di mezz'ora mi misi in comunicazione con Omar Shakir, che sarebbe poi diventato un caro amico e che mi ragguagliò sulla situazione a Baba Amr. Era terrificante: il presidente siriano Bashar al-Assad aveva ordinato alle sue forze di lanciare massicci attacchi di artiglieria sul piccolo quartiere. I civili e i ribelli erano barricati nelle case e non avevano modo di spostare i feriti e i moribondi. I carri armati del governo facevano delle incursioni dentro Baba Amr, ma un gruppetto di combattenti noti come Esercito siriano libero li respingeva. In breve, era un inferno e la gente lottava per sopravvivere. Altre fonti su Twitter e Skype mi confermarono le informazioni di Omar. A un certo punto mi ritrovai a guardare un resoconto live dei bombardamenti in corso.

Marie tornò dal suo giro. Era andata anche a casa di Jim Muir, il giornalista della BBC che viveva a Beirut. Jim, un suo vecchio amico, l'aveva informata della situazione sul campo e, quando ci confrontammo, ricostruimmo lo stesso quadro: bombardamenti

continui, carri armati, cecchini e un assedio medievale che si
svolgeva sotto il naso del mondo intero. Un mondo che, per lo
più, sembrava ignorarlo.

Marie frugò in una busta e ne estrasse una calzamaglia. Vedendo il mio sguardo interrogativo, mi spiegò, sorridendo: «È
di Jim Muir. Me la sono fatta prestare. È un po' grande, ma
pazienza».

Ci ritirammo nelle nostre stanze. Marie cominciò a lavorare a
un articolo che doveva scrivere per la domenica e io continuai
a cercare informazioni sulla situazione a Baba Amr. Passarono
alcune ore e le notizie provenienti dalla Siria continuavano a descrivere una situazione in rapido peggioramento. Stavo ancora
guardando quelle scene di devastazione in TV, quando Marie mi
annunciò che era arrivata Leena.

La incontrammo al bar dell'albergo e fu lei a rompere il ghiac-
cio. «Credo che i ragazzi possano farvi passare domani, quindi
fatevi trovare pronti per le sette di domattina», disse.

Marie si illuminò, mentre io rimasi leggermente scettico. Avevo già sentito quelle parole, per cui moderai il mio entusiasmo.
Leena ripeté la solita tiritera. «Una borsa a testa. Non date soldi
a nessuno perché ci penseremo al ritorno».

Marie chiese quanto, ma Leena disse semplicemente di fare
una donazione alla causa: qualunque somma avessimo ritenuto
opportuna. «Passerete dalla valle della Beqa' come l'altra volta
e, se volete portare il giubbotto antiproiettile, dovrete indossarlo
sotto la giacca».

I giubbotti antiproiettile non erano mai stati nominati prima
di allora. Il mio era rimasto in Inghilterra, perché l'altra volta
non avevamo potuto portarlo. In linea di massima, lo odiavo,
ma, avendo visto centinaia di persone morire in Libia a causa di
schegge minuscole che un giubbotto avrebbe potuto respingere,
lo indossavo per principio. Leena mi propose di prestarmi il suo.

Continuammo a parlare per circa un'ora e Marie cercò di ottenere quante più informazioni possibile.

«È fantastico!», esclamò quando Leena se ne fu andata. «Domani si parte». Io alzai gli occhi al cielo e Marie se ne accorse. «Che c'è, Paul, perché quella faccia? Non le credi?»

«L'ho già sentita questa storia. Finché non lo vedo, non ci credo. Qua la gente non ti dice mai di no perché ti vuole compiacere. È sempre sì, e scopri che invece era no solo quando non si presentano».

«Dio, che bastardo che sei», ridacchiò lei. «Senti, vado a finire il pezzo per domenica e preparo la borsa». E scomparve al piano di sopra, tutta eccitata per l'imminente partenza. Io me ne tornai in camera con più calma, dubitando fortemente che saremmo partiti l'indomani.

Dopo una decina di minuti, udii qualcuno bussare alla porta.

«Cazzo, è sparito, e non ho toccato niente. È sparito e basta», disse Marie, in preda all'agitazione.

«Che cosa?», le chiesi, cercando di calmarla.

«Il mio pezzo. È sparito. Tutto. Era lì un attimo fa e ora non lo trovo più».

Si stava facendo prendere dal panico. L'avevo vista pochissime volte in quello stato, quindi capii che la situazione era grave.

Presi il suo computer e cominciai a cercare l'articolo. In quel momento il telefono di Marie squillò e lei impallidì leggendo il nome del redattore sullo schermo. «Merda, è Sean. Vuole il pezzo subito». Cercò di calmarsi prima di rispondere.

«Ciao, Sean», disse, sforzandosi di sembrare tranquilla. «No, va tutto bene. Paul lo sta spedendo proprio ora».

Mi lanciò un'occhiata per capire se fossi riuscito a recuperarlo, e io alzai le spalle mentre proseguivo la mia frenetica ricerca.

«No, Sean, certo che l'ho scritto. È solo un problema tecnico. Ti richiamo fra dieci minuti».

«Vai a prendere l'alimentatore del computer. Se si spegne, potremmo perdere tutto quanto. Corri!», le gridai non appena mi accorsi che l'indicatore della batteria lampeggiava in un angolo dello schermo.

Marie si precipitò fuori dalla stanza e, proprio in quel momento, il telefono che aveva abbandonato sul letto squillò di nuovo. Lo presi e risposi. «Pronto?».

Era Lucy della redazione esteri. «Ah, Paul, ciao. Marie ci ha detto che ha avuto qualche problema e ci sta spedendo il pezzo». Poi, dopo una pausa, aggiunse: «Paul, dimmi la verità: l'ha scritto davvero?».

Io le confermai che glielo stavo spedendo via mail in quel momento. Lucy riattaccò poco convinta. Qualche secondo dopo, non so neanch'io come, trovai l'articolo. Marie irruppe nella stanza.

«Trovato», dissi sorridendo. «Devi solo premere "invia"».

Lei mi strappò il computer dalle mani e corse via. Dopo una ventina di secondi, la vidi tornare. «È sparito di nuovo!», esclamò terrorizzata.

«Impossibile. Dammi qua».

Lei mi porse il portatile con un certo imbarazzo. Ero perplesso: avevo visto l'articolo con i miei occhi. C'era una sola spiegazione. Cliccai su "annulla digitazione" e il testo riapparve, con indicibile sollievo di Marie. Doveva aver inavvertitamente premuto il tasto "cancella". Quella volta uscì dalla mia stanza camminando molto lentamente e tenendo il portatile davanti a sé come una bomba inesplosa.

La mattina seguente alle sette mi ritrovai seduto accanto a Marie nell'atrio semideserto dell'hotel. L'attesa è la parte più difficile di qualsiasi incarico. Ti sfianca, ti prosciuga le energie finché non ti trasformi in un subumano frustrato e apatico. Mi uccide. La odio anche perché ti costringe a pensare a cosa potrebbe at-

tenderti. I dubbi si affastellano e le paure si intensificano, finché
non cominci a domandarti cosa cavolo ci sei andato a fare lì.

Alla fine, Marie ricevette un SMS. Leggendolo, cercò di dissi-
mulare la delusione. Era evidente che non saremmo partiti quel
giorno. Avremmo dovuto fare marcia indietro e preparare di nuovo tutto da capo. È davvero micidiale, la frustrazione in attesa
del via.

Aprile 2011, Bengasi, Libia

I giornalisti sono spesso costretti ad aggirare ostacoli apparentemente insormontabili. Un anno prima, mentre eravamo in
Libia, io e Marie ci trovammo di fronte a una situazione simile a quella di Beirut. Eravamo arrivati a Bengasi, città nell'est
del Paese e roccaforte dei ribelli, per scoprire che il teatro delle
operazioni si era spostato a Misurata, porto situato più a ovest.
Bengasi venne liberata e nacque la tanto temuta commissione.

Prima a Bengasi potevi fare quello che volevi. C'era una guerra
in corso, quindi le regole non esistevano. Potevi unirti a un gruppo di ribelli, andare in prima linea e tornare in tempo per la cena.
Invece dopo la liberazione cominciarono a spuntare commissioni ovunque, che appesantivano tutto con la loro burocrazia.
Io e Marie volevamo andare a Misurata, che era sotto assedio e
stava subendo tutta la forza distruttiva del regime di Gheddafi.
L'unico modo per raggiungerla era via mare e l'unica nave che
percorreva la tratta era quella dell'Organizzazione internazionale
per la migrazione. Per salire a bordo avevamo bisogno di varie
autorizzazioni emesse da nuove commissioni dai nomi assurdi.

Nel corso della giornata trascorsa alla ricerca della commissione e del pezzo di carta giusti, ricevemmo la notizia che la nave
sarebbe salpata la sera seguente. Fummo quindi costretti a bypas-

sare completamente la burocrazia. La mattina dopo, ci recammo di buon'ora al porto con uno zainetto a testa. Non avevamo neanche fatto il checkout all'hotel. Il piano era andare e tornare da Misurata con la nave. Ci saremmo trattenuti solo pochi giorni. Non avevamo altra strategia se non quella di saltare a bordo.

Al porto ci nascondemmo dietro alcuni container e osservammo i volontari caricare scatoloni di aiuti e rifornimenti. Mi voltai verso Marie e le dissi: «Facciamo amicizia con il capitano. Se riusciamo a salire e a conoscerlo, siamo a cavallo. Non possono mica buttarci a mare».

Lei mi guardò divertita. «Quindi il tuo piano è: salire a bordo e fare amicizia?»

«Esatto. Ci stai?».

Lei, per tutta risposta, si diresse verso l'apertura nello scafo dove stavano caricando i container. Ci fermammo un istante, aspettammo che nessuno ci guardasse e sgattaiolammo a bordo dell'enorme traghetto greco. Salimmo su per le scale ridacchiando come due ragazzini e ci fermammo solo quando giungemmo sul ponte che ospitava la mensa. Un membro dell'equipaggio greco ci passò accanto.

«Mi scusi, dov'è il capitano?», gli chiesi con l'aria di chi aveva tutto il diritto di essere lì. Lui indicò con un cenno del capo una porta a vetri scorrevole.

Entrammo nella sala mensa. In fondo sedeva, da solo, un tizio corpulento dall'aria bonaria che stava pranzando davanti a un boccale di birra. Ci avvicinammo.

«*Kalimera, ti kanis, kalà?*», dissi in un greco disinvolto.

«*Yassas*», rispose lui sorridendo. «Parla greco molto bene, amico mio», aggiunse poi, invitandomi a sedermi.

Marie mi guardò allibita. «Parli greco?»

«*Ligo ligo*», risposi io.

Il capitano scoppiò a ridere, poi urlò qualcosa a un cameriere, che ci portò due birre. Chiacchierammo amabilmente della sua nave, del suo lavoro e della sua famiglia. Ci disse che la moglie credeva che facesse ancora i giri turistici delle isole greche: non aveva idea che si trovasse in una zona di guerra per portare gli aiuti alla gente affamata di Misurata. Dopo un'ora di piacevole conversazione, gli chiedemmo a bruciapelo se sarebbe stato disposto a portarci a Misurata con lui.

Lui fece un gran sorriso, annuì e rispose: «Ma certo! Siete miei ospiti, e dovete venire».

Lanciai un'occhiata a Marie. Aveva un sorriso radioso che non dimenticherò mai, come una bambina che ha ricevuto il regalo di Natale tanto desiderato. Era fatta. Saremmo andati a Misurata e nessuna commissione avrebbe potuto fermarci.

11 febbraio 2012, Beirut, Libano

A Beirut, invece, non fu una commissione a impedirci di entrare in Siria. Fu l'esercito siriano schierato lungo il confine occidentale con il Libano. E poi i campi minati e i contrabbandieri, diffidenti nei confronti di chi si rivolgeva a loro, pagando, per passare dall'altra parte.

Alla fine, Leena ci ricontattò. Dovevamo incontrare il capo di un'operazione di contrabbando i cui uomini ci avrebbero guidato attraverso il confine. Il contrabbandiere mi conosceva già, ma voleva vedere Marie.

Leena ci passò a prendere in hotel nel pomeriggio per portarci dall'uomo, noto a buona parte della stampa occidentale come "il Barbuto". Vista la situazione, immaginavo che l'incontro si sarebbe svolto in segreto: in un vicolo buio, magari, o in un luogo remoto, lontano da occhi indiscreti. E invece no: l'appuntamento era da Starbucks. Fu una grossa delusione. Marie non faceva che lanciarmi occhiate e mimare con le labbra la parola "Starbucks" cercando disperatamente di non ridere.

Bevemmo un caffè nell'attesa del Barbuto, mentre la città sfilava davanti alla vetrina. Le strade di Beirut erano piene di vita. Eravamo in una zona ricca, sembrava quasi Knightsbridge, a Londra, un posto lontano anni luce dalle immagini di guerra e distruzione che Beirut evocava. Coppie bellissime passavano tenendosi per mano. Era evidente che l'industria delle protesi al seno aveva trovato un nuovo, fiorente mercato in quella città un tempo dilaniata dalla guerra civile.

Finalmente il Barbuto arrivò, dando inizio a un valzer di saluti e strette di mano. Poi si sedette e sistemò sul tavolino davanti a sé una sfilza di cellulari. Se il numero di telefonini costituiva l'unità di misura di uno status sociale, allora il Barbuto doveva essere davvero un pezzo grosso. Ne contai sei.

Chiacchierammo per un po'. Marie era in modalità professionale e interpretò perfettamente la situazione. Fece le considerazioni giuste al momento giusto e il Barbuto alla fine si rilassò. A quanto pareva, Marie aveva passato l'esame. Secondo gli accordi, gli uomini del Barbuto sarebbero venuti a prenderci il giorno dopo. Bevemmo un altro caffè mentre lui rispondeva ai suoi telefoni che squillavano in continuazione, poi a un certo punto ci salutò e se ne andò.

Per festeggiare, Leena ci invitò a un incontro del club della stampa internazionale. Io e Marie accettammo e ci ritrovammo in un locale privato molto elegante nel quartiere di Hamra. C'erano alcune facce note tra i giornalisti riuniti per un bicchiere e due chiacchiere. Incontrai Bryan Denton, fotografo freelance che collaborava prevalentemente con il «New York Times». Avevamo trascorso un mese insieme a Misurata nella fase peggiore dell'assedio, quando la maggior parte della stampa mondiale aveva lasciato la città. Quella sera lui e tutti gli altri giornalisti con cui parlammo ci misero in guardia dai numerosi pericoli.

Bryan era un tipo in gamba. Aveva seguito molte guerre ed era un veterano dell'Afghanistan, ma mi guardò preoccupato quando seppe del nostro imminente viaggio in Siria. Mi disse che non gli passava neanche per la testa di varcare il confine. La situazione era troppo instabile e non c'erano rifugi sicuri se le cose fossero andate male. L'Esercito siriano libero non controllava nessun territorio che potesse essere considerato privo di pericoli, a differenza dei ribelli libici, che, se non altro, erano riusciti a difendere le loro posizioni.

Parlando con Marie, Lindsey Hilsum, redattore internazionale delle News di Channel 4, ammise apertamente che per lei entrare in Siria era fuori discussione e, dall'alto della sua incredibile esperienza di corrispondente di guerra in tutto il mondo, la invitò a essere molto cauta. Bevemmo, scherzammo e ci raccontammo storie fino a tarda notte, ma Lindsey sembrava davvero allarmata. A quanto pareva, tra gli amici e i colleghi che avevamo incontrato sino ad allora, solo io e Marie avevamo intenzione di passare il confine.

Il giorno dopo Marie andò a trovare Paul Wood della BBC, che era appena tornato dalla Siria, e lui le descrisse una situazione molto critica. Ricevemmo un resoconto simile da Stuart Ramsay di Sky TV, che, rientrato la sera prima, ci disse che il Paese era una polveriera e ci consigliò di stare molto attenti.

Quello stesso giorno mi incontrai con Bryan Denton. Era così preoccupato che aveva portato con sé delle bende da campo e un kit di pronto soccorso, nel caso in cui fosse andato tutto storto. Bevemmo un caffè e comprammo una radio a onde corte in modo da poter seguire il BBC World Service dalla Siria. Al momento di salutarci, ci stringemmo la mano e ci abbracciammo. «Buona fortuna. Sta' attento, fai quello che devi fare e vieni via», mi disse.

La sera prima della partenza io e Marie ripassammo i codici

che avevamo stabilito per tenere informati il giornale e Leena
sulle nostre condizioni mentre eravamo in Siria. "Aeroporto"
stava per confine e "Beirut" per Homs. "C'è il sole" significava
che andava tutto bene, "È nuvoloso" che avevamo un problema
poco grave e "Tempesta in arrivo" che era successo un casino e
stavamo scappando.

Avevamo ascoltato tutti i suggerimenti delle persone fidate che
erano andate e tornate. Dissi a Marie che ce la potevamo fare: ero
passato di là tre settimane prima. Certo, era difficile, ma fattibile.
Ne parlammo per ore e giungemmo alla conclusione che, se Assad stava massacrando civili a Homs, qualcuno avrebbe dovuto
essere lì per documentare la strage. Dopotutto, quella era la vita
di Marie: denunciare le sofferenze dei civili e l'efferatezza della
guerra. Era il nostro lavoro. Eravamo pronti.

O almeno così credevamo. La mattina dopo restammo in attesa per ore nell'atrio di marmo dell'albergo, guardando gli stessi
addetti alle pulizie che pulivano gli stessi pavimenti, gli stessi
receptionist che si sforzavano di sorridere agli stessi ospiti odio-
si e rumorosi e provando lo stesso senso di crescente sconforto,
visto che nessun furtivo contrabbandiere faceva il suo ingresso
nell'hotel. Poi ricevemmo una telefonata. Marie cercò freneticamente il cellulare, mentre io la fissavo nel tentativo di inter-
pretare la sua espressione. Lei, accigliata, annuì due volte, poi,
quando la tensione cominciava a diventare insopportabile, sorrise
e attaccò. Mi preparai al peggio.

«Marie, ti prego», supplicai, «dimmi che non devo passare
un'altra notte qui».

Lei sorrise di fronte alla mia faccia comica ma sincera. «Sta-
mattina, alle undici», cominciò, facendo una pausa a effetto.
«Confermato». E scoppiò in una di quelle sue meravigliose risate
profonde mentre io mi rilassavo.

Tornato nella mia stanza, il tempo sembrava non passare mai, finché il mio telefono libanese squillò, facendomi sobbalzare. Risposi, trattenendo il fiato.

«Paul, sono fuori. Devi scendere subito», disse una voce sconosciuta prima di riattaccare.

Mi guardai intorno. C'era un problema: non sapevo dove fosse Marie. Così la chiamai. «Marie, dobbiamo andare, l'autista è qui, in carne e ossa. No, non sto scherzando. No, non mi ha detto molto, ma almeno esiste».

Marie promise di scendere nel giro di cinque minuti, così attraversai l'atrio guardandomi intorno. C'erano manager intenti a bere whisky e a fumare sigari; viaggiatori immersi nella lettura delle loro guide *Lonely Planet* e un gran numero di uomini d'affari che vagavano senza meta, lo sguardo inespressivo. Mi congedai mentalmente dall'hotel, dal marmo lucente, dal personale gentile e dalla musica di sottofondo che ti si insinua nel cervello. Mi stavo lasciando tutto alle spalle, senza rimpianti. "Appena uscirò da quelle porte di vetro, la mia vita cambierà", pensai. Ma non immaginavo quanto.

Fuori, perlustrai la strada in cerca dell'autista. Aveva una Mercedes blu e mi stava fissando. "Dev'essere il nostro uomo", mi dissi. Poi, mentre mi avvicinavo all'auto, scorsi un sorriso. Quel viso mi sembrava familiare. A un tratto, capii: era Hussein, l'autista che io e Miles avevamo ingaggiato più volte durante il nostro ultimo incarico. Ci abbracciammo.

«Paul, perché sei tornato? Non ti sei spaventato abbastanza l'ultima volta?», mi chiese ridendo. «Sei proprio un idiota. Ma perché non chiedi un visto come tutti i bravi giornalisti? Così magari non ti sparano».

«Perché mi mancavi, Hussein. Dovevo assolutamente rivedere il tuo sorriso».

«Dov'è Miles?», fece lui, guardando l'entrata dell'hotel con aria interrogativa.

Gli spiegai che Miles era tornato a Kabul e che quella volta facevo coppia con Marie. Hussein annuì e poi osservò, piuttosto bruscamente, che Marie doveva avere due palle così per attraversare il confine. "A proposito, dove cavolo è Marie?", mi domandai. La chiamai e mi promise di nuovo che sarebbe scesa dopo cinque minuti.

Hussein sorrise. «Non c'è problema, ho una moglie anch'io», disse, con un sorrisetto insolente.

Passò mezz'ora e, dopo le presentazioni di rito, ci infilammo nel fitto traffico. Ci fermammo da Leena a prendere il giubbotto antiproiettile che mi aveva promesso in prestito. Marie portava il suo sotto la giacca e io mugugnai all'idea di dover sopportare quella roba addosso. Giunti a casa di Leena, vidi un ragazzo che ci aspettava pazientemente sul ciglio della strada con il giubbotto in una busta. Non appena la aprii rimasi di sasso. Leena, una trentina di centimetri più bassa di me e un po' più prosperosa, aveva quello che potrei definire solo un reggiseno antiproiettile. Lo indossai: era esattamente quello che sembrava. Era almeno di quattro taglie troppo piccolo per la circonferenza del mio petto e a stento mi copriva le costole. "Cristo santo", pensai. "Sto andando in guerra con addosso un Wonderbra antiproiettile".

Continuammo a procedere nel traffico. A poco a poco, la modernità di vetro e cemento del centro di Beirut svanì fuori dai finestrini, lasciando il posto ai sobborghi più poveri e fatiscenti della città. L'impressione era quella di una miseria diffusa. Spiegai a Marie che durante il mio ultimo viaggio, il figlio di Hussein ci aveva portati nel cuore della valle di Beqa' prima di affidarci ai contrabbandieri. Ma, prima che potessi proseguire il mio racconto, Hussein parcheggiò in un garage. Fece una telefonata in arabo e ci chiese se volevamo un caffè. Mentre si allontanava a passo lento, lessi la preoccupazione sul viso di Marie.

«Paul, è stato così anche l'altra volta?», disse.

«No. L'altra volta abbiamo attraversato la valle con la stessa macchina».

Capivo l'apprensione di Marie. In quel genere di incarichi, più informazioni si hanno più si ha l'impressione di avere un certo controllo sul proprio destino. Ci stavamo mettendo nelle mani di un gruppo di contrabbandieri sconosciuti. Era un salto nel buio e faceva paura.

Hussein tornò con i caffè e ci spiegò che un'auto ci avrebbe portati alla valle di Beqa', dopo di che ci avrebbero condotto in Siria. Per una ventina di minuti bevemmo e fumammo nell'attesa che arrivasse l'altro veicolo. A un certo punto Hussein ricevette una chiamata e, dopo aver risposto, ci indicò un minibus parcheggiato a un centinaio di metri di distanza. Io e Marie prendemmo le borse e ci avvicinammo. Hussein ci aiutò a caricare i bagagli, poi si rivolse all'autista e gli strinse la mano.

«Buona fortuna. Ci vediamo la settimana prossima», disse sorridendo mentre si allontanava.

Il minibus era vecchio e sgangherato, con il cruscotto ricoperto di ninnoli di ottone. Ma l'autista era molto più preoccupante delle decorazioni e della sicurezza del mezzo. Sembrava, e con ogni probabilità era, completamente pazzo. Appena io e Marie salimmo a bordo, si voltò e ci chiese, in arabo: «Siria?».

Annuimmo in silenzio. Lui si portò due dita alla tempia a mo' di pistola e mimò un colpo. Marie si girò verso di me.

«Cristo, Paul, questo è matto. Ma chi è?», mi chiese, come se io lo conoscessi.

Io alzai le spalle. «Non credo sia un contrabbandiere», risposi, facendo gli scongiuri. «Forse è semplicemente un tizio che conoscono e che ci può far attraversare la valle».

Se l'abilità al volante fosse l'unità di misura della sanità mentale di una persona, allora la diagnosi di Marie sarebbe stata corretta. L'autista si destreggiava nel traffico senza mai superare i trenta chilometri orari e sbraitando contro i pedoni. A un certo punto, frenò di colpo e io e Marie finimmo contro i sedili davanti. Un attimo dopo, un soldato salì e si sedette accanto a me sorridendo.

Marie, che era nel sedile dietro, borbottò: «Paul, che cazzo succede? Questo dà i passaggi ai soldati. Siamo sicuri che sia un contrabbandiere? Mi sta spaventando».

«Probabilmente usano un taxi come copertura», le risposi in un sussurro, nel caso in cui il soldato parlasse inglese.

Ci inerpicammo su per le montagne che sovrastavano la città. Ai lati della strada c'erano mucchi di neve. Nel giro di poco tempo, il minibus si riempì di gente che l'autista pazzo caricava lungo il tragitto. C'erano cinque donne, tre soldati e un poliziotto. Marie dormiva, o almeno fingeva in modo convincente. L'autista accese il riscaldamento al massimo per contrastare il freddo dell'inverno, ma dentro c'era un caldo soffocante. Solo che non potevo togliermi la giacca: ero perfettamente consapevole dell'impressione che avrei potuto fare ai miei compagni di viaggio se avessi mostrato il mio Wonderbra antiproiettile.

Quando cominciammo la discesa lungo la strada ripida che dalle montagne conduceva alla città di Baalbek, nella valle della Beqa', gli altri passeggeri cominciarono a scendere uno dopo l'altro. La valle era famosa, o meglio, famigerata, per varie ragioni. Era, e forse è ancora, una delle principali zone di produzione di hashish al mondo. Inoltre era la roccaforte di Hezbollah, un gruppo politico sciita con un'enorme milizia armata che, complice il sostegno, anche finanziario, dell'Iran, aveva in mano gli equilibri del potere in Libano. La cosa ci riguardava, perché Hezbollah osteggiava la rivolta in Siria e sosteneva attivamente il presidente Bashar al-Assad. I suoi membri non erano affatto contenti che il Libano venisse usato come trampolino per la Siria dalla stampa e, soprattutto, dai contrabbandieri che facevano entrare armi e forniture mediche destinate ai ribelli siriani. Questo faceva di noi dei bersagli, anche se eravamo ancora in Libano.

L'ultimo passeggero scese a Baalbek, dopo di che il minibus si diresse verso nord, zigzagando su per le strade di montagna che ci avrebbero condotto al confine con la Siria. Ogni tanto l'autista si girava verso di noi, rideva e diceva: «Siria», per poi voltarsi e sghignazzare tra sé. Ormai lo odiavo: mi dava sui nervi. Marie si era svegliata, ma non diceva nulla dal suo sedile in fondo. E, quando non diceva nulla, sapevo che la sua mente stava passando in rassegna tutte le possibilità. Doveva essere nervosa almeno quanto me.

Quando le montagne si fecero più ripide e i villaggi più piccoli e poveri, il minibus rallentò. A un certo punto giungemmo su un altopiano: di fronte a noi si ergeva l'ultima catena montuosa che separava i due Paesi e, in lontananza, si intravedeva la Siria.

«Paul, sei passato di qui l'ultima volta?», mi chiese Marie dal fondo.

«Credo di sì. Forse eravamo laggiù, lungo il crinale», risposi, indicando una strada alla nostra destra.

«Non mi fido di questo tizio. È troppo fuori di testa per essere un contrabbandiere», sentenziò Marie.

«Forse è proprio per questo che fa il contrabbandiere», ribattei io, tentando di tranquillizzarla.

Continuammo a percorrere l'altopiano. Mi guardai intorno per capire se eravamo nello stesso posto da dove eravamo partiti l'altra volta. Usando il sole come bussola, capii che ci stavamo dirigendo a nord. Ma di tanto in tanto l'autista tagliava bruscamente a ovest o a est. Dopo un po', però, mi convinsi che stavamo procedendo nella stessa direzione e che le improvvise deviazioni erano tese a evitare i checkpoint dell'esercito o di Hezbollah.

«Marie, credo sia la stessa strada dell'altra volta. Lui è un pazzo furioso, ma secondo me siamo diretti allo stesso villaggio».

Marie si rilassò leggermente. Sorrideva e ogni tanto borbottava fra sé qualcosa sull'autista. A un tratto, vidi una nube di polvere davanti a noi. Avevamo lasciato la strada principale e stavamo percorrendo un sentiero accidentato di sabbia e pietra. Mentre ci avvicinavamo al veicolo che proveniva nella direzione opposta, l'autista lo indicò e disse: «Siria». Poco dopo ci fermammo, e io e Marie porgemmo all'autista cento dollari. Il trasferimento fu rapido e, al momento di salire nel retro di un pickup celeste che aveva visto giorni migliori, rimasi sbalordito nel trovarmi di fronte un giornalista occidentale che stava scendendo. Anche lui aveva visto giorni migliori.

«Roberto», disse. Ci stringemmo la mano e ci presentammo.

«Dove siete diretti?», chiese.

«A Baba Amr», risposi.

Lui rise e salì sul taxi. «Godetevi il tunnel, allora», disse misteriosamente, e l'autista sfrecciò via prima che potessimo chiedere spiegazioni.

Marie mi guardò mentre ci stipavamo nel pickup. «Ha detto "tunnel"?».

Annuii. Odio i tunnel: se fosse per me, dovrebbero essere banditi e tutti i loro sostenitori andrebbero rieducati, con le buone o con le cattive.

Però sembrava andare tutto liscio. Non vedevo l'ora di riconoscere edifici familiari, che ricordavo dal mio ultimo viaggio, e quel pensiero scacciò tutti gli altri. Anche il nuovo autista contribuì ad alleggerire l'atmosfera. Portava pantaloni militari e una t-shirt verde e aveva l'aria di una persona sana di mente. Ogni tanto ci guardava e sorrideva. Non aveva strani raptus e non mimava finte esecuzioni. Può sembrare strano, ma era come dovrebbe essere un contrabbandiere: calmo, rilassato e sicuro di sé. Ci piaceva.

Proseguimmo per un'altra ventina di minuti, dopo di che svoltammo in un piccolo sentiero, in fondo al quale c'era un edificio di cemento quadrato. Per un attimo, non capii. Pensai si trattasse di un altro punto di scambio, ma poi mi resi conto, a poco a poco, che conoscevo quel posto. Ci ero già stato. Se le mie impressioni erano giuste, il confine siriano era a un chilometro e mezzo di distanza. L'autista sorrise e indicò la porta.

«Benvenuti», disse in inglese.

Marie mi guardò. «Ci siamo, Marie. Sono loro i contrabbandieri. L'avventura comincia qui».

Lei sorrise, si sedette e cominciò a togliersi gli scarponi. Poi mi lanciò un'occhiata interrogativa e mi chiese: «Perché mi hai guardato in quel modo quando Roberto ha menzionato il tunnel?».

Le spiegai che avevo un conto in sospeso con i tunnel. Un giorno, quando ero ancora nell'esercito, ero partito per una delle mie vacanze non autorizzate. Dopo qualche settimana mi ero consegnato ed ero finito nella stessa cella di due marmittoni di nome Smith e Lattice, che una sera, in Germania, si erano ubriacati, si erano introdotti di nascosto nell'armeria e avevano preso una mitragliatrice. Non paghi, avevano rubato una Land Rover dell'esercito per poi fuggire nella notte con l'intento di "invadere la Polonia". Avevano corso come dei matti in autostrada, poi, stanchi, si erano fermati per la notte. La mattina dopo, quando si erano svegliati, erano circondati da una squadra di teste di cuoio tedesche, con tanto di elicottero al seguito. Erano stati arrestati, ovviamente, e la leggenda vuole che, quando i tedeschi li interrogarono in merito alle loro attività, uno di loro rispose: «Se la invadete voi, la Polonia, vi danno le medaglie. Se la invadiamo noi, ci arrestano».

Poi raccontai a Marie, che mi guardava sbigottita, che, per ammazzare il tempo, avevamo scavato un tunnel. Io avevo tolto i mattoni uno a uno nel corso di diverse settimane, gettandoli nella sbobba della prigione. Alla fine avevamo scavato un buco abbastanza grande da passarci in mezzo.

La notte prestabilita per la fuga, spostammo uno dei letti e la finta parete che avevamo fabbricato per nascondere il tunnel, che consisteva semplicemente in un pezzo di cartone dipinto dello stesso colore giallo dei muri della cella. Fui io il primo a partire, seguito da Smith, ma quando Lattice, che era leggermente più corpulento, cercò di passare, rimase incastrato. Purtroppo, il buco era troppo stretto per il più grosso dei tre. Allora, mossi dal forte obbligo morale che avvertivamo gli uni verso gli altri, abbandonammo il tentativo. La mattina dopo il tunnel fu scoperto e ci sbatterono tutti e tre in isolamento. Molte guardie, però, ci dissero, a quattr'occhi, che era il piano di fuga più audace che avessero mai visto in anni di attività.

3

«UN PENSIONATO, UNA DONNA E UN IDIOTA»

13 febbraio 2012, confine tra Libano e Siria

Io e Marie ci dirigemmo verso l'ingresso della casa. «È qui che Miles ha dovuto cenare con la pistola puntata», le dissi.

«Cazzo! Con la pistola puntata?», ripeté lei incredula.

«Sì, abbiamo cenato qui dopo aver lasciato la Siria l'ultima volta. Miles aveva mangiato tutto tranne dei pezzetti di grasso puro. Uno dei ribelli gli ha ordinato di mangiarli. Lui si è rifiutato, e allora uno di loro ha tirato fuori la pistola, gliel'ha puntata contro e gli ha detto di mangiarli».

Marie lanciò un'occhiata preoccupata alla casa. «Ma era serio?», mi chiese.

«Non lo so, ma Miles il grasso l'ha mangiato. L'ho anche filmato».

«Cristo santo, Paul, sei proprio un bell'amico. Senti, a parte gli scherzi, secondo te questi tizi sono all'altezza?»

«Sono dei professionisti, Marie. Non fanno le cose in fretta e furia. Se aspettiamo, ci sarà un motivo. Non voglio correre rischi inutili. Hanno fatto entrare e uscire me e Miles. Sono bravi», risposi.

L'edificio che avevamo davanti era una tipica casa di campagna libanese: quadrata, di cemento, senza fronzoli e senza intonaco (il cemento nudo sembrava essere all'ultima moda nel Libano rurale). Attorno alla costruzione principale ce n'erano altre più piccole. Sparsi qua e là nel piccolo appezzamento di terra coperto di fango c'erano i segni di una vita agricola: vecchi trattori, motori, lame di aratri e un vecchio generatore rumoroso che forniva elettricità alla casa. C'erano anche dei bambini, parecchi, accorsi a guardare i due strani occidentali con gli scarponi in mano. E, tutt'intorno, dei polli dall'aspetto curioso.

La porta dell'edificio principale si aprì e un uomo con un giubbotto da combattimento e la kefiah ci fece cenno di entrare. Aveva il volto scuro e segnato dalle intemperie e gli occhi ardenti di un combattente.

Entrando, si aveva l'impressione di fare un salto indietro nel tempo. La stanza rettangolare aveva cuscini appoggiati lungo le pareti nude. Il caldo era assicurato da una stufa a gasolio, la luce da spettrali tubi al neon e il rumore da un televisore a tutto volume. Non era cambiato molto dalla mia ultima visita.

E, cosa ancora più sorprendente, non erano cambiate neanche le persone all'interno della stanza. C'era lo stesso capo stravaccato sul pavimento, la testa appoggiata a un cuscino, gli occhi fissi sul televisore e il Kalashnikov a portata di mano. Accanto a lui c'era Mohamed. Aveva funto da interprete per un'intervista di due ore ad alcuni disertori dell'esercito siriano. Un'esperienza straziante, ma era stato Miles a doversela sorbire. Mohamed aveva un cuore grande, ma un inglese terribile. Avevo trascorso le due ore a ridere dell'evidente difficoltà di Miles, facendogli di tanto in tanto la linguaccia per verificare la sua capacità di rimanere serio, il tutto per un'intervista che sapevo che non avrebbe mai usato. Se non altro, avevamo ingannato un po' il tempo.

Quando i contrabbandieri si offrirono di prendere i nostri giubbotti, ebbi un tuffo al cuore. "Cazzo", pensai, "si divertiranno un mondo alla vista del mio Wonderbra antiproiettile". Infatti, mentre mi toglievo il giubbotto, si voltarono tutti a guardarmi sbigottiti. Borbottarono qualcosa in arabo tra di loro e ci fu qualche risatina repressa. Io mi strappai il Wonderbra e cercai di recuperare un briciolo di dignità.

Loro ci accolsero calorosamente e ci offrirono una graditissima tazza del loro tipico tè dolce. Fu solo allora che mi accorsi che c'era un altro occidentale nella stanza. Era un omone di circa sessantacinque anni con una calvizie incipiente. Era rimasto in disparte fino a quel momento ma, incrociando il mio sguardo, si fece avanti e mi porse la mano.

«Jean-Pierre Perrin, di "Libération", il quotidiano francese. Voi siete?»

«Marie Colvin e Paul Conroy, "The Sunday Times". Piacere di conoscerti, amico. Da quanto tempo sei qui?», gli chiesi.

Lui si fece serio. «Ventiquattro ore esatte», rispose indicando l'orologio da muro con un cenno del capo. «Sono arrivato ieri pomeriggio alle quattro».

«Cristo santo», esclamò Marie, atterrita. «È terribile. Perché non ti sei mosso?». La sua espressione mostrava sincera compassione: aveva vissuto la stessa situazione frustrante molte volte negli ultimi venticinque anni e capiva bene l'agonia dell'"attesa".

Jean-Pierre alzò le spalle alla maniera gallica e non disse nulla. Marie mi lanciò un'occhiata allarmata. Sapevo cosa stava pensando. Quella stanza andava bene per una tazza di tè e un riposino, ma non era certo il posto ideale dove trascorrere un'intera giornata, tanto meno una notte. Marie si mise in azione. Chiamò Mohamed perché facesse da interprete e si avvicinò al capo, che era ancora sdraiato sul pavimento a guardare la televisione.

Marie si rivolse a Mohamed. «Ringrazialo per il tè, ma digli anche che non vogliamo vivere qui. Vogliamo andare in Siria oggi».

Mohamed riferì il messaggio. Il capo colse l'ironia di Marie e rise, poi rispose, sempre grazie alla stentata traduzione di Mohamed: «Partite oggi, *Insh'Allah*».

Insh'Allah significa "se Dio vuole" in arabo. È un'espressione che, in Medio Oriente, segue praticamente ogni risposta a qualsiasi domanda. Ma dover costantemente mettere il proprio destino nelle mani di un essere superiore può diventare irritante, soprattutto quando cerchi di pianificare il futuro.

Gli occhi di tutti i presenti erano incollati al televisore. Stavano guardando canali arabi che mandavano in onda filmati amatoriali girati in Siria. I corpi senza vita di uomini, donne e bambini privati di ogni dignità nei momenti finali della loro vita venivano mostrati al mondo intero. C'erano immagini di carri armati che scaricavano salve e salve di proiettili ad alto esplosivo sulle case dei civili, mentre i blindati per il trasporto truppe di fabbricazione sovietica sparavano raffiche di mitragliatrice pesante contro qualsiasi cosa si muovesse. Il terrore sui volti dei civili era straziante. Il regime di Assad, con tutta la sua potenza militare, stava schiacciando i piccoli polmoni di Baba Amr. Vista la carneficina in atto, presto non sarebbe rimasto più nulla, nessun luogo da cui corrispondere.

Le lancette sul vecchio e ingiallito orologio a muro si muovevano con una lentezza esasperante. Era giunta la sera, e la speranza di muoversi si andava affievolendo sempre più. Ci stavamo deprimendo, quando udimmo il rumore di una motocicletta che si fermava fuori dalla casa, seguito da un mormorio diffuso.

Io e Marie ci scambiammo un'occhiata. Possibile che...?

La porta si aprì e una sagoma familiare si stagliò contro il sole che tramontava: era il ribelle che aveva aiutato me e Miles a uscire dalla Siria l'ultima volta e che aveva costretto Miles a mangiare grasso crudo con la pistola puntata. Era grande e grosso, con una folta barba, una kefiah intorno al viso e un Kalashnikov in spalla. Mi riconobbe subito e ci abbracciammo e baciammo alla maniera tradizionale araba. Poi si tolse la kefiah, poggiò il fucile a terra e, guardandomi, scoppiò a ridere. «Allora torni in

Siria, eh?», mi chiese, in un inglese dal forte accento. Io annuii.
Lui estrasse fulmineo la pistola e me la puntò contro. «Hai fame?». Era un riferimento allo sfortunato episodio di Miles. Risi
e indicai un pacchetto di biscotti con una mano, mentre con l'altra mimavo una pancia piena. Lui parve soddisfatto e ripose la
pistola nella fondina. Poi si guardò intorno nella stanza e vide
Marie e Jean-Pierre. Dovette trovare buffa la situazione, perché
sorrise e borbottò qualcosa in arabo rivolto ai suoi compagni.
Tutta la stanza scoppiò a ridere sotto il nostro sguardo perplesso.
Per un attimo, temetti un'altra abbuffata di grasso, vista la sua
fissazione per il cibo.

Ma poi Mohamed tradusse le sue parole: «Dice che dev'essere
proprio grave la situazione in Siria: prima mandavano giornalisti
giovani; ora mandano una donna, un pensionato e un idiota che
ci vuole tornare».

Il ribelle barbuto disse qualcos'altro, con aria più seria stavolta. Inizialmente si rivolse al capo che si era tirato su a sedere e
sembrava più in allerta, poi a Mohamed.

«Dice: preparatevi, andiamo in Siria ora. Fate le valigie e si
parte», tradusse Mohamed.

L'atmosfera nella stanza cambiò radicalmente. Un senso d'urgenza spazzò via la laconica tranquillità delle ore precedenti trascorse a sorseggiare tè. Tutti si misero in moto. J.-P. non credeva
alle sue orecchie.

«Ho aspettato ventiquattro ore, voi solo due e ora si parte»,
osservò con un'ombra di recriminazione nella voce.

«Su con la vita», risposi io. «Se non altro, ci muoviamo».

Marie mi prese da parte. Aveva l'aria seria: non faceva che valutare ogni mossa. «Senti, Paul. Non è ancora buio. Voi l'ultima
volta siete partiti di notte».

«Forse perché era molto urgente, allora. Ma credo preferisca-
no muoversi quando c'è ancora luce. Anche se in realtà il sole

sta già tramontando. Guarda fuori», e, così dicendo, indicai la finestrella con le sbarre, l'unica nella stanza. Il sole era scomparso dietro le montagne e stava scendendo il crepuscolo. La luce azzurrognola che precedeva il buio totale era un vantaggio. Dal punto di vista militare, era la condizione ideale, perché con quella luce è molto difficile individuare i movimenti. I contrabbandieri avevano pianificato bene la partenza. Le forze di sicurezza del governo siriano erano più nervose di notte e sparavano a qualsiasi rumore, come avevamo scoperto l'ultima volta che eravamo passati oltre il confine. In quelle condizioni, invece, i soldati si sarebbero ancora basati sui riferimenti visivi, il che ci avrebbe reso la vita più facile.

Marie si rilassò leggermente quando le spiegai che il crepuscolo era il momento migliore per eludere le pattuglie di confine. Sapeva che avevo trascorso sei anni nell'esercito a pianificare proprio quel tipo di operazioni. Inoltre aveva un rilevatore di cazzate molto accurato. E, soprattutto, ci fidavamo ciecamente l'uno dell'altra.

Il francese, J.-P., sembrava interdetto e si muoveva con una certa goffaggine mentre ci preparavamo a partire. Io riponevo una fiducia totale e implicita nella capacità istintiva di Marie di affrontare quelle situazioni. Restava calma sotto pressione e reagiva bene ai pericoli. Sapevo che avrebbe mantenuto i nervi saldi; non avremmo neanche avuto bisogno di parlare. J.-P., invece, era uno sconosciuto. Aveva lavorato in Afghanistan sotto il regime talebano, ma erano passati parecchi anni. L'ultima volta che ero penetrato in Siria, io e Miles avevamo ricevuto una dritta dall'intelligence proprio prima di attraversare il confine. Lo avevo già detto a Marie prima di lasciare l'Inghilterra e pensai fosse il momento giusto per metterne a parte anche J.-P.

«J.-P., c'è una cosa importante che devo dirti», cominciai. «Alcune settimane fa un funzionario dei servizi segreti libanesi ci ha passato delle informazioni che avevano intercettato sulla rete di comunicazione siriana. In pratica, ci ha detto che i siriani avevano l'ordine di uccidere sul posto i giornalisti scoperti nei pressi di Homs e di gettare i cadaveri nel campo di battaglia. Poi il regime di Assad avrebbe diramato dei comunicati dicendo che erano rimasti vittime del fuoco incrociato».

J.-P. rifletté un istante. Mi chiese se poteva citarmi senza svelare la fonte e poi decise che avrebbe comunque portato a termine l'operazione. Bisogna ammettere che aveva le palle.

Di fronte a un grave pericolo il fisico reagisce, e cominciai ad avvertire i cambiamenti chimici del mio corpo. Grazie all'adrenalina in circolo, avevo i sensi acutizzati ed ero più consapevole di ciò che mi stava intorno. E poi, avevo paura. È un fenomeno naturale, ma bisogna saperlo tenere a bada se non si vuole perdere il controllo. La combinazione di adrenalina e paura è difficile da descrivere. Io la considero sana e Marie era d'accordo con me. Era sempre la prima ad ammettere di essere spaventata e mi preoccuperei davvero se qualcuno mi venisse a raccontare di non avere paura in certe situazioni. È un vantaggio anziché un handicap, quando stai per attraversare la prima linea nemica: fa in modo che mente e corpo rimangano vigili.

Ero perfettamente consapevole di ciò che ci aspettava laggiù. Sul versante libanese c'era il pericolo costante costituito dalle pattuglie di Hezbollah. Hezbollah era l'alleato naturale del presidente Bashar al-Assad e del suo governo. Era anche nemico dei ribelli sunniti che ci avevano preso sotto la loro ala. L'area di confine che avremmo dovuto attraversare era controllata da Hezbollah. I suoi membri erano tutti ben addestrati e armati e non nutrivano particolare simpatia per i giornalisti che, diretti in Siria, facevano tappa in Libano.

Sul versante siriano, dovevamo vedercela con l'esercito, sempre all'erta per scoprire i contrabbandieri di armi provenienti dal

Libano. Sparavano per uccidere e non facevano quasi mai prigionieri. Quella combinazione brutale aveva causato negli ultimi mesi la morte di centinaia di coloro che avevano tentato l'attraversamento: civili feriti, contrabbandieri e ribelli erano tutti bersagli legittimi agli occhi delle forze di sicurezza filogovernative sparse lungo il confine. Come se non bastasse, l'area era anche pesantemente minata. Le mine erano killer invisibili: i soldati fantasma della guerra. La morte ci avrebbe seguito passo passo.

Mentre aspettavo di salire in macchina, ripensai a quando ero penetrato in Libia l'anno prima, agli inizi della rivoluzione che aveva lacerato lo Stato canaglia nordafricano, con le forze ribelli che combattevano per rovesciare il dittatore pazzo, il colonnello Mu'ammar Gheddafi.

5 marzo 2011, confine tra Egitto e Libia

La scena al confine tra l'Egitto e la Libia era straziante. Migliaia di migranti subsahariani fuggivano dalla Libia e il confine era diventato un collo di bottiglia per coloro che cercavano rifugio in Egitto. Qua e là erano sorti piccoli accampamenti che fornivano riparo dal caldo soffocante. La gente se ne stava sdraiata a terra sopra dei pezzi di cartone. Tutt'intorno, i volti inespressivi degli esuli, che fissavano il vuoto, traumatizzati.

Mi diressi al casotto delle partenze, al posto di confine. Al di là di una recinzione metallica c'erano migliaia di persone in fila per entrare in Egitto. Quelli che attendevano di entrare in Libia erano molti meno, ovviamente. Per l'esattezza, uno: io.

Aspettai mezz'ora che tornasse l'ufficiale di dogana egiziano, che si era giustamente preso una lunga pausa pranzo. Alla fine lo vidi farsi strada a passo lento tra la folla, facendo attenzione a evitare i miserabili rannicchiati a terra, ed entrare nel casotto.

Si sedette, si accese una sigaretta, tirò una lunga boccata e mi guardò. Gli porsi il passaporto dicendo: «Libia», e lui mi lanciò un'occhiata pigramente incredula. Poi alzò le spalle, timbrò il passaporto e lo fece scivolare sotto il vetro con un: «Buona fortuna».

Nessuno sapeva cosa stesse davvero succedendo in Libia. Girava voce che le gang armate derubassero chiunque e che regnasse il caos. Mi avevano detto che sarei stato un pazzo a passare il confine. Ma c'era solo un modo per scoprirlo. Mi avviai lungo il tratto di strada di due chilometri nella terra di nessuno. I carri armati egiziani posizionati su entrambi i lati puntavano i cannoni contro la Libia.

Faceva molto caldo e, mentre andavo incontro all'ignoto, sentivo le energie abbandonarmi. Finalmente, il posto di frontiera libico apparve all'orizzonte. Sentii la tensione crescere mentre continuavo a camminare lungo la strada polverosa. Quando arrivai al casotto, mi parve abbandonato. Tutte le porte degli uffici erano state forzate e le bandiere verdi del regime di Gheddafi erano sparse a terra.

A un tratto, udii una voce proveniente dal nulla urlare in inglese: «Ehi! Ehi, tu! Sei un giornalista?».

Mi voltai e vidi un uomo che indossava un mix di abiti militari e civili. Aveva i capelli lunghi, la barba lunga e nera, una fascia attorno alla testa e, in mano, l'onnipresente fucile d'assalto AK47. Sembrava sorridermi mentre si avvicinava. Era uno dei rapinatori di cui avevo sentito parlare?, mi domandai ansiosamente.

«No, sono un fotografo», risposi, sperando che quell'informazione mi avrebbe fatto apparire meno importante ai suoi occhi. «Come va?», gli chiesi, porgendogli la mano. Lui, per tutta risposta, alzò la sua per darmi il cinque.

«Un fotografo», ripeté. Poi, dopo un attimo di esitazione, aggiunse: «E allora dove cazzo è la macchina fotografica?».

Io indicai la mia borsa. Ai posti di dogana non si fanno foto e si nasconde l'attrezzatura: dogane e macchine fotografiche non vanno d'accordo. "È finita", mi dissi. "Dovrò dire addio ai miei preziosi strumenti. Non sono neanche entrato in Libia e già mi hanno derubato".

«Allora fai delle foto, cazzo. Che te la porti a fare la macchina, sennò?», ribatté lui prima di aggiungere allegramente: «Benvenuto nella Libia libera».

Io rimasi a bocca aperta. Frugai nella borsa alla ricerca della macchina fotografica, ansioso di compiacere quella guardia solitaria munita di mitra. Era la prima volta che mi ordinavano di fare fotografie a una dogana. Lo immortalai in posa con l'AK47, poi feci qualche scatto dello sgangherato posto di frontiera e lo ringraziai per il suo aiuto. Lui rise, sparò una raffica di colpi in aria e mi fece cenno di passare. Attraversai il posto di blocco ed eccomi in Libia. Non era stato difficile.

13 febbraio 2012, confine tra Libano e Siria

Mentre aspettavo con Marie e J.-P. di partire per la Siria, mi ritrovai a desiderare ardentemente un attraversamento altrettanto facile. Ma, mentre sistemavamo le borse in un pickup e salivamo a bordo, sapevo che non saremmo stati accolti allo stesso modo. La tensione era palpabile nell'aria fredda della sera. J.-P. sembrava il più nervoso di tutti. Aveva il respiro affannato e l'aria distratta. Marie era, almeno all'apparenza, più tranquilla che mai. Aveva anche il look adatto: il giaccone nero, stretto sopra il giubbotto antiproiettile, la faceva sembrare un robusto membro di un commando; un paio di jeans neri stretti e uno zaino nero completavano l'insieme. Riusciva sempre ad apparire elegante, mentre io sembravo un barbone, con i miei vecchi pantaloni mimetici e il giubbotto verde.

Il pickup si accese con un rumore inquietante e si allontanò ballonzolando dalla fattoria per immettersi su una strada asfaltata. Dietro c'era un silenzio di tomba. Eravamo tutti persi nei nostri pensieri e ognuno cercava di affrontare a suo modo quello che ci aspettava. Dopo circa un chilometro, il pickup rallentò fino quasi a fermarsi e udimmo il rumore familiare di un fucile automatico riecheggiare in lontananza nel crepuscolo. Gli spari, che dovevano essere a non più di un chilometro di distanza, ci restituirono l'esatta misura della nostra impresa.

A un certo punto giungemmo a un'altra casa colonica di cemento e parcheggiammo fuori. Mi ricordavo di quel posto dal mio ultimo viaggio. Quando scesi dal pickup, venni accolto da un volto sorridente: era Hussein, la guida che aveva accompagnato me e Miles in Siria. Mi salutò come un vecchio amico e fu rassicurante vedere un viso familiare.

Mentre recuperava la borsa, Marie vide il ribelle barbuto e amante del grasso e colse l'occasione per rivolgergli la parola.

«È sicuro?», gli chiese, con un cenno del capo in direzione della Siria.

Lui sorrise. «Certo». Poi montò in sella alla motocicletta e scomparve nell'imbrunire, ridacchiando fra sé.

J.-P. taceva, limitandosi a osservare ciò che gli accadeva intorno.

Nel frattempo, si era formato un capannello di tre uomini armati di AK47 e altri tre muniti di pistole che parlavano tra loro. Ci fu una breve discussione, dopo di che Hussein mi si avvicinò. Non disse nulla (non parlava inglese), ma ci fece cenno di seguirlo e si portò un dito alle labbra. "Ci siamo", pensai. Stavamo per attraversare la terra di nessuno. I nostri accompagnatori non erano anglofoni e non avevamo idea di cosa avessero previsto per noi una volta in Siria.

Ci avviammo lungo un sentiero che partiva dalla casa di Hussein. Davanti c'erano tre ribelli armati, seguiti da me, Marie e J.-P. e da un altro ribelle che chiudeva la fila. Non si udiva altro che il rumore dei passi e i respiri affannosi. Di colpo, non lontano da noi, altre raffiche di mitra che ci costrinsero ad accucciarci, con il cuore in gola, mentre le nostre guide cercavano disperatamente di capire da dove provenissero.

A un certo punto lasciammo il sentiero e passammo sotto il filo metallico che recintava un campo, avanzando lungo i lati, consapevoli del fatto che avrebbe potuto essere minato. Cercavamo di seguire accuratamente i passi dell'uomo di testa per paura di far esplodere una mina.

D'un tratto udimmo altri spari e ci sdraiammo a terra: erano molto più vicini. A un centinaio di metri alla nostra sinistra si intravedeva la base di una pattuglia dell'esercito siriano. Terrorizzati, la aggirammo muovendoci silenziosamente e pregando che i soldati sulle torri di guardia non ci vedessero. Io avevo la bocca secca e il respiro pesante ed emettevo dense nuvole di vapore nell'aria fredda. Mi imposi di inspirare dal naso ed espirare dalla bocca in modo da calmarmi. Ogni suono sembrava amplificato: lo scricchiolio di uno sterpo, il fruscio di uno zaino o il rumore di qualcuno che inciampava. Tutto sembrava urlare: "Siamo qui, veniteci a prendere, cosa siete, sordi?".

Continuammo ad avanzare, saltando fossi e risalendo terrapieni in una cacofonia di rumori. All'improvviso una raffica di proiettili ci passò sopra la testa. Ci accucciammo a terra e restammo in attesa, con il sangue che pompava nelle orecchie. "Siamo le prede", pensai. Se fosse successo qualcosa, saremmo rimasti intrappolati nella terra di nessuno. La nostra unica possibilità sarebbe stata quella di dirigerci di nuovo a sud, verso il Libano. Ma senza una guida e senza conoscere le postazioni nemiche e i campi minati, saremmo stati in balìa del caso.

Hussein ci fece segno di muoverci di nuovo per attraversare

un campo aperto. Eravamo esposti su tutti i lati e gli edifici che avevamo davanti sembravano lontanissimi. Il campo era fangoso e gli scarponi affondavano nella terra rossa, rallentandoci. Alla fine raggiungemmo il gruppo di edifici. Erano fatiscenti, ma ci sentivamo più al sicuro. A un tratto la luce di una torcia squarciò il buio a una decina di metri di distanza e comparve un uomo. Aveva un cappuccio che lo faceva sembrare un fantasma nero nel crepuscolo. Ci diede il via libera e noi ci mettemmo a correre sulla terra incolta tra due gruppi di edifici abbandonati, aspettandoci di udire le mitragliatrici e le granate delle forze siriane nascoste. Invece non accadde nulla e riuscimmo a raggiungere una stradina vuota in un villaggio a prima vista deserto. Di fronte a noi brillava una lucina vagamente sinistra. Ci avvicinammo in silenzio per scoprire che si trattava di un ribelle in sella a una moto: il nostro amico amante del grasso e delle pistole. Aveva il motore spento, quindi avevamo solo una fioca luce rossa a guidarci.

Ci radunammo intorno al ribelle e ci fu un rapido scambio di sussurri. Uno degli uomini fece cenno a Marie di salire dietro una motocicletta. Il motociclista la accese e svanì lungo la strada a luci spente. Io rimasi a osservarla, ammirato dal suo coraggio.

Noialtri proseguimmo a piedi, sfruttando le ombre proiettate dagli edifici per evitare di essere scoperti. Sentivo J.-P. accanto a me. Ansimava e sembrava esausto, quindi gli chiesi a gesti se stesse bene. Lui annuì. Il cielo scuro sopra di noi era attraversato dalle lunghe scie dei traccianti rossi delle armi automatiche. Poi scorgemmo la sagoma scura di un veicolo in lontananza. Quando lo raggiungemmo, gettammo le nostre borse dietro e salimmo in silenzio. Il furgone si allontanò lentamente, sempre a fanali spenti e, sopra il rumore del motore, si udirono altri spari. Mi domandai da quanto tempo stessimo camminando. Potevano essere dieci minuti come un'ora: avevo perso la cognizione del tempo. Il mio corpo, invaso dall'adrenalina, aveva iniziato a tremare.

Il furgone procedeva con una lentezza esasperante perché l'autista inseriva le marce con estrema dolcezza in modo da ridurre il rumore al minimo. Io e J.-P., seduti dietro, trattenevamo il fiato. Lui rantolava, risvegliando in me il timore che non fosse abbastanza in forma da effettuare quel viaggio. Certo, anche io ansimavo e avevo la bocca così secca che riuscivo a malapena ad aprirla. Per la prima volta nella mia vita, pensai che avevo più bisogno di un bicchier d'acqua che di una sigaretta. Eravamo ancora vulnerabili: il tratto di strada su cui ci stavamo muovendo correva parallelo al confine ed era massicciamente pattugliato dalle truppe filogovernative a bordo di blindati per il trasporto truppe. Io tenevo lo sguardo fisso davanti a me e vedevo, di tanto in tanto, un lampo di luce ai lati della strada: al nostro silenzioso passaggio, i soldati dell'ESL, l'Esercito siriano libero, emergevano dalle ombre per dare il via libera ai loro veicoli.

A un certo punto e senza preavviso, il furgone lasciò la strada principale e imboccò un sentiero fangoso più accidentato. La nostra destinazione era una casa dell'ESL. Nel giro di pochi minuti scorgemmo il bagliore di una luce proveniente da un piccolo edificio in mezzo a un frutteto disordinato. Il furgone si fermò fuori da una casa molto simile a quella che avevamo appena lasciato. Mentre scendevamo, sulla soglia comparve Marie. Senza nemmeno aspettare che entrassi, mi venne incontro e mi abbracciò forte. Eravamo in Siria e il sollievo era palpabile.

«Cristo, Paul», disse, ridendo nervosamente. «È stato allucinante, cazzo».

Io le sorrisi e la abbracciai di nuovo. «Te l'avevo detto che c'era da prendersi un bello spavento».

«Eravamo talmente vicini a quelli là che quasi sentivo l'odore», aggiunse lei, riferendosi alle pattuglie di confine siriane a cui eravamo passati accanto.

Ci avviammo insieme verso la casa e le confidai i miei timori su J.-P. Quando avevamo passato il confine, sembrava una vecchia fisarmonica scordata.

«Senti, Marie, devo assolutamente fumare», dissi poi, mentre mi toglievo gli scarponi.

«Allora sei nel posto giusto», ribatté lei ridacchiando.

In effetti, entrando fummo accolti da uno spettacolo rassicurante: la stanza senza finestre era invasa da una densa nuvola di fumo. Nel giro di pochi secondi fui tempestato di offerte di sigarette dai soldati dell'ESL riuniti in cerchio intorno alla stufa a gasolio. Le accettai tutte, mi sedetti, ne accesi una e cominciai a elaborare quanto era appena successo. Il mio battito cardiaco iniziò a rallentare e anche il respiro tornò quasi alla normalità. Il cervello, poi, non faceva molta fatica in quel momento: dovevo semplicemente starmene seduto in silenzio e, ogni tanto, pronunciare la parola "merda". Lanciai un'occhiata a Marie e a J.-P., dall'altra parte della stanza, e anche loro sembravano in piena fase di decompressione.

La stanza era illuminata da un'unica lampadina a basso voltaggio. Era piena di ombre e sussurri, ma infondeva sicurezza. Ci fu offerto del tè, caldo, dolce e delizioso che mi aiutò a fare ordine tra i miei pensieri. I soldati dell'ESL sembravano nervosi. Tenevano i fucili d'assalto sempre a portata di mano e avevano i sensi acutizzati dai mesi trascorsi nelle zone controllate da Assad. A qualsiasi suono proveniente dall'esterno, tacevano e afferravano le armi. Il silenzio era punteggiato dal crepitio della radio VHF. I ribelli si avvicinarono all'apparecchio, tentando di decifrare il segnale a malapena udibile.

Marie si voltò verso di me. «Paul, non possiamo permetterci di fermarci qui per troppo tempo. Dobbiamo muoverci. Ci sono giornalisti che sono rimasti bloccati nelle città lungo il confine per mesi senza riuscire ad avvicinarsi a Homs».

Marie era di nuovo in perfetta forma. La paura dell'attraversamento era svanita e lei era di nuovo sul pezzo, tranquilla e concentrata. Scelse il ribelle che le sembrava il capo e gli si avvicinò. Dei due, era Marie a parlare meglio l'arabo e avrebbe sfruttato quella sua capacità. Il capo dei ribelli rimase ad ascoltare come un ragazzino un po' discolo, mentre Marie gli spiegava molto chiaramente che dovevamo andare a Homs. Annuì, prese la radio e cominciò a sbraitare contro il povero diavolo all'altro capo. Poi tentò di tranquillizzare Marie ripetendo più volte "Homs" alzando i pollici. Era evidente che non erano abituati a ricevere ordini da una donna. Marie parve soddisfatta e cominciò a buttare giù degli appunti sul suo bloc-notes.

Dopo una decina di minuti udimmo un veicolo parcheggiare fuori, e poi un rumore di sportelli e di passi che si avvicinavano alla stanza in cui eravamo tutti rannicchiati in cerca di un po' di calore. Un altro ribelle armato fino ai denti apparve sulla soglia. Salutò tutti in arabo, poi ci guardò e chiese: «Homs?». Noi annuimmo energicamente e lui ci fece cenno di prepararci a partire prima di rivolgersi al capo dei ribelli che aveva chiamato via radio. Come nella maggior parte delle conversazioni in arabo a cui assistevo, mi parve che i due discutessero animatamente. Ma spesso la realtà era molto diversa e anche quella volta lo scambio si concluse con un abbraccio e un bacio. Noi tre restammo goffamente in attesa finché il ribelle non ci fece cenno di uscire.

Marie faceva fatica a chinarsi per via degli strati di vestiti e del giubbotto antiproiettile, quindi mettersi e togliersi gli scarponi era un'impresa titanica che richiedeva dieci minuti. La udivo imprecare nel buio nel tentativo di allacciarseli. Non era facile neanche per me, per non parlare di J.-P., che, per l'età e la stazza, non era certo più rapido. Pregai che, in caso di attacco, avessimo tutti e tre le scarpe ai piedi.

Il veicolo su cui ci fecero salire era un minibus simile a quello che avevamo preso da Beirut al confine. Di sicuro non avrebbe passato un test della motorizzazione. Davanti sedeva l'autista, armato di pistola. Accanto a lui c'era un ribelle corpulento e barbuto con un AK47. Sul sedile posteriore ce ne erano altri due, anche loro con gli AK47 d'ordinanza. La tensione crebbe di nuovo. Non avevamo idea di dove fossimo diretti, ma percepivamo il freddo silenzio dell'autista e delle guardie. Non c'era paura, solo la tangibile consapevolezza che stavamo per correre un grosso rischio. L'ESL aveva molte case sicure lungo il confine, ma il nostro veicolo sarebbe stato un ottimo bersaglio per qualsiasi colonna blindata di Assad che avremmo potuto incrociare.

Il motore del minibus si accese scoppiettando, aiutato da una sfilza di improperi arabi e inglesi. L'autista uscì lentamente dal frutteto. Una torcia lampeggiò nel buio, dandoci il via libera per immetterci sulla strada asfaltata. Sapevamo che ogni chilometro percorso ci portava sempre più lontano dalla sicurezza e sempre più vicino alla carneficina di Homs. Dopo un paio di chilometri, il minibus svoltò a destra su un sentiero fangoso. Dalle stelle, capii che ci stavamo dirigendo verso nord, quindi verso la città assediata di Al-Qusayr. Procedevamo a passo d'uomo tra le buche che indicavano che quel percorso veniva utilizzato spesso, e che quindi era considerato sicuro dai ribelli.

Le guardie dell'ESL sembravano tanti falchi, tutti intenti a scrutare gli alberi e la strada in cerca di segni di imboscate. A differenza di alcuni degli autisti che io e Marie avevamo ingaggiato durante la rivoluzione libica, sapevano quello che facevano.

15 aprile 2011, Misurata, Libia

Mi tornò in mente come l'anno prima, nella città libica di Misurata, Marie avesse tanto insistito per avere un autista decente in grado di tenersi fuori dai guai. Invece ci avevano assegnato un tizio di nome Hakim, un ragazzino pieno di testosterone che guidava come un pazzo. Stavamo cercando di trovare la prima linea, che i ribelli avevano aperto da un giorno. La nuova strada che conduceva al fronte era di importanza strategica e io e Marie volevamo percorrerla. Marie aveva preso da parte Hakim per spiegargli le nostre esigenze: procedere lentamente e stare attenti alle imboscate.

Lasciammo Misurata la mattina presto e alle dieci eravamo sulla strada costiera. Fino ad allora Hakim aveva obbedito agli ordini, ma presto si stufò e cominciò ad accelerare. Marie si stava arrabbiando. Era già stizzita dal fatto che ci fosse toccato Hakim, e, come se non bastasse, lui ignorava le sue indicazioni.

Imboccammo una strada asfaltata che avrebbe dovuto condurci verso sud, alla città di Dafniya per l'esattezza, dove si trovava il fronte principale. Marie continuava a ripetere a Hakim di fare attenzione. Sebbene la strada fosse in teoria sgombra dalle forze di Gheddafi, non si poteva mai dire in Libia: la battaglia era molto fluida e i fronti cambiavano continuamente. Hakim, perso nel suo piccolo mondo, pigiava sempre di più l'acceleratore. A un tratto, udimmo una raffica di spari di armi leggere e mitragliatrici pesanti che proveniva da un campo e da una siepe sulla destra, e che ci mancò per miracolo. Hakim inchiodò, terrorizzato: non potemmo fare altro che scendere al volo dall'auto.

Presi Marie e la sistemai dietro il monoblocco, poi mi riparai dietro una ruota. I proiettili ci sibilavano accanto, a pochi centimetri dal veicolo. Eravamo bloccati. A un tratto, scorsi un canale di scolo a una decina di metri da noi e urlai a Marie che non potevamo restare lì. Sapevo che se i nostri assalitori avessero avuto una granata a razzo, saremmo stati spacciati. La raggiunsi dietro il monoblocco e le spiegai, sotto il fuoco dei proiettili, il piano per raggiungere il canale di scolo. Lei si disse subito d'accordo. Strisciò fino alla parte posteriore dell'auto e attese il mio segnale di via libera. Quando alzai di colpo la testa per attirare il fuoco, Marie corse verso il canale. Dopo essermi spostato anch'io dietro il veicolo, feci partire Hakim, che riuscì a mettersi in salvo. Poi, incoraggiato dalla pessima mira dei nostri assalitori, mi misi a correre a perdifiato e mi tuffai nel canale. Era abbastanza profondo da evitare gli spari, a meno che i soldati non avessero tirato fuori dei mortai.

Marie mi guardò. «Ehi, Paul, questo sì che è un buon modo per trovare la prima linea: attraversarla in macchina». Poi, rivolta a Hakim: «Cazzo, Hakim, non si guida come pazzi lungo una strada quando non si sa se è sicura, e soprattutto non si rimane fermi lì quando ti sparano addosso. In futuro, se mai ne avremo uno, devi dare retta a me e a Paul. Hai capito?».

Hakim annuì con aria colpevole: sapeva di aver sbagliato. Ma si sarebbe ricordato a lungo la lezione di Marie. Restammo bloccati per due ore nel fosso finché un gruppo di ribelli libici, udendo gli spari, non venne a controllare cosa stesse succedendo. Seguì una battaglia e alla fine i ribelli respinsero gli uomini di Gheddafi che ci avevano attaccato.

13 febbraio 2012, Siria

Mentre procedevamo lungo il sentiero fangoso, addentrandoci nel territorio siriano, ringraziai il cielo che Hakim non fosse con noi. I ribelli che ci guidavano sembravano svegli e professionali. Non abbassavano mai la guardia ed erano sempre pronti a cogliere qualsiasi segno sospetto. Avevano una ricetrasmittente VHF ed erano costantemente in contatto con un centro di controllo da qualche parte. Di tanto in tanto, si fermavano e si mettevano in assetto da difesa, ma in linea di massima avanzavano con lentezza e sicurezza.

A un certo punto giungemmo a un piccolo edificio. I ribelli avevano acceso un fuoco per scaldarsi e contai almeno ventisette combattenti armati. Dopo aver scambiato un paio di parole con il nostro autista, si misero a rifornire il nostro veicolo con delle taniche. Siccome tutti fumavano, li imitai.

Marie sembrava soddisfatta. «Paul, mi piacciono questi tipi. Non sono teste calde come i libici. Sembrano avere un piano. Non so quale sia, ma almeno sembrano averne uno».

Proseguimmo il viaggio nella notte nera come la pece. Guidare senza luci fu un'esperienza unica. Ci abituammo subito al buio, per cui riuscimmo a distinguere brecce fra gli alberi e campi aperti ai nostri lati. Alla fine raggiungemmo una piccola fattoria con le luci accese. I nostri accompagnatori ci fecero cenno di scendere. Parvero sollevati e, per la prima volta dalla nostra partenza, si misero a chiacchierare tra loro. Ero certo che avremmo passato la notte lì. Avevamo attraversato il confine ed eravamo in Siria, quindi era giunto il momento di riposarsi. "Giorno uno, missione compiuta", mi dissi.

Ci togliemmo gli scarponi ed entrammo nella casa dei ribelli senza sapere bene cosa aspettarci, come sempre, del resto. L'ambiente era leggermente più confortevole: c'erano ben due lampadine da 40 watt e una stufa a gasolio che avrebbe liquefatto l'acciaio. Nella stanza c'erano quattro soldati dell'ESL che si alzarono e ci salutarono uno alla volta. Uno di loro parlava un inglese impeccabile e ci disse che avremmo potuto passare la notte lì. Saremmo stati al sicuro, perché l'unità di Assad più vicina era a più di un chilometro di distanza. "Fantastico", pensai. "Un intero chilometro".

Ci sedemmo, bevemmo un caffè e cercammo di ottenere informazioni su quello che stava accadendo nella zona. A quanto ci dissero, l'ESL era ancora una forza prevalentemente difensiva. Non disponeva delle armi e delle munizioni necessarie, né di canali di comunicazione sicuri, il che costituiva uno dei problemi più gravi, poiché impediva ai ribelli di coordinarsi efficacemente.

Mentre chiacchieravamo, udimmo un altro veicolo fermarsi fuori. La porta si aprì e rimasi stupefatto nel trovarmi di fronte Abu Sallah. Mi corse incontro e mi abbracciò come un fratello perduto. Quell'incontro inaspettato fu una gioia per entrambi. Io e Abu Sallah avevamo stretto una solida amicizia in occasione del mio ultimo viaggio in Siria. Era uno dei combattenti che mi avevano aiutato a scappare quando si era sparsa la voce che le forze di Assad ci stavano cercando. Vedere un volto caro rafforzò in me la certezza di essere nel posto giusto. Lo dissi a Marie, che parve sollevata all'idea di non trovarsi in mezzo a dei perfetti sconosciuti.

Abu Sallah ci invitò a casa sua. Non era lontana da lì, e vi avrei trovato anche altre persone che conoscevo. Quando vi giungemmo, fu una vera e propria rimpatriata. Persone che avevo salutato in fretta e furia solo un mese prima mi si radunarono intorno con sorrisi e abbracci. Fu un po' come tornare a casa e io, Marie e J.-P. fummo immediatamente promossi al rango di ospiti a cinque stelle. Abu Sallah assegnò a Marie una stanza singola e sistemò due materassi a terra per me e per J.-P., che però decise, stranamente, di dormire nel salotto. Era freddo e vuoto, ma immaginai che avesse bisogno di riposare. Notai che si era messo una calzamaglia e una t-shirt.

«J.-P.», gli dissi, «siamo a meno di un chilometro da un carro armato e da un'unità di fanteria di Assad. Sei sicuro di voler dormire in pigiama?».

Lui alzò le spalle come faceva sempre. "Io non ci penso proprio a spogliarmi", pensai. Almeno, se le forze di Assad ci avessero attaccato quella notte, sarei morto con i pantaloni.

Lasciai J.-P. al suo letto e raggiunsi Abu Sallah nella stanza principale, dove era appena iniziata una partita a carte. D'un tratto, mentre giocavamo, un ribelle madido di sudore e dall'aria esausta fece irruzione nella stanza. Tutti tacquero per ascoltare quello che aveva da dire. Poi ci furono alcuni mormorii e qualcuno chiamò qualcun altro con la radio VHF. Il soldato si accasciò in un angolo e la partita riprese.

Abu Sallah si voltò verso di me sorridendo. «Paul, corri veloce tu?», mi chiese.

«Be', sì, abbastanza», risposi, con una leggera diffidenza. «Perché?»

«Abbiamo appena saputo che le forze di Assad attaccheranno questa casa domani. Quindi può darsi che dovremo correre veloce».

«Mi stai prendendo in giro?»

«No», replicò lui continuando a giocare.

Erano le quattro del mattino, ormai, così mi stesi sul letto. Non riuscivo a dormire, però. Non tanto per le voci dei giocatori, ma per l'immagine di J.-P. che sfrecciava nei campi con la sua calzamaglia mentre le forze del governo facevano irruzione in casa.

Mi svegliai alcune ore dopo al rumore di veicoli e di un piccolo esercito che si radunava fuori dalla finestra. Abu Sallah entrò nella stanza con un sorriso radioso. «Paul, alzati. C'è il generale con i suoi uomini. Vuole conoscerti e farsi scattare qualche foto».

Io balzai in piedi e corsi a bussare alla porta di Marie. «Marie, è arrivato il generale. Vuole conoscerci e farsi fare delle foto».

«Il generale? Quale generale?», chiese lei ancora mezza addormentata. «Okay, tu fai le foto e io gli parlo. Potrebbe essere la nostra prossima mossa», disse poi sorridendo, mentre il suo cervello, rapido come sempre, già pensava a come trarre vantaggio dalla visita di un generale.

Io uscii con la macchina fotografica, feci alcuni scatti e alcune riprese. Nel giardino si erano radunate centinaia di soldati dell'ESL muniti di armi di ogni tipo. Era davvero uno spettacolo incredibile. Stavo fotografando quando, con la coda dell'occhio, scorsi Marie che veniva presentata a un uomo che doveva essere il generale. Continuai a immortalare l'ESL finché, mezz'ora dopo, non riapparve Marie. Si vedeva che era andata bene: aveva un'espressione trionfante. Il generale fece poi un discorso che ripresi. Non vedevo l'ora di sapere le novità da Marie, ma un ribelle aveva deciso di dirigere il servizio fotografico e il discorso del generale alla telecamera sembrava non finire più.

Non appena mi liberai, presi Marie per un braccio. «Che succede?», le chiesi con impazienza. «Hai l'aria tutta compiaciuta».

Marie mi fece un gran sorriso «Abbiamo un passaggio per la città di Al Buwaida con il generale Reeda, questa mattina. È a una quindicina di chilometri da Homs. E poi lui ci presenterà alle persone giuste per riuscire a entrare a Baba Amr».

L'avrei abbracciata. Marie ci sapeva davvero fare con quella gente. Era tenace e, là dove qualcuno meno in gamba si sarebbe sentito in soggezione e avrebbe gettato la spugna, lei blandiva e persuadeva finché non otteneva quello che voleva. Avremmo fatto colazione con il generale e poi saremmo partiti per Al Buwaida.

Mangiammo seduti in cerchio nella stanza principale. La colazione era a base di yogurt, formaggio e tonno in scatola accompagnati da tè dolce. Io avevo mangiato talmente tanto tonno in Libia da non sopportarne più la vista né l'odore, mentre a Marie piaceva ancora, quindi lo spazzolò. In compenso, quando portarono il caffè, feci rifornimento: sospettavo che avrei avuto bisogno di caffeina quel giorno. Dopo l'impresa della notte precedente e le poche ore di sonno, cominciavo a sentire la fatica.

Finita la colazione, ci dissero di prendere le nostre borse e salire sul furgoncino Transit personale del generale. J.-P. aveva una pessima cera. La stanza in cui aveva scelto di dormire si era rivelata un porto di mare, e si era dovuto sorbire un continuo viavai di ribelli fino alla mattina.

Avevamo passato il confine di notte ed eravamo sopravvissuti, ma a quel punto avevamo davanti uno scenario molto diverso. Avremmo dovuto attraversare le linee nemiche alla luce del sole ed era una prospettiva terrificante. Il favore delle tenebre dà un senso di sicurezza: ci si sente protetti. Un viaggio in pieno giorno è l'esatto contrario. Tutte le strade principali della zona erano sotto il controllo esclusivo delle forze di sicurezza di Assad, quindi avremmo dovuto percorrere trenta chilometri di vie secondarie prima di raggiungere la destinazione successiva: la città di Al Buwaida.

Con noi c'erano quattro guardie del corpo del generale armate fino ai denti, più lo stesso Reeda. Quando partimmo, cadde il silenzio. Eravamo tutti consapevoli dei rischi e ben contenti di tenere i nostri pensieri per noi. A circa un chilometro e mezzo dalla casa di Abu Sallah, apparve una motocicletta sul sentiero davanti a noi. Fungeva da ricognitore, così ci mantenemmo a una distanza di cinquecento metri. Di tanto in tanto ci fermavamo mentre il motociclista controllava una curva nella strada per poi alzare i pollici a mo' di segnale di via libera.

A un certo punto il furgone abbandonò i sentieri fangosi e tagliò per i campi arati, il che accrebbe la sensazione di un pericolo imminente. Tutte e quattro le guardie del corpo scrutavano l'orizzonte con il binocolo. Di tanto in tanto incrociavo lo sguardo di Marie, che mi diceva tutto ciò che avevo bisogno di sapere: era vigile, ma tesa, come J.-P., del resto. Sentii crescere l'apprensione di tutti. Provi a distrarti, ma ogni sparo, ogni esplosione, ti riporta, urlante e scalciante, alla realtà e devi ricominciare l'estenuante processo che conduce all'astrazione mentale.

Quando il rumore delle mitragliatrici pesanti si fece troppo vicino, ci nascondemmo dietro a dei cespugli. Anche il rombo dell'artiglieria in lontananza serviva da costante promemoria del pericolo che avevamo di fronte. Se attraversavamo dei villaggi, la guardia alla mia destra precisava l'affiliazione religiosa della zona. «Cristiani, alawiti, sunniti», diceva. «Con gli alawiti bisogna stare attenti. Hanno giurato fedeltà a Assad. Non ci fermiamo qui». Giusto, pensavo io. Non siamo mica scemi.

Seguimmo la motocicletta su terreni su cui non dovrebbe avventurarsi nessun veicolo che non sia a trazione integrale. Le recenti piogge rendevano il percorso ancora più insidioso, e sperai che non ci impantanassimo nei pressi di un villaggio alawita.

Ci stavamo muovendo lungo sentieri in mezzo alla foresta e l'autista, evidentemente esperto, tracciava traiettorie impossibili attraverso gli alberi. D'un tratto Marie pronunciò l'unica parola di quel viaggio, un puro e semplice: «Cazzo», che spezzò la tensione a bordo del mezzo. Persino il generale si voltò a sorriderle. Poi riemergemmo dalla foresta e imboccammo l'ennesimo sentiero fangoso. Un'altra svolta e ci ritrovammo, per la prima volta da diverse ore, su una strada asfaltata. Il ricognitore ci fece cenno di venire avanti.

Passammo di fronte ad alcune case, poi ad altre ancora, e poco dopo entrammo in una cittadina. Mentre procedevamo lungo le anguste stradine secondarie con il rumore ormai costante dell'artiglieria in sottofondo, una delle guardie indicò la nostra destra con un cenno del capo. «Homs», disse, e scosse lentamente la testa con un'espressione di profonda tristezza che mi spezzò il cuore.

Il furgone imboccò un'ultima stradina e si fermò. Il generale e due guardie scesero e bussarono a due cancelli d'acciaio che si aprirono quasi subito. Quando i tre uomini scomparvero all'interno dell'edificio, Marie si voltò verso di me.

«Come stai? C'era da cagarsi addosso, eh?»

«Preferisco i campi minati di notte. Molto più rilassanti», ribattei, aspirando la ventesima sigaretta della giornata.

«Secondo te ci fermiamo qui?», mi chiese.

«Secondo me sì. Se proseguissimo, arriveremmo a Homs. I bombardamenti sono vicini, vicinissimi».

La mia ultima osservazione non tranquillizzò Marie e fra noi cadde di nuovo un silenzio assorto, finché un grido proveniente dalla casa non indusse una delle guardie a scortarci attraverso i cancelli. "Be', almeno per oggi è andata", pensai, mentre seguivamo quell'uomo all'interno. I cancelli erano solidi e pesanti. Conducevano in un giardinetto con una casa che si ergeva in mezzo ad arbusti spelacchiati. Ci togliemmo gli scarponi e, quando entrammo, ci fecero accomodare nella prima stanza a sinistra. Era vuota, tranne che per i cuscini e la stufa a gasolio che erano una costante in tutte le abitazioni visitate fino ad allora. Il generale entrò e si sedette con noi accanto alle sue guardie e a un bambino.

«Dobbiamo aspettare», annunciò.

Così aspettammo, bevendo tè, fumando, azzardando qualche battuta e cercando di ingannare il tempo. Dopo circa mezz'ora udimmo i cancelli aprirsi e un rumore di voci invadere il giardino. Io e Marie ci guardammo e sorridemmo. Ci stavamo avvicinando al vertice della gerarchia dell'ESL e lo sapevamo.

Almeno sei uomini entrarono nella stanza. Ci fu un profluvio di baci, abbracci e saluti, poi un uomo si fece avanti. Non parlava bene inglese, ma riuscì a dire: «Quindi, volete andare dove?».

Marie lo guardò dritto negli occhi, sostenendo il suo sguardo. «Homs, Baba Amr».

Il comandante fece un sorrisetto divertito, ci pensò su un istante e disse: «Allora forse vi possiamo aiutare. Prego, sedetevi e rilassatevi».

4
LA TANA DEL LUPO

15 febbraio 2012, Al Buwaida, Siria

Ce ne stavamo seduti in silenzio davanti al comandante. Sapevamo che voleva aiutarci, ma provavamo comunque la sensazione di essere nell'ufficio del preside.

«Paul, sappi che se è per aver fumato in una zona di guerra, farò la spia», mormorò Marie a mezza bocca.

Il comandante, un uomo corpulento in tuta mimetica, disse qualcosa a una delle guardie del corpo, che si precipitò fuori dalla stanza. Poi si rivolse a noi.

«Aspettate, prego. Abbiamo un uomo che parla perfettamente inglese. Viene subito. Il mio compito è far entrare cibo e medicine a Baba Amr e far uscire la gente che sta molto male. Ditemi perché volete andare lì. Ma aspettiamo il traduttore: non capisco bene l'inglese».

Al Buwaida, dove ci eravamo fermati, era simile alla maggior parte dei villaggi rurali della zona: un piccolo labirinto di stradine e vicoli ciechi disseminato di casette di cemento a un piano.

Era un villaggio povero e gli abitanti, di confessione sunnita, sembravano aver sofferto molto dall'inizio della rivoluzione. Una sventagliata di proiettili qua, un cratere là testimoniavano che Al Buwaida non era sfuggito all'attenzione del presidente

Assad. Certo, se quest'ultimo avesse scatenato tutta la sua potenza di fuoco, non ci sarebbe stato molto da fare. Il villaggio
sorgeva su una pianura aperta e non avrebbe avuto scampo se i
proiettili avessero cominciato a fioccare.

Marie era allegra e di buonumore. Da quando eravamo arrivati
ad Al Buwaida, era sorridente e ottimista e aveva approfittato di
quella sosta per rilassarsi.

«Ehi, Paul, ti ricordi quando siamo andati a cercare il corpo
di Gheddafi nel deserto?», mi chiese, con la sua inconfondibile
risata profonda. Tutti i presenti, per lo più guardie del corpo che
parlavano poco inglese, si voltarono a guardarci. «Sbaglio o il
giornale ti aveva chiesto di fare una foto alla sua tomba?».

Io sorrisi al ricordo. «Sì», risposi. «Una tomba senza alcun
segno di riconoscimento nel deserto. Per un attimo, ho avuto la
tentazione di fotografare il giardino dell'hotel».

23 ottobre 2011, Misurata, Libia

I ribelli libici catturarono e uccisero il colonnello Gheddafi il
20 ottobre 2011. Alcuni giorni dopo, a me e a Marie fu chiesto di
trovare la tomba segreta del folle dittatore. Avevamo un notevole
vantaggio su tutti gli altri: conoscevamo l'uomo che lo aveva
seppellito. Salah, un comandante dei ribelli sulla quarantina dalla
barba rada, salutato come una delle leggende della rivoluzione
libica per il suo straordinario coraggio e la sua forte leadership,
parve contento di rivederci quando ci presentammo al suo quartier generale nel porto di Misurata. Dopo una chiacchierata di
un'ora, Marie azzardò la grande domanda.

«Ma quindi… ehm… dov'è che lo avete seppellito, Gheddafi?
Ce lo puoi dire, Salah?», gli chiese speranzosa.

Sapevamo che Salah aveva giurato sul Corano di non svelare

a nessuno il suo segreto. Così, desideroso di aiutarci ma impossibilitato a dircelo direttamente, si limitò a ricambiare il sorriso di Marie.

«Ci sei già stata», disse misteriosamente. «Vi ho portato laggiù quando stavamo ancora combattendo. Il posto con le tende sul crinale, a una cinquantina di chilometri a sud della città, nel deserto. Sei venuta con me, ti ricordi?».

Io ebbi un tuffo al cuore. Salah stava descrivendo il luogo della sepoltura di Gheddafi e Marie sorrideva, ma sapevo cosa pensava: non aveva idea di cosa stesse parlando. Salah poteva darci le coordinate della città perduta di Atlantide e non l'avremmo trovata, neanche se ci fossimo già stati. Marie mi guardò. Io feci una smorfia e mimai la parola "insisti" con le labbra. Salah, ignaro della totale mancanza di senso dell'orientamento di Marie, pensò di averci comunicato l'esatta ubicazione della tomba senza aver tradito il suo giuramento sacro. E, malgrado gli sforzi di Marie di estorcergli altre informazioni, non aggiunse altro.

Il giorno successivo noleggiammo una 4x4 con autista. La sera prima avevo spulciato Google Earth alla ricerca di un posto a cinquanta chilometri a sud di Misurata dove si sarebbe potuto seppellire il cadavere di un tiranno. Trascorremmo i tre giorni successivi nel deserto infuocato in cerca di possibili luoghi di sepoltura. A un certo punto mi ritrovai inginocchiato per terra a esaminare pile di pietre per capire se qualche veicolo fosse passato di lì di recente. Ovviamente, la missione fu un fallimento. Il nostro autista si ribellò e si rifiutò di continuare a "guidare nel deserto come un cretino" e, alla fine, ci dovemmo accontentare di una foto di Marie che guardava pensosamente il deserto all'alba: il simbolo della nostra vana ricerca. Fu l'unico mio scatto che il giornale pubblicò quella settimana.

15 febbraio 2012, Al Buwaida, Siria

Mentre io e Marie ricordavamo gli ultimi giorni del regime di Gheddafi nella stanzetta ad Al Buwaida, nell'attesa di sapere se saremmo riusciti a entrare a Homs, la porta si aprì ed entrarono il comandante e un uomo che avrà avuto sì e no trent'anni e che tutti sembravano conoscere. Lo indicarono dicendo: «Inglese, inglese». Lui aveva un sorriso dolce e gentile e si presentò come Wa'el prima di sedersi tra il comandante e noi tre.

Il comandante si rivolse a Wa'el in arabo. Wa'el lo ascoltò attentamente senza interromperlo, che è sempre un'ottima qualità in un interprete.

Poi disse: «Il comandante dice che siete stati molto coraggiosi a venire fin qui e vi rende omaggio, ma vuole sapere perché volete andare a Baba Amr. È molto pericoloso: ogni giorno perdiamo compagni e la gente muore nel tentativo di entrare e uscire. È molto preoccupato per voi».

Fino ad allora Marie aveva contato su di me, vista la mia precedente esperienza in Siria, ma in quel momento io mi affidai a lei. Quello era il suo territorio.

«Comandante», cominciò, il volto animato e la voce piena di passione, «questa è una storia molto importante. Il mondo ha davvero bisogno di sapere cosa sta succedendo in Siria. Non possiamo starcene con le mani in mano di fronte a una simile carneficina. La gente deve assolutamente vedere cosa succede a Baba Amr. La prego, se non ci fa entrare, questo sterminio passerà sotto silenzio. Assad può schiacciarvi in qualsiasi momento. La gente deve saperlo. Ascolterà me e vedrà le fotografie di Paul. Possiamo aiutarvi: possiamo mostrare tutto questo al mondo intero; possiamo denunciarlo».

Wa'el tradusse accuratamente, fermandosi di tanto in tanto per chiedere conferma a Marie e accertarsi di non travisare le sue parole. Il comandante parve davvero commosso dal discorso di Marie. Aveva occhi gentili in cui tuttavia si leggeva la profonda tristezza causata dalla guerra e dalle pesanti perdite subite negli ultimi mesi. Era evidente che Marie lo aveva convinto. Disse a Wa'el che sarebbe stato orgoglioso di aiutarci a entrare a Baba Amr, ma che avrebbe avuto bisogno di tempo per organizzarsi e che avremmo dovuto avere pazienza. Noi annuimmo. Poi mi chiese di scattare alcune foto della sua brigata di ribelli quella sera.

Marie si voltò verso di me e disse, indicando Wa'el con un cenno del capo: «Paul, questo ragazzo è in gamba. Dovremmo ingaggiarlo come interprete».

Io ero d'accordo. I bravi interpreti erano essenziali e difficili da trovare: una volta, in Iraq, ne ingaggiai uno che ammise apertamente di inventarsi la maggior parte di quello che diceva.

Marie si voltò verso Wa'el. «Senti, Wa'el, ti piacerebbe lavorare per il "Sunday Times"?».

Lui esitò un istante, ci guardò e rispose tutto serio: «Solo a una condizione: che non mi paghiate. Devo servire il mio Paese. Non accetterò denaro: se proverete a pagarmi, darò le dimissioni».

Marie fece per interromperlo, ma Wa'el la ignorò. «Queste sono le mie condizioni. Prendere o lasciare. Verrò a Baba Amr con voi e vi porterò fuori vivi».

A poco a poco, la stanza si svuotò. Il comandante promise di tornare a prendermi verso sera per fotografare la sua brigata.

Nell'attesa, facemmo due chiacchiere con Wa'el, scoprendo che aveva una storia molto interessante da raccontare. Da giovane aveva fatto parte delle truppe speciali siriane, ma, una volta terminato il servizio militare, si era fatto crescere i capelli e la barba e si era ribellato alla sua esperienza nell'esercito. Quando scoppiò la battaglia a Homs, decise di abbracciare la causa dei ribelli. Un giorno, mentre era in viaggio con un gruppo di soldati dell'ESL, le forze del governo tesero un'imboscata alla loro colonna. Due suoi compagni rimasero uccisi nello scontro a fuoco che seguì, mentre Wa'el si salvò per miracolo, fuggendo nella campagna. Trascorse sette giorni nascosto nei fossi e nelle tane delle volpi, dormendo quando c'era luce e spostandosi solo di notte per evitare l'esercito che gli dava la caccia. Alla fine riuscì a tornare a casa e, da allora, serviva l'ESL fungendo da tramite tra i vari gruppi della zona. Da uomo di princìpi qual era, si rifiutava di toccare le armi. Era, come si definì lui stesso, un "vegetarionista" e, come sussurrò quando gli altri non potevano sentirlo, un ateo. Quella confessione fu accompagnata da un bellissimo sorriso. Marie scoppiò a ridere. «Wow! Un vegetarionista ateo. Ci vuole del coraggio, in Siria!».

Restammo lì seduti a fumare e ad ascoltare l'incredibile storia di Wa'el per alcune ore, finché non giunse un veicolo. Sentimmo i pesanti cancelli aprirsi: era il comandante, di ritorno dopo aver radunato la sua brigata alla periferia del villaggio di modo che potessi immortalarla. Appena uscimmo dalla casa, udimmo il rombo inquietante dell'artiglieria in lontananza. Il comandante indicò con un cenno del capo un lungo pennacchio di fumo che si levava pigramente nel magnifico cielo arancione. «Homs», disse. «Sono quattordici giorni che è così».

Sentivo la vicinanza delle esplosioni. Non potevano essere a più di dieci chilometri. Restammo in silenzio mentre l'auto percorreva una sconcertante rete di sentieri sterrati, campi e vaste distese di fango per evitare le truppe siriane. Finalmente giungemmo a una piccola fabbrica abbandonata, a circa tre chilometri dal paese, dove ci attendeva la brigata. Indossavano tutti dei passamontagna o delle kefiah per nascondere il viso. Ma la cosa più sorprendente era che non tutti erano armati. A occhio e croce, solo la metà dei ribelli lo era.

La brigata si schierò per una foto di gruppo. Io inquadrai il cielo arancione sullo sfondo, con il terribile pennacchio di fumo che lo attraversava come una cicatrice scura. E, in primo piano, gli uomini: coraggiosi, pronti a combattere e, se necessario, a morire per una nazione lacerata dalla guerra.

Dopo lo scatto, molti di loro mi si avvicinarono. Si erano tolti le sciarpe e i passamontagna, quindi potevo guardarli negli occhi. La maggior parte era costituita da disertori delle forze di sicurezza del governo, mi dissero, mostrandomi i documenti d'identità dell'esercito o della polizia segreta a mo' di prova.

«Niente Al-Qaeda qui. Siamo tutti siriani, tutti soldati. Non vogliamo Al-Qaeda qui. Facciamo tutto questo perché amiamo il nostro Paese», dichiarò un combattente di vent'anni, rispondendo ai reportage dei media secondo i quali gli estremisti islamici stavano cercando di dirottare la rivoluzione e sfruttarla a vantaggio della loro causa. Io credetti al giovane ribelle, però.

Marie era elettrizzata quando feci ritorno alla casa. Era riuscita a ottenere l'autorizzazione a entrare nell'unico ospedale da campo di Al Buwaida, che raccoglieva i feriti di Homs. Era diretto da un veterinario, mi disse. Io presi un'altra macchina fotografica e ci dirigemmo fuori, dove ci attendeva un'auto: Marie aveva già pensato a tutto. Al volante c'era una delle guardie del corpo del comandante, mentre il sedile del passeggero era occupato da Wa'el. Marie era su di giri. Ecco cos'era per lei il suo lavoro: raccontare storie di gente normale travolta da un conflitto. Molti sostengono che i giornalisti siano dipendenti dalla guerra, dall'adrenalina. Li sfiderei ad accusare Marie di essere così. Certo, attraversava le frontiere e rischiava l'incolumità e la vita, ma sempre e solo per una storia; per la gente che stavamo per incontrare. Aveva poco tempo per coloro che accusavano i corrispondenti esteri e i fotografi di essere drogati di forti emozioni.

L'auto procedeva tra le stradine strette e buie. L'illuminazione era ormai un lusso dimenticato. Gli autisti si facevano guidare più dall'istinto che dalla vista. Si udivano il rombo minaccioso delle bombe e dei missili che piovevano su Homs e, a una distanza molto più ravvicinata, le raffiche sporadiche ma spaventose delle mitragliatrici pesanti.

L'autista disse, tramite Wa'el: «È così tutte le notti. Le forze di sicurezza di Assad cercano di fermare chiunque voglia entrare o uscire da Homs. L'hanno circondata. Ci sono molti feriti, ma oggi siamo riusciti a farne uscire solo due».

Statisticamente, era un numero insignificante. Se solo una minima percentuale dei proiettili che venivano lanciati in una giornata colpiva il bersaglio, Homs doveva essere piena di morti e feriti. Marie dovette fare la mia stessa considerazione, perché osservò: «Paul, è un massacro. I bombardamenti non si fermano mai e lì è pieno di donne e bambini, vecchi e giovani. Dobbiamo assolutamente entrare. Costi quel che costi. Dobbiamo urlare al mondo cosa sta succedendo. Non ci tireremo indietro proprio adesso, me lo prometti?»

«Non c'è neanche bisogno di chiederlo, Marie, ma quello che stiamo per vedere è solo una minima parte, lo sai, vero?»

«Lo so», disse lei. «Lo so».

Una volta giunti all'ospedale da campo, che in realtà era un edificio residenziale piuttosto spartano, ricevemmo un assaggio della situazione che avremmo dovuto affrontare a Homs. In un angolo dell'ingresso c'era un uomo in stato di semi incoscienza e in preda a dolori lancinanti: aveva la gamba sinistra fasciata. Di tanto in tanto, apriva gli occhi per poi assopirsi di nuovo e cercare un po' di sollievo nel sonno. Un altro sedeva con la schiena dritta e un drenaggio toracico collegato a una grossa bottiglia di plastica sul pavimento accanto a lui, piena di sangue per metà. Il suo volto, deformato dal dolore, stava assumendo il colorito cinerino della morte. Non gli restava molto tempo: aveva un proiettile vicino al cuore. "Manca poco", pensai. L'unica via d'uscita per tutti quei pazienti gravemente feriti era la strada che avevamo percorso io e Marie. Praticamente una condanna a morte per chi versava in condizioni critiche.

Wa'el ci presentò il "dottore", che era in realtà un veterinario. Aveva assunto quel ruolo mesi prima per pura necessità e si occupava dei pochi fortunati che riuscivano a fuggire da Homs. Era carismatico, rideva spesso, considerate le circostanze, e privilegiava l'umorismo macabro. Mi chiese una sigaretta e gli feci notare che i medici non dovrebbero fumare. Lui scoppiò a ridere e replicò: «Be', io sono un veterinario e alle mucche non dà fastidio».

Quando tornammo alla casa, ci attendeva una cena luculliana, preparata, come sempre, dalle donne invisibili che vivevano lì. Fu tanto più gradita dato che non facevamo un pasto decente da un bel po'. Io andavo avanti a caffè e sigarette, Marie solo a caffè.

La fame ebbe la meglio anche sulle buone maniere: a metà cena, mi resi conto che avevo già mangiato un'intera scodella di falafel. In Siria, quando si ha un figlio maschio, il nome di battesimo del padre diventa Abu, che significa appunto "padre di", seguito dal nome del primogenito. Di conseguenza, venivo chiamato Abu Max da tutti i ribelli che conoscevo. Quella sera, notando la mia voracità, il comandante mi indicò e dichiarò con aria solenne: «Non ti chiami più Abu Max. Ti chiami Abu Falafel». E, da quel momento in poi, fui noto tra i ribelli con il nome di Abu Falafel, il Padre dei Falafel.

Mentre mangiavamo, il clangore familiare dei cancelli annunciò l'arrivo di un altro visitatore. L'uomo che fece il suo ingresso nella stanza era evidentemente molto popolare. Tutti si alzarono, salutandolo con baci e pacche sulla schiena. Indossava un pesante giubbotto militare, la consueta kefiah e un paio di pantaloni mimetici. Malgrado l'abbigliamento, sembrava congelato. Si chiamava Abu Zaid e scoprimmo che si trattava del ricognitore in motocicletta che, durante il viaggio da Al Qusayr, apriva la strada al convoglio del generale per assicurarsi che fosse libera.

Vedendolo, Wa'el si mise a ridere. «Lo chiamano Blondie», ci disse.

Quando Abu Zaid si tolse la sciarpa, capimmo perché. Aveva un viso scurissimo, segnato dalla vita all'aperto. Era la persona dall'aspetto più coriaceo che avessi mai visto: basso ma taurino, e con la pelle spessa come il cuoio.

Wa'el continuò: «Tutte le sere carica la moto di pane e forniture mediche e arriva a due chilometri di distanza da Homs. Nasconde la moto e trasporta quarantacinque chili di aiuti lungo la strada che conduce in città ed è controllata dal governo. Li consegna e torna indietro. Prima della guerra ha fatto il cacciatore di tesori per vent'anni. Scavava tunnel nei vecchi cimiteri in cerca di oggetti antichi, ma non ha mai trovato niente».

Wa'el tradusse in arabo quello che aveva appena detto a me e a Marie e tutta la stanza scoppiò a ridere, compreso Abu Zaid. Non sembrava conoscere il significato della parola vanità.

Poi Abu Zaid si rivolse a Wa'el: «Digli che entreranno a Homs con me. Dovranno camminare accucciati per tre o quattro chilometri, superare una scuola occupata dal governo e poi aspettare che passi una macchina sulla strada principale e attraversarla di corsa mentre le truppe di Assad sono abbagliate dai fanali. Se vedono qualcuno, sparano per uccidere».

Io e Marie ci scambiammo un'occhiata. Poi lei disse: «Cazzo, Paul, c'è da aver paura, ma è così che è entrato Stu». Si riferiva a Stuart Ramsay, storico corrispondente estero di Sky TV, che ci aveva raccontato che aveva dovuto attraversare correndo una strada di notte per penetrare nella città assediata.

«Be', in effetti sembra più pericoloso del passaggio di frontiera. Praticamente il piano consiste nel correre come matti».

«Che cazzo ci aspettavamo, un taxi?», ribatté Marie.

J.-P. faceva del suo meglio per seguire la discussione. Io e Marie gli spiegammo il piano e lui si rifugiò nuovamente nel suo silenzio assorto. Quella sera, dopo cena, Marie andò a dormire in un'altra casa insieme alle donne ed ebbe diritto a un letto, mentre io e J.-P. prendemmo un paio di cuscini e ci stendemmo sul pavimento di una stanza piena di ribelli. J.-P. sfoggiò di nuovo la sua calzamaglia e il mio sonno fu disturbato dall'immagine di lui che fuggiva dagli spari in pigiama. Per solidarietà, mi tolsi il giubbotto militare, ma mi sentivo nudo.

Trascorremmo un'altra giornata nella casa, cercando di ingannare il tempo. Non aveva senso fare pressioni sui ribelli per anticipare la partenza. Era il loro ambiente: stava a loro stabilire le regole del gioco e a noi seguirle. Ciononostante, l'attesa era sempre snervante. Bevevamo caffè e fumavamo mentre i ribelli andavano e venivano. Il terzo giorno il comandante ci convocò e ci sedemmo intorno alla stufa con l'ennesima tazza di caffè.

«Paul, Marie, J.-P., c'è stato un cambio di programma», esordì in tono grave.

Alzai mentalmente gli occhi al cielo e anche Marie parve sconfortata. Ci aspettavamo il peggio: dopo l'ottimismo degli ultimi giorni, ecco che i nostri piani stavano per andare a rotoli. Mi accesi una sigaretta e attesi il colpo di grazia.

«Voi ci piacete, ma entrare a Homs è molto pericoloso. Vi faremo passare dalla nostra entrata speciale».

"Entrata speciale?", dissi fra me. Io e Marie ci scambiammo un'occhiata. J.-P. parve entusiasta della notizia, ma perché non aveva di fronte l'immagine che si stava formando nella mia mente. E anche in quella di Marie, ne ero certo.

Il comandante sorrise, lieto di darci quella che pensava essere una bella notizia. «Vi faremo passare dal tunnel».

"Il tunnel", pensai terrorizzato. Ero senza parole. Mi voltai verso Marie. «Il cazzo di tunnel, ti ricor…».

Lei mi interruppe. «Sì, il fotografo spagnolo "Godetevi il tunnel"». Ricordava anche lei il misterioso giornalista che avevamo incontrato prima di passare il confine tra la Siria e il Libano.

Ci fu un lungo silenzio. Il sorriso del comandante si spense, lasciando il posto a un'espressione interdetta. Sembrava leggermente offeso dalla nostra tiepida reazione al suo festoso annuncio. Marie si rese conto che qualcuno doveva dire qualcosa e formulò la domanda che ci stavamo facendo tutti.

«Ehm… quant'è lungo il tunnel, comandante?».

Lui sorrise di nuovo «Solo tre chilometri ed è più sicuro passare di lì che attraversare la strada. È una fogna», rispose allegramente. «Non si riesce a stare dritti e non c'è molta aria, ma si può fare».

«Ha detto tre chilometri?», saltò su J.-P.

Io annuii e lui si ritirò per l'ennesima volta nel suo mondo privato per elaborare l'informazione.

Ma il comandante non aveva ancora finito. «L'altra buona notizia è che partiremo stanotte. I miei uomini verranno a prendervi più tardi. Fatevi trovare pronti». E se ne andò, sempre sorridente.

Wa'el sembrava più felice di tutti noi messi insieme. «Non vi preoccupate», disse, cercando di rassicurarci. «Il tunnel è la strada migliore. Ci passa anche una moto».

«Come?», esclamò Marie. «Una moto in una fogna? Stai scherzando!».

Wa'el sorrise. «No, è vero. L'hanno modificata per trasportare aiuti e feriti attraverso il tunnel. Vedrete. Magari ci salirete anche sopra».

Avevo raccontato a Wa'el la storia della mia evasione, e lui, tutto entusiasta, riferì agli altri ribelli nella stanza del mio tentativo di fuga da una prigione militare britannica. Fui nominato mujaheddin onorario e ridemmo e scherzammo per un po', ma poi il pensiero tornò, lentamente e inesorabilmente, al tunnel.

«Sai, Paul, non so cosa sia peggio: se attraversare di corsa una strada di notte o farsi tre chilometri in un tunnel», osservò Marie.

«A quanto pare, non abbiamo scelta. Il vecchio comandante sembra abbastanza deciso. Quindi secondo me tunnel sarà». Stavo cominciando a rassegnarmi all'idea.

Restammo seduti in silenzio, tutti concentrati su un tunnel che non avevamo mai visto e che avremmo dovuto attraversare sapendo che, in fondo, saremmo stati accolti dalla potenza e dalla furia di carri armati, mitragliatrici, cecchini e artiglieria del regime di Assad.

Wa'el andò a preparare una piccola borsa per il viaggio, lasciandoci soli con i nostri pensieri. Le ore seguenti furono dedicate ai preparativi e la conversazione si ridusse al minimo: caricammo le batterie e riponemmo le attrezzature nelle borse dopo aver verificato che funzionassero. Quando mi appresto a partire per un posto come Homs, c'è sempre una parte di me che pensa che non accadrà davvero. Immagino che il piano verrà annullato all'ultimo minuto e che me ne tornerò a casa, incolume. Man mano che il momento si avvicina, però, quella sensazione si affievolisce e comincio a poco a poco ad accettare l'idea che possa effettivamente succedere. La nostra discussione con il comandante a proposito del tunnel aveva confermato che, salvo cambiamenti improvvisi, saremmo partiti di lì a breve, quindi era tempo di lasciar andare qualsiasi dubbio residuo.

Quando Wa'el tornò, scoppiammo tutti in una fragorosa risata che ruppe il silenzio assorto. Era perfettamente credibile: giubbotto nero, pantaloni militari e cappello nero. Ma l'ilarità era dovuta alla borsa che aveva in spalla; era rossa e blu elettrico, con l'immagine del personaggio di un programma per bambini dal nome molto buffo: *SpongeBob SquarePants*. Era surreale:

Wa'el, il serio ex membro delle truppe speciali pronto a partire per una missione pericolosissima con una borsa che avrebbe fatto la gioia di qualsiasi bambino amante dei cartoni animati. Servì ad alleggerire l'atmosfera nella stanza.

Quando giunse finalmente il momento, accadde tutto molto in fretta. Udimmo delle auto fermarsi davanti ai cancelli e un rumore di passi di corsa. Un uomo che non avevamo mai visto ci ordinò di uscire. Intorno alle due auto c'erano i nostri amici della casa e altri combattenti dell'ESL che sembravano alquanto nervosi. Vi fu un rapido scambio tra i due gruppi, dopo di che ci fecero cenno di salire in macchina. I saluti furono brevi e solenni, e nel giro di pochi minuti eravamo per strada, mentre il ricordo del calore della casa e dei nostri ospiti cominciava già a svanire.

Chiesi a Wa'el perché tutta quella frenesia. Era seduto sul sedile posteriore, quindi mi voltai per guardarlo in faccia e mi resi conto che aveva un'espressione cupa. «Paul, questa parte del viaggio è molto pericolosa. Siamo nel cuore del territorio controllato da Assad. Tutte le strade sono sorvegliate dalle truppe del regime, ci sono cecchini su tutti gli edifici più alti e i checkpoint vengono spostati ogni giorno. Solo che dobbiamo attraversare quest'area per avvicinarci al tunnel. A volte subiamo delle imboscate e molti sono morti nel tentativo di raggiungere il tunnel. Questi uomini non si rilassano mai: potrebbe esserci un attacco in qualsiasi momento». Tacque un istante per accertarsi che avessimo capito, poi concluse: «Stiamo entrando nella tana del lupo».

Quasi mi pentii della mia domanda: a volte l'ignoranza è una benedizione. Mi voltai verso Marie, che sedeva immobile, lo sguardo fisso fuori dal finestrino. Immaginavo cosa stesse pensando. Probabilmente le stesse cose che pensavo io. L'idea che da un momento all'altro saremmo potuti rimanere vittime di un'imboscata, che la morte avrebbe potuto colpirci e saremmo stati del tutto indifesi, risvegliò in me una ridda di emozioni. Ogni curva della strada, ogni esplosione, ogni proiettile che sfiorava il veicolo esacerbava la tensione. Non riuscii a rilassarmi neanche per un secondo. Era come camminare su una corda tesa tra la vita e la morte in una giornata ventosa: un terno al lotto.

A un certo punto le auto accostarono e i ribelli sussurrarono ordini concitati nella luce della sera. Mi fecero salire sul retro di una betoniera insieme a una guardia dell'ESL, mentre Marie, Wa'el e J.-P. furono sistemati, credo, in un furgoncino bianco. Il cambio avvenne in pochi secondi. La tensione era palpabile e indicava che si trattava davvero di una manovra molto pericolosa.

Un attimo dopo, eravamo di nuovo in movimento. I veicoli del convoglio avanzavano lentamente, a fari spenti. Il sole era tramontato e procedevamo nel crepuscolo prediletto tanto dai militari quanto dai ribelli. Osservai la guardia accanto a me, che non smise un attimo di scrutare l'orizzonte dietro il veicolo. Quando eravamo saliti, aveva caricato e armato l'AK47: era pronto all'azione.

Ci muovevamo con una lentezza esasperante. A volte ci fermavamo anche per dieci minuti mentre i ricognitori andavano in avanscoperta delle strade e delle svolte. Spesso mi accorgevo di respirare affannosamente e cercavo di tranquillizzarmi. "Che cazzo sto facendo?", pensavo.

Il viaggio durò un'ora, o forse una settimana, non so. Persi la cognizione del tempo e del mondo, e uscii dal mio stato di trance solo quando i veicoli si fermarono e la guardia mi disse che eravamo arrivati. Quando scesi dal camion, mi trovai di fronte Marie, J.-P. e Wa'el e un gruppo di soldati dell'ESL che ci fecero cenno di seguirli. Nessuno proferì parola mentre avanzavamo a fatica sul terreno cosparso di macerie. Alla fine giungemmo in una casa con le luci spente dove ci accolse un ribelle. Dopo esserci sottoposti alla tortura degli scarponi, ci ritrovammo in un'altra abitazione tipicamente siriana. Dentro era caldo e cinque soldati dell'ESL se ne stavano seduti a fumare intorno a una stufa a gasolio. Mentre ci guardavamo intorno cercando di valutare la situazione, ci offrirono il tè, ma era impossibile rilassarsi in quei momenti. Non avendo una tabella di marcia definita, il mio cervello non smetteva mai di pensare alla mossa successiva. I soldati dell'ESL fecero del loro meglio per assicurarci che andava tutto bene. Ci offrirono delle sigarette, sorrisero e tentarono di convincerci che non c'era da preoccuparsi per il tunnel.

«Che ne pensi, Paul?», mi chiese Marie. «A me sembra gente esperta».

«Anche a me. Non sono dilettanti. Sono tutti ex membri dell'esercito e sanno quello che fanno. Solo che non riesco a scacciare la paura che questa sia stata la parte facile e che il bello verrà con il tunnel», risposi.

«Idem. Siamo vicini ai bombardamenti adesso. Senti?».

Per forza: la stanza riecheggiava dei rombi dei proiettili ad alto esplosivo. Solo che non si trattava più di semplici rumori, ma di vere e proprie sensazioni. Anche le armi leggere e le mitragliatrici erano molto vicine, ormai. Prima i ribelli non battevano ciglio al suono degli spari; ora guardavano e tendevano l'orecchio per capire da dove provenissero. Eravamo nel bel mezzo della zona di guerra di Homs. Io ero già esausto, ma, quando pensavo che quegli uomini vivevano così tutti i giorni, mi vergognavo profondamente. Se mi sentivo in quel modo dopo poche ore, come dovevano sentirsi loro?

A un tratto, ci fu un crepitio seguito da un messaggio su uno dei ricetrasmettitori VHF. Tre soldati balzarono in piedi, presero le armi, controllarono i caricatori e armarono gli AK47. "Ci siamo", pensai. Wa'el confermò i miei sospetti.

«Paul, stiamo andando al tunnel. Dobbiamo restare compatti e in silenzio. Ci sono pattuglie del governo a poche centinaia di metri di distanza. Quindi zitti e fate come vi dicono. È molto importante adesso». Poi diede le stesse istruzioni a Marie e a J.-P.

Devo ammettere che, in quel momento, avrei preferito di gran lunga starmene seduto a casa a bere un bel caffè caldo e a guardare la televisione, e pensare che non mi piace neanche, la televisione. Il capo della piccola spedizione fece un rapido appello, dopo di che ci avviammo in fila indiana. Feci mettere Marie davanti a me in modo da poterla controllare: il fatto che fosse cieca da un occhio rendeva insidiosi i viaggi di notte. Wa'el era dietro di me, seguito dai soldati dell'ESL.

All'inizio attraversammo dei giardini privati passando tra una casa e l'altra, ma, a poco a poco, il paesaggio cominciò a cambiare, aprendosi su campi con profonde trincee scavate su entrambi i lati. Il terreno era accidentato ed era difficile tenere il passo della guida dell'ESL davanti a noi. A un certo punto persi di vista Marie e, scrutando l'orizzonte, la scorsi a un centinaio di metri di distanza. Si stava allontanando in un'altra direzione.

La raggiunsi e le sussurrai all'orecchio: «Dove cazzo stai andando, a Damasco?»

«Paul», rispose lei, leggermente imbarazzata, «non vedo un cazzo, continuo a girare a vuoto».

La presi per mano e, insieme, raggiungemmo i nostri amici. Il conforto della mano di un'altra persona nella tua in situazioni del genere è impagabile. Ti dà speranza nel momento di maggiore bisogno.

Proseguimmo in silenzio e in fila indiana sul terreno che continuava a cambiare. Costeggiammo un filare di alberi che si stendeva davanti a noi, nel buio. Poi raggiungemmo un muro di due metri circondato da cespugli. Due soldati dell'ESL presero posizione ai suoi piedi, unirono le mani a coppa e cominciarono a catapultare letteralmente la gente al di là del muro. Marie, purtroppo, rimase bloccata in cima: il giubbotto antiproiettile si impigliò e lei cominciò a girare in tondo come una tartaruga sul dorso, senza riuscire a muoversi. Ciononostante, la sentivo ridere e, per fortuna, bastò una spinta per farla passare dall'altra parte.

Continuammo per un altro paio di chilometri, superando qualsiasi ostacolo possibile e immaginabile: rocce, massi, trincee e persino macchine agricole rotte. Sentivamo i proiettili attraversare l'aria fredda ma, con l'avanzare della notte, i bombardamenti a Baba Amr, che sembravano non fermarsi mai, si fecero più sporadici. Oltrepassammo un altro muro, di circa tre metri stavolta, e ci ritrovammo accanto una fabbrica e davanti un filare di alberi a una decina di metri di distanza che, correndo parallelo al muro della fabbrica, creava una specie di riparo. I soldati dell'ESL ci fecero segno che i cecchini del governo erano attivi. Dovevamo procedere lentamente e, soprattutto, in silenzio.

Così seguimmo, quasi in punta di piedi, il filare di alberi per circa duecento metri. Nessuno fiatava. Si udivano solo il crepitio delle armi leggere e il rombo dell'artiglieria. La tensione si tagliava con il coltello. Ci fermammo a una decina di metri dalla fine del filare e ci accucciammo nell'erba umida. Era piacevolmente fresca e approfittai della pausa per riprendere fiato.

A un tratto, dal buio partì un segnale rivolto a me e a Marie: dovevamo attraversare un tratto aperto. Esitammo un istante, poi, con un cenno d'intesa, ci prendemmo per mano e cominciammo a correre accucciati verso un gruppo di ribelli a circa centocinquanta metri di distanza. La nostra volata sembrò durare un'eternità. Alcuni spari squarciarono il silenzio. Erano vicini? Chissà. Giungemmo, senza fiato, al centro di un campo aperto e ci inginocchiammo accanto ai ribelli in attesa. Poi, senza dire una parola e prima che Marie potesse protestare, la presero in braccio e la calarono in una buca nel terreno finché non scomparve nel buio impenetrabile.

Era l'entrata del tunnel. Non aveva nessuna struttura: i ribelli avevano semplicemente scavato una fossa larga circa quattro metri in mezzo a un campo. Prima che avessi tempo di pensare, venni calato anch'io, come Marie, nella buca. Dentro era bagnato fradicio. Quattro paia di mani mi afferrarono, trascinandomi bruscamente nel loro mondo sotterraneo. Dovetti stendermi a pancia in giù e strisciare nel fango per passare attraverso la minuscola apertura che i ribelli avevano ricavato in un tubo di cemento, che costituiva il tunnel vero e proprio. Fu come entrare in un incubo a occhi aperti.

Dentro era buio pesto e mi sentii invadere dal panico. Chiamai piano Marie. I sussurri si amplificavano e riecheggiavano in quello strano mondo. Lei rispose subito al mio richiamo. Allora cercai di alzarmi in piedi, ma sbattei violentemente la testa sul cemento. Finalmente riuscii a raggiungerla, camminando nell'acqua, alta parecchi centimetri, che ristagnava sul fondo del tunnel. Ci abbracciammo.

«Ce l'abbiamo fatta, socio», disse lei, con voce tremante.

«Non preoccuparti, Marie, sono terrorizzato anch'io», le sussurrai.

Il tunnel non era perfettamente circolare: restringendosi verso l'alto, aveva più una forma ovoidale. Alla luce che penetrava dal pozzo non riuscivo a vedere a più di un metro davanti a me, ma un ribelle illuminava, seppure fiocamente, il tunnel con una torcia. Fu allora che udimmo il trambusto. Ci voltammo verso l'ingresso e vedemmo J.-P. che discuteva in modo concitato con alcuni ribelli.

«Non voglio andare. Non ce la faccio», diceva con voce rotta. «Ho troppa paura. Non voglio entrare lì dentro. È meglio se torno indietro».

Decisi di intervenire. «Ehi, J.-P., va tutto bene, davvero. Ci stiamo cagando addosso anche noi. Aspetta un attimo, respira.

Siamo insieme e andrà tutto liscio, vedrai» gli dissi, sperando di placare il suo comprensibile attacco d'ansia.

«Non ce la faccio, davvero. Ho paura, non ce la faccio», ripeté lui.

«Senti, non puoi tornare indietro adesso. Le guardie sono con noi e non possono riaccompagnarti. Ti staremo vicino, non ti perderemo un attimo di vista e, se avrai bisogno di fermarti, ci fermeremo anche noi. Okay?».

Il mio estremo tentativo di persuasione parve funzionare e, nel frattempo, mi ero calmato anch'io, ritrovando un po' di fiducia nella mia capacità di percorrere i tre chilometri di tunnel che ci attendevano.

Mi voltai di nuovo verso Marie. «Come stai, socia?», le chiesi accendendomi una sigaretta per tranquillizzarmi ulteriormente.

Lei abbozzò un sorriso incerto. «Come nel buco del culo del mondo». Poi, sempre cercando di sorridere, concluse nervosa: «Che cazzo. Siamo arrivati fin qui, ancora due passi e ci siamo».

Era proprio per quello che adoravo Marie. Era appena stata catapultata in uno dei posti più spaventosi che avessi mai visto, e stava già ridendo. Chi poteva chiedere di più? Il peggio doveva ancora venire, però: per il momento, c'era ancora un po' di aria fresca che entrava dall'apertura fangosa sopra le nostre teste.

Prima che ci incamminassimo, l'ESL calò delle provviste nel tunnel. Uno dei ribelli si mise in testa al gruppo. Ci avevano detto che avremmo potuto usare le torce non appena ci fossimo allontanati dall'entrata del tunnel. Va detto che neanche il più basso di noi riusciva a stare dritto. All'inizio la posizione accucciata non sembrava così male. Dopo circa 200 metri cominciai a sospettare che non sarebbe stata una passeggiata, dopo 400 metri ne ebbi la certezza e dopo 600 ebbe inizio l'inferno. Le provai tutte per alleviare il dolore, ma ogni tentativo si rivelò vano. E poi c'era il problema dell'aria. Man mano che ci allontanavamo dall'entrata, faceva sempre più caldo e c'era sempre meno ossigeno. Sentivo la temperatura salire ogni poche centinaia di metri e cominciai a respirare affannosamente. Le luci delle torce si muovevano in continuazione ed era impossibile fissarvi lo sguardo, il che causava un leggero mal di mare.

Mentre procedevamo in silenzio lungo il tunnel, la fatica fisica si trasformò in una vera e propria lotta tra il corpo e la mente. Cominciammo ad avere i crampi per via della posizione e della mancanza di ossigeno, e la testa iniziò a giocare brutti scherzi. Era impossibile capire quanta strada avessimo fatto. Avevo perso la cognizione del tempo e ogni altro riferimento.

A un certo punto, udimmo qualcosa. Lo strano rumore era lontano, all'inizio, ma si faceva sempre più forte man mano che avanzavamo. D'un tratto, nel tunnel riecheggiò un rombo profondo: sembrava un mostro intrappolato nella tana che ringhiava contro i suoi aggressori. La bestia ci veniva incontro, sempre più veloce e rabbiosa, invadendo tutto il tunnel. Sentiva il nostro odore e procedeva implacabile. I suoi occhi giallo pallido erano lontani ma chiaramente visibili, ormai. Io, Marie e J.-P. restammo di sasso quando ci raggiunse e tacque. Era una motocicletta 125cc di fabbricazione russa.

J.-P. si sedette su un vecchio sacco con la testa tra le gambe, il respiro profondo e rarefatto. "Oddio", pensai, "adesso gli viene un infarto".

Marie gli si avvicinò. «Ehi, J.-P., tutto okay?»

«Devo tornare indietro», mormorò, rantolando. «Non ce la faccio ad andare avanti. Sono troppo vecchio. Non respiro».

«Ehm... tornare indietro adesso potrebbe essere un problema, J.-P.», obiettò Marie. «A quanto pare, abbiamo un biglietto di sola andata. Comunque non ti puoi fermare qui. L'aria è piena del fumo della moto e saresti da solo. Poi, anche volendo, non possiamo farti compagnia», aggiunse, comprensiva nei confronti della sua difficoltà, ma anche leggermente irritata.

«Non ce la faccio», ripeté J.-P.

Per fortuna, intervenne Wa'el. «Possiamo metterlo sulla moto, così non dovrà più camminare», suggerì.

Il motociclista annuì e cominciò a fare le manovre necessarie a girare la moto, centimetro dopo centimetro, sfruttando un piccolo spazio quadrato ricavato all'interno dell'angusto tunnel.

«Fateci salire Marie sulla moto», ansimò J.-P.

Stavolta intervenni io. Stavo cominciando a perdere la pazienza.

«Senti, J.-P., Marie non sta per avere un cazzo di infarto. Tu sì. Sali sulla moto e stai zitto».

Alla fine lo caricammo sulla sella e gli facemmo ciao con la mano mentre la moto si allontanava sobbalzando. Confesso che provai una fitta di gelosia vedendolo scomparire in fondo al tunnel. "E se fingessi di avere un infarto anch'io?", pensai. Ma il malessere di J.-P. era reale e mi aveva battuto sul tempo, quindi mi rassegnai a proseguire a piedi.

Ci incamminammo di nuovo e, per alcuni minuti, il dolore pareva scomparso. "Forse va meglio", mi dissi. Sbagliato. Man mano che procedevamo, le fitte tornarono più forti di prima. Anche l'aria era più pesante: la moto, facendo su e giù tutto il giorno, rubava ossigeno prezioso sostituendolo con anidride carbonica. Il che andava bene per le piante o gli alberi, un po' meno per gli esseri umani. Avevo dei crampi così dolorosi e implacabili che cominciai seriamente a domandarmi se ce l'avrei mai fatta. Da quanto tempo eravamo lì sotto? Un mistero. Grondavo sudore dalla testa ai piedi, tanto che avevo la vista offuscata. Il dolore mi obnubilava la mente. Ogni singolo passo era una piccola vittoria e l'unica unità di misura del futuro. Non c'erano minuti, secondi o metri: solo uno scarpone che affondava nell'acqua. Conficcai

le unghie nei palmi delle mani per distrarmi dai crampi alle co-
sce: qualsiasi cosa pur di alleviare lo stress fisico e mentale del
dolore che mi squassava ormai tutto il corpo.

D'un tratto, sentii qualcosa. All'inizio pensai che si trattasse
di uno scherzo della mente. Rimasi in attesa: non osavo sperare
finché non fossi stato sicuro. Dopo una ventina di passi, lo sentii di nuovo. Non era un'illusione: era aria, aria fresca, un alito
quasi impercettibile che, in condizioni normali, sarebbe passato
inosservato, ma che, in quella situazione, avvertii distintamente.
Poteva significare solo una cosa: che il tunnel aveva davvero una
fine. Da quel momento in poi non desiderai altro che arrivare in
fondo. Il pensiero di fermarmi e arrendermi mi aveva attraversato la mente molte volte, ma a quel punto volevo solo uscire.
Affrettai leggermente il passo. Sentivo meno dolore? Forse no,
ma la prospettiva della fine mi spronò.

Poco dopo, mi giunse la voce di Marie. «Paul, sento un odore
strano».

«È aria fresca, Marie», ribattei.

«Quanto manca, secondo te?»

«Circa duemila passi».

«Paul, sei strano», concluse lei.

Le folate diventarono sempre più forti man mano che avanzavamo. Duecento passi dopo, udii qualcosa. Una voce. Anzi,
più d'una: qualcuno stava litigando. "Il vecchio detto della luce
in fondo al tunnel è una stupidaggine: in fondo al tunnel c'è un
gruppo di arabi che litigano", pensai, in preda all'euforia.

Marie gridò: «Paul, li sento litigare. Ci siamo quasi». E scoppiò
in una risata isterica.

L'ultimo chilometro fu il più duro. Il suono viaggiava molto
rapidamente nel tunnel, quindi tutto sembrava più vicino di quanto non fosse in realtà. Continuavo a immaginarmi di trovarmi di
fronte un gruppo di ribelli, eppure la fonte del rumore restava

lontana ed elusiva. Proseguimmo, con passo pesante. Non riuscii mai a superare la barriera del dolore, come capita spesso ai maratoneti: non facevo che sbatterci contro. Alla fine, però, la resistenza pagò. Le voci si fecero sempre più distinte e poi scorgemmo il bagliore di una torcia, e ancora altre voci e altre torce.

"Altri cento metri e sarà tutto finito", mi dissi. Il dolore passerà e respireremo aria pura. Cinquanta metri, dieci metri. Crollai a terra, esausto, coperto di sudore. Le voci risuonavano intorno a me e le torce mi accecavano mentre la gente cercava di entrare nella caverna in fondo al tunnel. Ero seduto accanto a Marie, che si era accasciata a terra come me. Non dicemmo nulla. Ci abbracciammo e basta: avevamo finito le parole.

La gente intorno a noi spostava borse e sistemava attrezzature. Non era il posto ideale per riposarsi e assaporare il nostro trionfo. Nel giro di pochi minuti un ribelle ci ordinò di metterci in fila per uscire. Eravamo in quello che sembrava uno dei raccordi di servizio principali del tunnel e che somigliava a una vecchia sala pompe. Se ne usciva tramite una scala di acciaio alta cinque metri incassata nel muro di cemento. Era l'unico ostacolo fra noi e il mondo esterno.

«Paul, vai prima tu, così almeno mi dài una mano a uscire», disse Marie.

Io annuii e cominciai a salire. A metà strada, alcune mani afferrarono le mie borse, alleggerendomi e agevolando il resto della salita. Giunto in cima, mi ritrovai in quella che sembrava l'entrata della sala pompe. Poi fu la volta di Marie, che si avviò, lenta ma sicura. Qualcuno le prese la borsa dalle spalle, poi io le porsi la mano e la guidai fino in cima. Terra. Ci guardammo sorridenti.

Una voce interruppe quel momento di silenzioso trionfo. «Benvenuti a Homs», disse un soldato dell'ESL prima di scomparire nel buio della notte con la sua aria fresca e profumata.

5
I RIBELLI CANTERINI DI HOMS

15 febbraio 2012, Homs, Siria

«Benvenuti a Homs», ripeté Marie. «Cristo, non avrei mai pensato di trovare confortante una frase del genere».

«Marie, adesso inizia la parte pericolosa», disse un ribelle dal tunnel buio e fetido sotto di noi.

Difficile stabilire se fosse serio o stesse scherzando. Ma tanto non aveva importanza. Le sue parole non avevano comunque alleviato l'apprensione che provavamo.

Io e Marie ci rifugiammo in un angolino della sala pompe in modo da non intralciare la frenetica attività che aveva luogo intorno a noi. I ribelli tiravano fuori persone, cibo e munizioni dall'apertura che conduceva al tunnel infernale, stipando sempre più la stanza. La luce fioca della torcia di un ribelle mostrò i resti della guerra disseminati sul pavimento: scatole di munizioni vuote strappate in tutta fretta e migliaia di cartucce di AK47 esplose. Se quel tunnel era davvero un segreto ben custodito, mi chiesi, perché c'erano stati tutti quegli scontri? Non ebbi mai risposta e, ancora oggi, mi stupisco che non sia stato scoperto prima.

Il nostro interprete, Wa'el, fece capolino tra i ribelli armati. Era molto provato anche lui. Coperto di sudore, con le pupille dilatate e gli occhi affaticati dal buio, sembrava profondamente turbato.

«Paul, ho bisogno di fumare», ansimò. «Ah, J.-P. è fuori a prendere aria. Sembra che si sia ripreso».

Quando eravamo nel tunnel, non mi era passato per la mente di fumare. Mi chiesi se avessi subìto un lieve danno cerebrale a causa della mancanza di ossigeno. Poi mi accesi una sigaretta e ne offrii un'altra a Wa'el.

«E adesso che si fa?», gli chiesi.

Lui alzò le spalle. «Si aspetta finché non sgombrano il tunnel e poi si va tutti insieme a Baba Amr», rispose, visibilmente teso.

Marie, che odiava quanto me starsene seduta ad aspettare, prese in mano la situazione. «Wa'el, dobbiamo andare al media centre il prima possibile. Non possiamo rimanere bloccati a bere tè per ore. Vai a cercare il comandante e usciamo da questo cazzo di tunnel».

Wa'el sorrise. Ormai era abituato ai modi schietti di Marie. Faceva parte della nostra squadra e apprezzava le sfide, così uscì dalla buia anticamera e scomparve nella notte.

Io e Marie ci abbracciammo per tenerci caldi. Faceva molto freddo fuori e il sudore ci si stava ghiacciando addosso.

Lei si voltò verso di me. «Paul», disse con quel suo accento americano rilassato e disinvolto e un mezzo sorriso sulle labbra, «negli anni abbiamo fatto un sacco di cose strane, ma questa le batte tutte. Non riesco a pensare a niente di più bizzarro e pericoloso, ma lo abbiamo fatto ed è stato divertente».

Io le sorrisi a mia volta: sapevo cosa intendeva. Anche se eravamo fuori dal tunnel solo da cinque minuti, immaginavamo già come avremmo raccontato quella storia una volta a casa. Sapevamo entrambi che sarebbe stato qualcosa di cui avremmo riso come matti negli anni a venire.

Aspettammo in silenzio il ritorno di Wa'el. Il rumore delle mitragliatrici e il rombo minaccioso di esplosioni lontane giungevano fino a noi nell'aria fredda della nostra prima notte a Homs.

J.-P. si era rifugiato nel suo mondo. Non aveva quasi aperto bocca da quando eravamo usciti dal tunnel. Eravamo preoccupati per lui: come avrebbe affrontato quello che ci attendeva?

Wa'el irruppe nella stanza, strappandoci ai nostri pensieri. «Forza, prendete le borse. Dobbiamo andare adesso. C'è un convoglio di ribelli che ci porta a Baba Amr», esclamò in tono concitato.

Nel giro di pochi secondi, eravamo pronti. Ci radunammo fuori in quella che sembrava una zona agricola. Riuscivamo a distinguere case di pietra e campi arati, ma l'oscurità e la luna alta nel cielo non ci consentivano di capire esattamente dove fossimo. Presi Marie per mano mentre ci disponevamo in fila indiana e ci incamminammo sul terreno pietroso e fangoso, scivolando o inciampando su ostacoli invisibili ogni volta che le nuvole oscuravano la luna.

«Sento delle voci», sussurrai.

«Come? Non è il momento di fare questo genere di confessioni, Paul», ribatté Marie ridacchiando.

«No, dico sul serio. Sento delle voci davanti a noi, e sono sempre più forti. Fidati, non sono diventato matto», insistei, sforzandomi di non ridere per il suo umorismo surreale.

Continuammo a camminare dietro Wa'el e, poco dopo, scoprimmo da dove provenivano le voci. Giungemmo infatti in un cortile circondato da tre edifici dove gruppi di combattenti dell'ESL si davano da fare per caricare munizioni su dei camion. Era una specie di zona di raccolta naturale. I muri intorno al cortile erano alti quel tanto che bastava a consentire una sorveglianza efficace, e l'ubicazione era abbastanza defilata perché ampi gruppi potessero riunirsi senza essere individuati. Era evidente che fosse considerato un luogo sufficientemente sicuro, dove poter portare i rifornimenti prima di smistarli e introdurli a Baba Amr.

Quattro pickup attendevano fuori dal cortile. Ci fu ordinato di salire sul secondo insieme ad alcuni ribelli dell'ESL e ci ritrovammo circondati da uomini che caricavano le armi in vista della fase successiva del viaggio. Gli altri tre veicoli del convoglio erano tutti pieni di ribelli. A un segnale invisibile, il primo pickup uscì dal cortile, seguito da vicino da tutti gli altri.

Era proprio così che me lo ero immaginato: gli ordini sussurrati, poi il silenzio e la consapevolezza di essere ben oltre le linee nemiche. Però non ero preparato a ciò che accadde subito dopo: a un tratto, senza alcun preavviso, i ribelli si misero a cantare. Le voci potenti e stridule che si levavano dai quattro veicoli squarciarono la notte. Cercai di capire cosa stesse succedendo. Perché, dopo tutte le cautele osservate fino ad allora, si mettevano a fare tutto quel casino?

«Paul, che cazzo cantano?», chiese Marie, tra il divertito e lo spaventato. Neanche lei riusciva a capire se fosse un buono o un cattivo segno. «Non dobbiamo certo attirare l'attenzione. Che cazzo succede?».

Non ne avevo idea. Se avessi fatto una bravata del genere quando ero nell'esercito, mi sarei ritrovato impiccato e squartato. Non riuscivo a pensare a nessuna spiegazione plausibile. Mi voltai verso Wa'el e lo guardai con aria interrogativa.

«Sono contenti che siate qui. Festeggiano il vostro arrivo», disse lui con un mezzo sorriso e un'alzata di spalle.

Il convoglio si addentrò nella notte buia come la pece. Quando la luna faceva capolino tra le nuvole, la sua pallida luce svelava un paesaggio straziato. Non c'era traccia di vita umana nei villaggi che attraversavamo. Nulla si muoveva, a parte qualche cane randagio che emergeva dall'ombra al passaggio del nostro convoglio canterino.

E poi scoppiò il finimondo. Mentre lasciavamo uno dei villaggi abbandonati, vedemmo prima e udimmo poi la coda infuocata di una granata a razzo che sfrecciava verso il nostro convoglio.

Sembrò impiegare un'eternità, come se avanzasse al rallentatore, prima di passarci sopra la testa ed esplodere senza fare danni a un centinaio di metri alla nostra sinistra. Poi fu la volta dei proiettili, che saettavano urlando tra i veicoli come spiriti maligni.

Quando ci si trova in mezzo al fuoco, la reazione più naturale è farsi piccoli piccoli. Così ci rannicchiammo sul sedile posteriore del pickup con la testa fra le ginocchia, come dei porcospini impauriti incapaci di fare qualsiasi altra cosa. Il terrore era amplificato dal pensiero inquietante che le nostre vite dipendevano interamente dalle reazioni di gente che non avevamo mai visto prima. Ma i ribelli si comportarono in modo strano: si misero a cantare ancora più forte e con più convinzione di prima, senza mai rispondere al fuoco. Continuarono semplicemente a cantare a squarciagola.

«*Takbir* (Dio è il più grande)», urlò un ribelle.

«*Allahu Akbar, Allahu Akbar, Allahu Akbar* (Dio è grande)», risposero i soldati dell'ESL a bordo dei quattro veicoli.

"Il giubbotto antiproiettile è meglio", pensai rannicchiato sul sedile mentre i proiettili ci sibilavano accanto. Marie era piombata in un silenzio sbigottito. Ogni volta che la luna ci illuminava, scorgevo la sua espressione sconcertata. A un certo punto si voltò e ricambiò il mio sguardo con un'alzata di spalle prima di tornare in posizione fetale.

Finalmente il fuoco delle armi leggere cessò e ci tirammo su. Di fronte a noi, a circa un chilometro e mezzo di distanza, vedemmo il bagliore arancione di alcuni edifici i cui contorni indistinti spezzavano il buio monotono e oppressivo dell'orizzonte. Ci stavamo dirigendo proprio lì e sperai ardentemente che si trattasse di una postazione di ribelli.

Il convoglio si avvicinò e sentii l'eccitazione montare tra i soldati dell'ESL. Provai un enorme sollievo quando mi resi conto che avevamo fatto un altro importante passo avanti nel nostro viaggio. Ci fermammo davanti a un gruppo di palazzi con le luci accese su tutti e cinque i piani. Non eravamo ancora a Baba Amr, altrimenti sarebbero stati illuminati dal fuoco, non certo dalla luce elettrica.

Scesi dal pickup, ci guardammo intorno. I soldati dell'ESL correvano qua e là trasportando casse di munizioni, armi pesanti, sacchi di farina e scatoloni di cibo in scatola. L'atmosfera era più rilassata di quanto avremmo immaginato. Era evidente che l'ESL sentiva di avere un certo controllo sulla zona. Restammo lì a fumare riuniti in gruppo. Intorno a noi, sotto la luce dei lampioni, i ribelli continuavano a scaricare i pickup. Di tanto in tanto, raffiche di mitragliatrice pesante attraversavano il cielo, ma i combattenti le ignoravano. Dei bambini piccoli si affacciavano alle porte buie. Anche da lontano, riuscivo a distinguere l'espressione di terrore sui loro volti dagli occhi vuoti: il marchio inconfondibile lasciato su coloro che subivano un trauma immenso.

Eravamo tutti acutamente consapevoli del fatto che dovevamo continuare a muoverci quella sera. Era indispensabile raggiungere Baba Amr con il favore delle tenebre. Farlo di giorno sarebbe stato impossibile.

Marie mi prese da parte e mi sussurrò: «Dobbiamo entrare stasera, è mercoledì e dobbiamo mandare un pezzo sabato al più tardi, meglio se venerdì. Non possiamo permetterci di rimanere bloccati qui stanotte. So che è bello sentirsi al sicuro per un po', ma qualunque cosa accada dobbiamo insistere per muoverci al più presto. Sei d'accordo?».

Io annuii. Il tempo era contro di noi. Avevamo già abbastanza materiale da scrivere una storia, ma sapevamo entrambi che raggiungere Baba Amr avrebbe dato al pezzo tutta un'altra luce. Quindi ero perfettamente d'accordo con Marie.

Wa'el, sempre padrone della situazione, aveva già organizzato un incontro con il comandante. Così lo seguimmo in uno dei condomini, scortati da un combattente. Le voci dei bambini che giocavano nella precaria sicurezza delle loro case, il rumore delle armi che venivano sballate e il viavai di civili e soldati che si muovevano insieme tra stanze e appartamenti mostravano quanti livelli di società siriana fossero coinvolti in quella guerra. L'incongruità delle donne sedute ad allattare neonati sotto la luce arancione dei lampioni, mentre i ribelli armati fino ai denti si preparavano alla guerra, faceva capire chiaramente come non ci fosse più molta differenza tra soldati e civili. Agli occhi del presidente Assad e delle sue forze, poi, non ce n'era alcuna: civili e ribelli armati erano sullo stesso piano e dovevano essere trattati con la medesima brutalità.

Il combattente ci condusse in uno dei molti appartamenti pieni di vita e ferventi d'attività al secondo piano e ci fece accomodare su un divano. La stanza era più decorata di quelle in cui avevamo alloggiato fino ad allora. Al posto dei tappeti e dei cuscini sul pavimento, c'erano sedie e divani, e poi arazzi e tappeti elaborati e, alle pareti, versetti del Corano in cornici dorate. Tutto ciò, unito alle lampadine da 60 watt, donava alla stanza un che di familiare e accogliente.

Eravamo molto imbarazzati perché sapevamo di essere coperti dalla testa ai piedi del fango rosso ormai secco del tunnel. Così ci togliemmo i giubbotti per minimizzare il nostro impatto ambientale sulla casa. J.-P. stava dicendo che non voleva sedersi per via del fango sui pantaloni quando un membro dell'ESL entrò nella stanza. Lanciò un'occhiata a J.-P. e, vedendolo in difficoltà, gli propose di lavare i pantaloni. J.-P. parve entusiasta dell'offerta e, senza pensarci due volte, se li tolse e li porse al soldato nella veste provvisoria di lavandaio. I ribelli gli prestarono poi un paio di pantaloni puliti. Seguii la scena sbigottito: non riuscivo a credere che avesse davvero accettato di farsi lavare i pantaloni in piena zona di guerra. Ero a disagio anche quando dovevo togliermi gli scarponi e non mi ero mai spogliato da quando avevo lasciato il Libano. I miei pantaloni non si toccavano.

Dopo aver bevuto del tè caldo e fumato alcune sigarette, cominciammo a scaldarci. Ci dissero che l'ESL stava cercando un veicolo con abbastanza gasolio da arrivare fino a Baba Amr. Nella stanza regnava un'atmosfera stranamente rilassante e le voci dei bambini che giocavano nei corridoi ci distolsero per un attimo dal pensiero della guerra. Sentivo la mia determinazione a ripartire subito incrinarsi a ogni sorso di tè. Non sarebbe stato spiacevole passare la notte lì. Quando il calore della stufa e la stanchezza per l'attraversamento del tunnel ebbero il sopravvento, mi assopii. Ma, proprio quando mi ero concesso di abbandonarmi al sonno, un ribelle dell'ESL irruppe nella stanza. Sembrava pronto a combattere: aveva un AK47 in pugno, una kefiah intorno alla testa che lasciava scoperti solo due occhi scuri e quattro granate attaccate al giubbotto antiproiettile di Kevlar. "Addio sonno", pensai.

Il ribelle ci si rivolse in inglese, in tono concitato: «Miss Marie, Abu Falafel, dobbiamo andare a Baba Amr subito. La macchina aspetta, sbrigatevi».

Marie, Wa'el e io balzammo subito in piedi e cominciammo a radunare l'attrezzatura. Fu allora che notai J.-P. «Rivoglio i miei pantaloni», disse indignato. Se ne stava lì con indosso il paio preso in prestito e si guardava intorno in cerca del ribelle che aveva portato i suoi a lavare. «Non c'è tempo, dobbiamo andare», obiettai io. «Non possiamo metterci a cercare i tuoi pantaloni».

Io e Marie eravamo già pronti. Però provai una punta di dispiacere per lui mentre lo guardavo prepararsi ad andare in guerra con un paio di pantaloni non suoi. Marie, dal canto suo, si sforzava di reprimere l'ilarità. Stava davvero per esplodere, ma si trattenne per rispetto verso J.-P. Seguimmo il ribelle con le granate e la sciarpa giù per le scale tortuose e buie fino in strada, dove ci attendevano due berline.

Wa'el disse, senza la minima traccia della consueta ironia: «Ragazzi, adesso si fa sul serio. Vi porteranno al media centre di Baba Amr. Dovete sapere che stiamo per attraversare il fronte e saremo a poche centinaia di metri dall'esercito di Assad. Non si tratta più di gruppetti isolati, ma della prima linea di attacco a Homs. Sono migliaia. Molte persone muoiono ogni giorno lungo questo percorso, quindi non possono garantirvi che ci arriverete vivi. Vogliono che lo sappiate prima di partire. Potete ancora tirarvi indietro e, se preferite, fermarvi a lavorare qui».

Ci furono alcuni istanti di silenzio in cui assimilammo quell'informazione. In realtà, lo avevamo sospettato tutti, ma sentircelo dire ci fece pensare. Poi Marie parlò a nome di tutti.

«Ringraziali per la sollecitudine. Apprezziamo la loro sincerità, ma sì, andremo con loro accettando tutti i rischi del caso».

Wa'el tradusse e uno degli autisti ci fece cenno di salire in macchina. Le guardie del corpo e gli autisti caricarono le armi e ci preparammo allo sprint finale per raggiungere finalmente Baba Amr. Potevo solo sperare che la fortuna non ci abbandonasse proprio in quella mezz'ora. Gli autisti misero in moto, trasmisero un messaggio in arabo attraverso una ricetrasmittente vhf e si allontanarono dagli edifici immettendosi sulla strada principale, buia e minacciosa.

Certo, essere in molti aiuta. Durante il viaggio dal tunnel ai palazzi avevamo i numeri dalla nostra parte e il fatto di non essere soli ci era stato di grande sollievo, nonostante le nostre bizzarre guide canterine. In quel momento, senza accompagnamento musicale, ci sentimmo nudi ed esposti mentre l'auto avanzava lentamente verso la prima linea. Niente fari, niente luna: solo buio e silenzio, un silenzio che non avevo mai udito prima. C'era quello coraggioso degli autisti che rischiavano la vita per portarci a destinazione, quello di Marie di fronte all'ignoto, lo sguardo fisso sulla strada nera che si snodava davanti a noi, e il mio, terrorizzato. Avevo freddo ed ero come inebetito.

A un certo punto l'auto accelerò, strappandoci ai nostri pensieri. Io e Marie, seduti sul sedile posteriore, ci scambiammo un'occhiata allarmata. Non c'era alcun motivo apparente per quell'improvvisa accelerazione, ma l'auto raggiunse la velocità massima, sfrecciando sulle strade disseminate di buche. Fu allora che udimmo il fischio assordante dei proiettili. Il fatto che riuscissimo a sentirli sopra il rumore del motore e della strada accidentata significava che erano molto vicini. L'autista, però, non rallentò. Con la sicurezza di un pilota provetto, prendeva curve strette, oltrepassava ponticelli e attraversava spazi aperti a una velocità che ci schiacciava contro il sedile. A ogni curva ci ritrovavamo ammassati l'uno sopra l'altro in un angolo del sedile posteriore. Nessuno fiatava. Marie continuava a fissare il vuoto come in trance. Io stringevo spasmodicamente la maniglia dello sportello nel vano tentativo di stare dritto.

Altri spari. Riconobbi il rumore sordo delle raffiche delle mitragliatrici antiaeree da 14,5mm. Quei proiettili esplosivi avrebbero potuto arrestare per sempre la nostra corsa. Uno su sette era tracciante. Osservavo ipnotizzato il suo bagliore rosa acceso mentre sfrecciava come una cometa verso la nostra auto. Cercavo di non pensare a cosa sarebbe successo se ci avesse colpiti in pieno.

Continuammo a sfrecciare in mezzo al fuoco per altri cinque minuti. Poi l'autista rallentò fino quasi a fermarsi, per motivi altrettanto inspiegabili di quelli che, poco prima, lo avevano indotto ad andare a tavoletta. Ci trovavamo in una zona boschiva piuttosto rada. Si intravedevano i rami spogli e, a volte, spezzati degli alberi che si stagliavano come scheletri contro le parti più chiare del cielo.

Per la prima volta da quando eravamo partiti, la guardia del corpo seduta davanti si voltò a guardarci. Indicò alla nostra destra e mormorò, tutto serio: «Carri armati».

Io e Marie non avevamo ancora detto una parola e l'informazione della guardia non ci spinse a rompere il silenzio: avevamo abbastanza confidenza con i carri armati da sapere che non c'era bisogno di venire colpiti direttamente: la forza di un'esplosione nelle vicinanze sarebbe stata più che sufficiente a far carambolare l'auto come un giocattolo rotto nell'aria fredda della notte.

L'autista procedeva a passo d'uomo, con un esperto gioco di frizione e acceleratore che gli consentiva di mantenere costante il numero di giri del motore. La zona alberata sulla nostra destra non finiva più. Centimetro dopo centimetro, metro dopo metro, superammo la minaccia nascosta dei carri armati. Con questi ultimi, non si sente prima l'esplosione e poi l'impatto, ma l'esatto contrario. Se fossimo stati colpiti, non avremmo udito lo scoppio. Saremmo stati ritrovati da qualche pattuglia il giorno dopo: l'ennesima carcassa sul ciglio di una strada.

Superata l'insidia dei carri armati, l'autista accelerò gradualmente. Difficile dire quanto tempo trascorremmo in silenzio a bordo di quell'auto. A poco a poco, il paesaggio rurale lasciò il posto a gruppi di edifici. Non c'erano lampioni, né luci accese, né segni di vita; solo i gusci vuoti delle case disabitate. Ci stavamo addentrando in un ambiente urbano: la periferia di Baba Amr. La fioca illuminazione delle strade svelava il terrore che si era abbattuto sulla zona. Gli edifici ancora in piedi portavano i segni del costante bombardamento che aveva contraddistinto l'implacabile assedio di Assad. Tentammo di assorbire la portata della distruzione che aveva colpito quel piccolo quartiere musulmano sunnita.

Marie si voltò verso di me: «Dev'essere...».

Non riuscì a finire la frase. L'esplosione assordante che squarciò la notte fece tremare l'auto mentre scorgevo un lampo di luce davanti a noi, sulla destra, a un centinaio di metri.

Marie ci riprovò: «Dicevo: dev'essere Baba Amr».

«Lo spero, cazzo», ribattei io. «Altrimenti abbiamo dei grossi problemi di navigazione».

E, un attimo dopo, un'altra esplosione, più lontana ma con lo stesso risultato: un enorme boato seguito da una potente onda d'urto che investì l'auto, riducendoci al silenzio. Le strade si restringevano man mano che ci inoltravamo nel quartiere. C'erano mucchi di detriti, vetri rotti e veicoli distrutti ovunque. Era un paesaggio di morte e persecuzione. Tutti gli edifici testimoniavano il brutale bombardamento. Alcuni avevano giganteschi buchi là dove erano stati investiti dai proiettili dell'artiglieria. Altri erano rimasti in piedi a metà. Ma la maggior parte era semplicemente scomparsa in un cumulo di macerie. Le forze di Assad stavano demolendo il quartiere, mattone dopo mattone.

Di fronte a noi si ergeva un imponente edificio municipale che, sotto la luce sinistra della luna, sembrava un cadavere sezionato, con un enorme buco nero nel mezzo, come un petto squarciato da un bisturi e mostrato al mondo intero. I tondini d'acciaio, contorti e in bella vista, si stagliavano contro il cielo cupo disegnando un macabro scheletro a guardia di un corpo in decomposizione. Assad, l'oculista formatosi in Gran Bretagna, stava strappando la carne dalle ossa di Baba Amr con precisione chirurgica.

Homs è la città più popolosa della Siria. Fu una delle prime a organizzare proteste pacifiche contro il governo dopo la repressione da parte dell'esercito siriano delle manifestazioni di Dar'a. Il 6 maggio 2011, dopo le preghiere del venerdì, l'esercito aprì il fuoco sui dimostranti inermi, uccidendone quindici e dando fuoco alla miccia. Homs, e più precisamente Baba Amr, un piccolo quartiere sunnita circondato da altri alawiti e filo-Assad,

sarebbe diventato il cuore della ribellione. Ecco perché Assad
voleva schiacciarlo.

Quando giungemmo a Bab Amr, la Quarta divisione corazza-
ta, un corpo d'élite dell'esercito siriano, circondava e assediava
il quartiere da circa un anno. Il comandante della divisione era
Maher al-Assad, fratello del presidente. Se c'era qualcuno in
grado di far capitolare Baba Amr, era proprio lui.

«Mi ricorda Groznyj», mormorò Marie osservando le rovine.

La sua voce sembrava venire dal passato. Le immagini di morte
e distruzione che aveva visto durante il primo assedio di Groznyj
erano impresse a fuoco nella sua memoria. Ne era uscita viva per
miracolo. Aveva dovuto digiunare per giorni mentre l'esercito
russo avanzava, costringendo lei e la banda di ribelli con cui
stava a fuggire per salvarsi la pelle. Alla fine, dopo che aveva
scalato valichi di montagna in mezzo alla neve, un elicottero
dell'ambasciata americana l'aveva prelevata da una parete e l'a-
veva portata in salvo. «Forse è anche peggio», aggiunse sottovoce, continuando a fissare la desolazione fuori dal finestrino.

Io rimasi in silenzio. Avevo assistito ad assedi e massacri causati dall'artiglieria molte altre volte, ma la devastazione di quel
piccolo quartiere dove la gente un tempo manifestava pacifica-
mente andava al di là della mia esperienza. Quella non era una
guerra. Era una carneficina.

Continuammo ad avanzare tra le macerie, accelerando furio-
samente agli incroci per evitare il fuoco dei cecchini, per poi
inchiodare all'improvviso e nasconderci dietro un cumulo di
macerie. Spesso, mentre attraversavamo un incrocio, vedevamo
i lampi dei proiettili che espolodevano pochi metri dietro l'auto
su cui viaggiavamo. Nessun posto era sicuro: negli spazi aperti
eravamo preda dei cecchini e dei mitraglieri, mentre nelle strade
eravamo esposti ai mortai e all'artiglieria che costringevano a
misurare la vita in termini di secondi. A Baba Amr i mesi e gli

anni non esistevano più da tempo. Ormai era questione di pura e semplice sopravvivenza.

Eravamo nel cuore del labirinto di stradine e vicoli che costituivano il grosso del quartiere. Svoltando l'ennesimo angolo, notammo una lucina accesa a una finestra davanti a noi. L'autista vi si diresse senza esitazione e si fermò fuori dall'edificio. Subito si aprì una porta e sulla soglia apparve un altro combattente dell'ESL in tuta mimetica, con la kefiah intorno al viso e un fucile d'assalto in pugno. L'autista e il ribelle si parlarono sottovoce. Non era una vera e propria conversazione, quanto piuttosto una serie di istruzioni.

Eravamo fermi da non più di trenta secondi quando il combattente salutò con la mano e l'auto fece dolcemente marcia indietro, tornando da dove eravamo venuti. L'autista avanzò piano accarezzando il cambio e l'acceleratore in modo da non fare rumore in mezzo ai vicoli, per poi andare di nuovo a tavoletta in corrispondenza degli incroci. Ci era voluto del tempo, ma era evidente che la gente di Baba Amr aveva capito dove si nascondevano i cecchini. Imboccammo un'altra strada chiusa a un'estremità da alcuni edifici e ci fermammo. L'autista spense il motore e tutti noi tirammo un sospiro di sollievo. Io e Marie ci scambiammo un'occhiata. Ce l'avevamo fatta: eravamo a Baba Amr.

L'autista e la guardia del corpo non condividevano il nostro entusiasmo: scesero subito dall'auto e batterono sul finestrino facendoci cenno di darci una mossa. Io e Marie non potemmo neanche goderci quel momento di tregua.

Rigidi e tremanti per il freddo e la paura, restammo in piedi fuori da un edificio a tre piani relativamente intatto, a parte un grosso buco nel muro del terzo piano, che doveva essere stato causato da un proiettile o da un colpo di mortaio. Guardandoci intorno, ci parve subito evidente che non si trattava di un posto sicuro. Gli alberi dai rami spezzati e bruciacchiati, le case carbonizzate e i mucchi di macerie dove un tempo sorgevano palazzi indicavano chiaramente che eravamo nel raggio di tiro dell'artiglieria di Assad.

Però fu un sollievo trovarsi fuori dall'auto. Il caldo, la guida e la tensione avevano un effetto quasi ipnotico. L'aria della notte, invece, fredda e tagliente, servì a spezzare l'incantesimo, ricollegando mente e corpo. Cominciammo a scaricare le borse dal portabagagli della macchina.

Marie lanciò un'occhiata alla strada, poi a me. «Bel posticino, eh?», scherzò, ritrovando il suo brio.

«È l'ultima volta che prenoto una vacanza su Internet», ribattei io, prendendo la borsa con l'attrezzatura fotografica. Poi indicai con un cenno del capo la porta, dove ci aspettavano i due uomini dell'ESL. «Prima le signore».

Mentre ci incamminavamo verso l'edificio, udimmo un altro veicolo avvicinarsi. I due combattenti si voltarono di scatto, puntando i fucili contro l'auto, per poi abbassarli quando capirono che c'erano a bordo J.-P. e Wa'el. Li avevamo persi lungo il tragitto, e fu un sollievo sapere che non erano stati catturati o colpiti.

Di nuovo insieme, seguimmo i ribelli attraverso un piccolo cancello affacciato su un vialetto che conduceva a una porta di legno massiccio e intarsiato. Gli uomini dell'ESL bussarono con il pugno e la porta si aprì quasi subito. Alle spalle della persona che ci accolse c'era un androne illuminato da una tetra luce fluorescente. Ci fermammo accanto alla pila di scarpe nell'ingresso e ci togliemmo gli scarponi, procedura come sempre lunga e complicata, oltre che poco elegante. Saltellavamo da un piede all'altro aggrappandoci a chi ci stava accanto nel tentativo di slacciarli.

Alla nostra sinistra c'era una scalinata buia che conduceva ai piani superiori. Proprio di fronte c'era una porta in disuso bloccata da scatoloni e cianfrusaglie. I ribelli ci fecero passare dalla porta che si apriva sulla destra, dove ci accolse una cacofonia di

voci, malgrado non vedessimo anima viva: la stanza, illuminata dalla stessa luce fluorescente dell'ingresso, sembrava vuota.
Doveva essere una specie di magazzino, perché sul pavimento
c'erano pile di coperte, oltre a un tavolo, delle sedie e degli scatoloni. Sulla nostra destra si apriva una grande finestra che dava
sulla strada. Ecco perché non c'era nessuno: se avessero lanciato
un missile o una granata, la stanza si sarebbe trasformata in un
inferno di vetro.

La persona che ci aveva accolto aprì una porta scorrevole di
vetro sul lato opposto della finestra. Fu allora che fummo investiti in pieno dal vocio e la scena che ci trovammo davanti mi
lasciò sbigottito. Attraverso la spessa cortina di fumo di sigaretta,
vidi quello che sembrava un centro d'accoglienza per vittime di
uragani. Distese o accucciate sui vecchi materassi che coprivano
ogni centimetro del pavimento e avvolte in spesse coperte c'erano una ventina di persone, tutte munite di portatile. Il pavimento,
o meglio quel poco che se ne vedeva, era un groviglio di fili,
cavi di alimentazione e prolunghe. Una lampadina al tungsteno
illuminava fiocamente la stanza rettangolare. Il bagliore spettrale
degli schermi dei computer gettava ombre inquietanti sulle pareti. Alla nostra sinistra, in mezzo a quel mare di corpi, c'era un
tavolino, anch'esso coperto di fili, pacchetti di sigarette finiti,
piattini strapieni di mozziconi e tazzine di caffè vuote. Sul muro sempre alla nostra sinistra si apriva la porta che era bloccata
dagli scatoloni. Di fronte, invece, c'era un'altra porta scorrevole
che conduceva al retro della casa. La fonte del rumore divenne
immediatamente ovvia: Skype. Tutti urlavano al computer o in
una cuffia con microfono.

A una più attenta osservazione, mi resi conto che sembrava
più la scena di un film di fantascienza. La stanza era il quartier
generale di una banda di fuorilegge ricercati e affamati, uniti dal
desiderio di sopravvivere a qualsiasi epidemia, razza tirannica o

entità aliena minacciasse la loro esistenza e li costringesse a vivere nell'ombra. E in effetti, la mia fantasticheria non era lontana dalla realtà. Quelle persone erano davvero fuorilegge e bersagli di un regime omicida. Erano i membri dei media e quella era la loro temporanea dimora.

Mi tornò in mente la mia ultima visita all'ufficio del «Sunday Times». Arioso e luminoso, con file ordinate di scrivanie e aria condizionata: impeccabile come si immagina la sede di un giornale di quel livello. E quell'intrico di fili e quell'ammasso di persone infreddolite immerse in un caos totale erano l'unica fonte di informazione sulla vita sotto assedio in Siria. Tutto ciò che veniva mostrato al mondo proveniva da quella stanzetta gelida.

Quando entrammo, tutti alzarono gli occhi dai portatili. Il riflesso degli schermi conferiva ai loro visi una luce azzurrina, rafforzando la mia similitudine con un film di fantascienza. Il vocio si placò leggermente mentre registravano la nostra intrusione nel loro mondo segreto. Ci fu una pausa imbarazzata, poi una delle sagome sedute nel buio si alzò, lasciando cadere la coperta.

«Ehi, ragazzi», disse in un inglese perfetto, «accomodatevi e benvenuti al media centre». Poi mi guardò negli occhi e aggiunse: «Tu devi essere Abu Falafel, e tu Marie».

Tradusse brevemente il soprannome Abu Falafel agli altri presenti per poi rivolgersi di nuovo a noi, sorridendo. «Io sono Abu Hanin. E questi sono i nostri».

Abu Hanin avrebbe avuto un profondo effetto sulle nostre vite nelle settimane a venire, sebbene all'epoca non potessimo sospettarlo. Basso, tarchiato e con la testa completamente rasata, aveva un viso aperto e gentile che ti faceva sentire a tuo agio sin dal primo incontro. Seguì una cerimonia incredibilmente complessa, con la quale fummo presentati a tutti gli esponenti del media centre. Io e Marie stringemmo un numero imprecisato di mani cercando di memorizzare i nomi dei nostri nuovi amici.

Alla fine non me ne ricordavo neanche uno e decisi di rivolgermi a tutti con un «Ehi!» finché non fossi riuscito a collegare i
nomi ai volti.

Abu Hanin era un vero e proprio mistero. Vestiva all'occidentale, con uno stile moderno e casual, e aveva anche modi occidentali, il che lo faceva apparire vagamente fuori luogo in quella
stanza. Mentre molti membri dei media portavano in faccia i segni della guerra, Abu Hanin aveva un aspetto fresco, come se la
battaglia che infuriava intorno a lui non lo toccasse. E conosceva
bene i media, perché riconobbe subito Marie e non dovemmo
spiegargli cosa fosse il «Sunday Times».

C'erano anche dei visi familiari sepolti sotto strati di coperte: Arwa Damon, Neil Hannon e Tim Crockett, membri di una
troupe della CNN e vecchi amici di precedenti conflitti con i quali
io e Marie scambiammo sorrisi, strette di mano e abbracci. In
quelle situazioni è molto rassicurante incontrare dei colleghi.
Tendi a pensare che non sei poi così pazzo se ci sono altre persone lì con te. E ti attraversa la mente anche un pensiero un po'
più cupo: "Fiuuu, sono ancora vivi, è un buon segno".

Finite le presentazioni, io e Marie cominciammo a sistemarci,
togliendoci i giubbotti umidi e sporchi di fango, ammucchian-
do le borse e ricavando un piccolo spazio per noi. Abu Hanin
ci portò delle coperte e, nel giro di pochi minuti, ci sentimmo
a casa. L'adrenalina accumulata durante il viaggio svanì. Vidi
Wa'el nascondere imbarazzato la borsa di SpongeBob dietro a
un muro di attrezzature fotografiche. Quando si accorse che lo
guardavo divertito, attraversò la stanza e mi abbracciò come un
amico ritrovato, con un sorriso radioso e gli occhi scintillanti.

«Ce l'abbiamo fatta, Abu Falafel, ce l'abbiamo fatta», disse
semplicemente, cercando di fare spazio sul pavimento ingombro.

Nel frattempo, le conversazioni su Skype ripresero e il vocio
aumentò all'istante. Le cose andavano a meraviglia nella nostra

nuova casetta. Il rombo delle esplosioni faceva tremare tutto, ma il rumore delle mitragliatrici e delle raffiche che colpivano i muri esterni sembrava lontano chilometri. Avevamo dei muri intorno: i muri erano nostri amici. Attraversai quella distesa di corpi in cerca di Neil e Tim della CNN e mi sedetti accanto a loro.

«Quant'è grave la situazione?», chiesi a Neil, esperto cameraman e volto familiare nel circuito della guerra.

Lui scosse la testa. «È terribile. Questo è un momento di tregua. Approfittane, perché non è quasi mai così. Ogni mattina alle sei e mezzo cominciano i bombardamenti. Roba pesante, cazzo, e vanno avanti all'infinito. Scelgono un punto e scaricano addosso tutto quello che hanno: mortai, carri armati, proiettili d'artiglieria e missili. Tutto quello che ti viene in mente, loro ce l'hanno e lo usano».

«Hanno colpito qualche bersaglio qui vicino?», gli chiesi.

«Dipende da cosa intendi per vicino. Domani vai a fare un giro di sopra, al terzo piano. È stato investito in pieno da qualcosa e adesso non esiste più».

«Be', allora non troppo vicino», scherzai, prima di tornare da Marie.

Lei, nel frattempo, aveva costruito la sua tana accanto a Abu Hanin ed erano immersi in una fitta conversazione. Era in forma smagliante. Era passata solo mezz'ora da quando era arrivata, zuppa, infreddolita e adrenalinica, ed eccola lì a fare progetti con Abu Hanin.

«Ehi, Paul, ho mandato una mail al giornale per dire che ce l'abbiamo fatta a entrare, quindi siamo a posto», annunciò. «Stavo parlando con Abu Hanin della possibilità di fare un giro all'ospedale da campo domani. A quanto pare, è il bersaglio principale della città e gli uomini di Assad lo bombardano da settimane. Secondo me è il filone da esplorare per il pezzo di venerdì. Che ne dici?»

«Dico che ci sto. Com'è la situazione per le strade?»

«Rischiosa», disse Abu Hanin. «I bombardamenti non si fermano mai. La cosa migliore è partire quando stanno colpendo un altro punto. Saltiamo in macchina e andiamo a tutta birra, sperando che i cecchini ci manchino. Poi facciamo una corsa dalla macchina all'ospedale. Hanno anche i droni. Ci guardano dal cielo, quindi le auto sono bersagli facili. È pericoloso, ma ce la possiamo fare».

«Okay. Quindi a che ora dovremmo partire?», chiesi.

Abu Hanin alzò le spalle. «Aspettiamo e partiamo appena possiamo. È l'unico modo».

Io e Marie eravamo d'accordo. Se la situazione a Baba Amr era davvero grave come sembrava, l'ospedale da campo sarebbe stato un buon parametro per valutare la portata dell'assedio.

La sala era talmente affollata che Abu Hanin ci propose di dormire in una stanzetta sul retro. «È accogliente. Ci sono materassi e coperte, ma...», e si interruppe un istante prima di aggiungere, «dovete alzarvi prima dell'inizio dei bombardamenti, perché può diventare molto pericolosa. Ha una finestra».

A febbraio in Siria fa freddo. Non è certo il deserto infuocato che viene in mente quando si pensa al Medio Oriente. Andy Malone, un amico del «Mail on Sunday» si era cortesemente rifiutato di venire in Siria perché disposto a coprire solo le rivoluzioni nei Paesi dal clima mite. In effetti, di notte io e Marie dovevamo metterci addosso tutti i vestiti che avevamo. Oltre alla calzamaglia oversize che aveva preso in prestito da Jim Muir a Beirut, Marie aveva anche accettato un abito arabo nero che la copriva dalla testa ai piedi. Con la cintura nera in vita, sembrava una regina dei ribelli cecena.

Mezz'ora più tardi, dopo aver sepolto i materassi sotto uno strato di coperte che avrebbe imbarazzato un esploratore di ghiacciai come sir Ranulph Fiennes, io e Marie ci stendemmo sul letto, l'orecchio teso al rumore costante delle esplosioni e degli spari. Ce ne stavamo lì, silenziosi e immobili, domandandoci cosa ci avrebbe portato il giorno seguente. Presto udii il respiro di Marie farsi più pesante mentre scivolava nel suo privato mondo dei sogni. Poi, però, cominciò a russare sempre più forte. Allora mi infilai un paio di cuffie e mi misi ad ascoltare un audiolibro, ma il sonno tardava a venire, anche perché continuavo a sentire i bombardamenti, i proiettili e il russare di Marie. Ovunque fosse, sembrava felice.

6
DESOLATION ROW

16 febbraio 2011, Baba Amr, Siria

Mi svegliai di soprassalto al suono di una forte esplosione che fece tremare i vetri nella nostra camera da letto improvvisata. Udii pietre e schegge cadere nel cortiletto sul retro della casa.

Abu Hanin irruppe nella stanza urlando: «Uscite, cazzo!», gli occhi spalancati di terrore. «Sono iniziati i bombardamenti. Uscite, se non volete lasciarci la pelle».

Poi girò i tacchi e tornò nella sala principale dove gli altri attivisti avevano trascorso la notte. Avevano scelto la stanza più sicura per ripararsi dai bombardamenti: era senza finestre e i muri doppi proteggevano dalle schegge delle granate che esplodevano sulle ampie strade intorno alla casa.

Mi voltai verso Marie per vedere se aveva sentito il concitato avvertimento di Abu Hanin e, con mia grande sorpresa, mi accorsi che l'esplosione iniziale non l'aveva svegliata. Non riuscivo neanche a vederla sotto lo strato di coperte. La scossi energicamente, afferrandola per quella che pensavo fosse una spalla e si rivelò la testa, e la svegliai. La udii ringhiare una sfilza di parolacce prima di riemergere dalla tana. Investita dalla luce del giorno, socchiuse gli occhi.

«Marie, dobbiamo andarcene di qui. Sono iniziati i bombardamenti», dissi con tutta la nonchalance di cui ero capace per evitare di spaventarla quando era ancora intontita dal sonno.

«Come? Quando?», biascicò.

«Un minuto fa. Non hai sentito?».

Lei scosse la testa e guardò l'orologio. «Bastardi antisociali», borbottò mentre cercava di liberarsi dalle coperte. «Cazzo, Paul, ho dovuto dormire supina stanotte, perché non riuscivo a muovermi. Quanti strati mi hai messo addosso?», chiese mentre cercava il portatile.

«Otto», risposi ridendo e frugando a mia volta tra le coperte alla ricerca della mia macchina fotografica.

Quel risveglio mi fece tornare in mente una notte che avevamo trascorso in Libia un anno prima. Io e Marie ci eravamo ritrovati a dormire nel campo da calcio sintetico di una scuola trasformata temporaneamente in base dei ribelli. Eravamo circondati da membri di un corpo di élite che avevano trascorso i giorni precedenti a combattere per raggiungere Tripoli durante un'avanzata lampo e che russavano come trattori. L'erba sintetica era il materasso più morbido su cui avessi dormito da settimane a quella parte. Tuttavia, nelle prime ore del mattino, fummo svegliati bruscamente da un ribelle e ci venne comunicato che i cecchini del governo stavano sparando alla scuola dagli edifici vicini, per cui dovevamo alzarci e spostarci nelle aule.

Dalla relativa comodità del nostro materasso d'erba, guardammo assonnati il campo e il cortile di cemento per capire dove atterrassero i proiettili. Poi decidemmo che erano abbastanza lontani e ci rimettemmo a dormire. La mattina dopo, aprendo gli occhi, ci ritrovammo da soli nel campo deserto. È incredibile cosa possa fare il sonno alla soglia di rischio di una persona.

Mentre le esplosioni squassavano Baba Amr, dissi a Marie di sbrigarsi ad alzarsi. Wa'el e J.-P., che dormivano nella stessa camera, si stavano svegliando in quel momento. A un tratto un altro boato, stavolta a non più di cinquanta metri di distanza, fece tremare i vetri con incredibile violenza, fornendoci lo stimolo necessario a lasciare al più presto la stanza. Nel giro di pochi minuti, eravamo al sicuro nella sala principale.

Fuori eravamo ancora sotto zero, quindi la sala, gremita di persone, era tiepida e accogliente. Scegliemmo un posto sul pavimento, attenti a non svegliare coloro che avevano imparato a dormire anche durante i bombardamenti. Molti attivisti erano ancora addormentati malgrado le esplosioni: un chiaro segnale di quanto fossero abituati alla guerra.

Marie chiese una bottiglia d'acqua e preparò del caffè freddo con il barattolo di Nescafè che teneva sempre in mezzo ai suoi numerosi strati di vestiti. Non andava da nessuna parte senza. Dopo aver bevuto la sua metà, sorrise e mi passò discretamente la bottiglia. Io trangugiai la mia razione e gliela restituii. Certo, non era un espresso, ma era meglio di niente.

I bombardamenti si fecero più intensi. Gli uomini della Quarta divisione non erano dilettanti: la frequenza di fuoco dimostrava che erano tutti artiglieri perfettamente addestrati e, come se non bastasse, sembravano avere una scorta di munizioni illimitata. Io e Marie provammo a contare le esplosioni che udimmo in tre minuti. Arrivammo a quarantasei, poi lasciammo perdere: erano troppe per tenere il conto. A poco a poco, gli ultimi attivisti si svegliarono. L'attacco di quel giorno era eccezionalmente pesante persino per loro. Alcuni dissero addirittura che era il peggiore in assoluto.

Marie fu la prima a verbalizzare ciò che entrambi stavamo pensando. «Paul, qui è peggio che a Misurata al culmine della guerriglia».

Annuii. Avevamo assistito all'intenso bombardamento a cui era stata sottoposta la città libica di Misurata da parte dei sostenitori di Gheddafi ed era stato un incubo. Ma lì era diverso. Baba Amr rientrava in un'altra categoria per frequenza di fuoco, tipo di armi e abilità nell'utilizzarle. Come a confermare la nostra impressione, la strada e i muri esterni furono investiti da una raffica di proiettili esplosivi, seguiti da un violento colpo di mortaio.

«Non possiamo andarcene in giro da soli», osservai accendendomi una sigaretta mentre cercavo di capire come avremmo potuto lavorare in quelle condizioni. «Tempo dieci minuti e verremmo colpiti dai cecchini, il che significa che la nostra unica opzione è restare con i ribelli. Conoscono la configurazione del terreno, sanno dove sono persone e luoghi e, soprattutto, come arrivarci».

«Almeno in Libia potevamo ingaggiare un autista e andarcene dove ci pareva per vedere quello che ci pareva», ribatté Marie. «Qui dipende tutto da loro, e non mi piace. La nostra vita è nelle loro mani e non c'è niente che possiamo fare».

Sarebbe stato difficile essere obiettivi, dal momento che ci affidavamo all'ESL e agli attivisti per qualsiasi cosa e non potevamo muoverci liberamente. Sopravvivere e lavorare sarebbe stato molto più complicato rispetto a quando eravamo in Libia.

Abu Hanin, il capo degli attivisti, ci vide complottare in un angolo e si unì a noi. Con l'aiuto di alcune cartine disegnate a mano, ci spiegò dov'erano posizionate le forze di Assad e ci disse che i checkpoint dell'esercito siriano bloccavano tutte le vie, principali e secondarie, di accesso e di uscita dal quartiere. Temeva che le scorte di cibo, già scarse, si esaurissero. Il tunnel non riusciva a soddisfare il loro fabbisogno, anche quando veniva sfruttato al massimo. E i rifornimenti trasportati in moto da uomini come Abu Zaid potevano sfamare alcune famiglie per un paio di giorni, non di più. Ma c'erano migliaia di persone intrappolate a Baba Amr, che avevano bisogno di tonnellate di cibo e invece ricevevano solo un sacco di qualcosa, di tanto in tanto.

Abu Hanin era l'anima del media centre. Aveva trascorso molto tempo in Canada e in Gran Bretagna, dove aveva studiato a Bournemouth. Parlava un inglese perfetto e aveva un gran senso dell'umorismo. La sera prima mi aveva raccontato delle sue fantasie sul cibo durante l'assedio. Aveva una voglia matta del pollo alle spezie di Nando's, la catena di ristoranti sudafricana e, cosa piuttosto insolita per un musulmano, di una birra fredda. Aveva anche un debole per il tabacco Golden Virginia e ricordava con affetto le sue visite da Tesco per fare la spesa. Mi fece promettere che, se fossi tornato a Baba Amr, gli avrei portato il suo tabacco preferito in una busta di plastica di Tesco.

Mentre aspettavamo una tregua nei bombardamenti in modo da poter fare una volata all'ospedale da campo, Abu Hanin propose di andare a trovare una famiglia che viveva dall'altra parte della strada. Erano costretti a convivere con un'altra famiglia perché le granate avevano distrutto la loro casa alcuni giorni prima. Anche l'edificio accanto al media centre era stato investito in pieno da una bomba e le quattro donne che si trovavano all'interno erano morte. Abu Hanin aggiunse che, se avessimo voluto, avremmo potuto avvicinarci a una zona a cinquecento metri di distanza dal centro, dove i combattenti dell'ESL lottavano ogni giorno per evitare che i carri armati del governo penetrassero nel quartiere. Le uniche armi efficaci contro i carri armati che possedevano erano le granate a razzo, ma ne avevano poche: i contrabbandieri le facevano pagare 200 dollari l'una.

«Cristo santo», mormorò Marie quando Abu Hanin si allontanò. Sembrava triste, come se sapesse che ciò che stavamo per vedere avrebbe lasciato profonde cicatrici nel nostro cuore e nella nostra anima. «Ci sarebbe da lavorare per mesi».

La ferocia degli attacchi rafforzò la nostra determinazione a restare. Nessuno dei due aveva intenzione di scegliere la via d'uscita più facile dichiarando che quello era un posto troppo pericoloso in cui lavorare. Non volevamo ignorare il massacro in corso intorno a noi e ci rifiutavamo di lasciarci intimorire dalla brutalità di Assad, che anzi, ci rendeva ancora più risoluti a far arrivare le nostre storie e le nostre fotografie al mondo intero.

Ci sedemmo accanto a un gruppetto di persone nell'attesa che Abu Hanin ci portasse dalla famiglia che abitava dall'altra parte della strada. Marie dava il meglio di sé quando aveva una causa che le permetteva di sfruttare la sua intuizione, la sua tenacia e le sue straordinarie doti giornalistiche. A Baba Amr, come in altri conflitti, trovò la motivazione nel descrivere i costi umani che la guerra esigeva dai civili. Avrebbe dato loro una voce e li avrebbe messi sotto i riflettori. Certo, anche quella scelta aveva il suo prezzo. Nonostante Marie fosse fermamente convinta che non esisteva una storia per cui valesse la pena di morire («Diciamo che vanifica lo scopo», scherzò una volta), in Sri Lanka aveva rischiato la vita, perdendo un occhio a causa di una granata a razzo mentre lasciava il territorio controllato dai ribelli. Quando si riprese, rifiutò il lavoro d'ufficio offertole dal «Sunday Times». Era decisa a tornare al suo "vero" lavoro, come mi disse. Soffriva di attacchi di disturbo da stress postraumatico e aveva vissuto momenti molto difficili durante la convalescenza. Ma tutto ciò non l'aveva piegata ed era tornata al vertice, vincendo il primo premio nella categoria corrispondente estero dell'anno ai British Press Awards del 2010.

La guardai e scorsi sul suo viso tirato gli effetti fisici delle ultime settimane. Conoscevo bene quell'espressione esausta e anche i momenti in cui si ritirava in un silenzio assorto. Il suo cervello non si fermava mai. La sua storia poteva essere più incisiva? Aveva fatto abbastanza per scolpire in parole le immagini che aveva visto e i racconti che aveva sentito?

Anch'io portavo addosso i segni fisici e mentali di quel viaggio così lungo e duro. La mia giacca cachi e i miei pantaloni cargo erano sporchi, incrostati di fango, acqua e polvere di cemento.

Sembravo più un barbone che un fotografo. E poi ero afflitto da un taglio di capelli ridicolo che ogni mattina era diverso. La barba ingrigita si allungava a vista d'occhio e un odore inconsueto mi seguiva dappertutto.

Psicologicamente gli effetti del viaggio erano stati devastanti e la stanchezza stava cominciando a farsi sentire. In quello stato, diventava facile perdere la lucidità necessaria alla sopravvivenza. Dormivamo dove e quando potevamo, ma quelle opportunità si sarebbero diradate sempre più se i bombardamenti avessero continuato a intensificarsi. Era giovedì, quindi avevamo solo due giorni per mettere insieme una storia corredata da fotografie. La pressione era notevole.

Eravamo preparati alla carneficina a cui avremmo assistito all'ospedale da campo di Baba Amr. L'anno prima avevamo vissuto in un ospedale che accoglieva ogni giorno decine di vittime di guerra e, nel reparto traumatologico di fortuna, avevamo toccato con mano le conseguenze della brutalità di un dittatore, feccia dell'umanità. In due mesi avevamo visto qualsiasi ferita di guerra possibile e immaginabile. Ricordo un uomo colpito da un'esplosione e letteralmente dilaniato dall'ombelico in giù. Le gambe erano ridotte a due femori spezzati attaccati a quel che restava del tronco: due spuntoni bianchi e sporchi di sangue che si muovevano mentre lui fissava silenzioso il suo corpo straziato e morente. Ricordo il diciottenne sorridente con cui avevo fumato e che, il giorno dopo, mi ero ritrovato davanti steso su una barella, immobile, il cranio spaccato dalla raffica di un cecchino e il cervello, che un amico aveva ritrovato dopo, in un cappellino da baseball accanto alla testa. Ricordo il fratello che gli teneva la mano fredda, con il viso rigato di lacrime. E così via.

Ma quello che mi turbava maggiormente non erano le ferite o i cadaveri che arrivavano ogni ora, bensì la facilità con cui le persone scivolavano nella morte, su letti improvvisati, mentre volontari e studenti di medicina facevano del loro meglio per salvarle. Assistemmo a centinaia di decessi in quei due mesi e ciascuno si portò via un po' della mia fiducia nel genere umano. Per Marie era diverso: ogni morte era una storia da raccontare. Marie Colvin non mollava mai.

Mentre aspettavamo di cominciare la nostra giornata di lavoro a Baba Amr, vidi sul suo viso un'espressione risoluta che conoscevo bene. Abu Hanin ci disse di prepararci a partire. Così restammo in attesa fuori casa, nel sole accecante della primavera. I raggi tiepidi erano un sollievo, dopo il buio fumoso del media centre. Era la nostra prima uscita diurna nelle strade del quartiere assediato, ed eravamo piuttosto tesi. Si udiva il sibilo costante dei missili e delle granate che volavano sopra le nostre teste, seguito da profondi boati non lontano da dove ci trovavamo.

Da quando aveva perso un occhio in Sri Lanka, Marie detestava i bombardamenti. Mi guardò, il viso grigio per la stanchezza e la preoccupazione. Le strinsi la mano e le dissi che sarebbe andato tutto bene. Lei si voltò verso la strada, facendo appello a tutto il suo coraggio per attraversarla. Wa'el era accanto a noi, sorridente e apparentemente tranquillo. Per quanto mi riguardava, i rumori dell'artiglieria pesante mi facevano pensare alla prima guerra mondiale. Immaginavo il terrore dei soldati in trincea, che fumavano nervosamente nell'attesa dell'esplosione fatale.

A un tratto, un proiettile atterrò a una cinquantina di metri alla nostra sinistra, costringendoci a buttarci a terra. Le macerie e i detriti ci piovvero addosso mentre ce ne stavamo acquattati all'entrata della casa. Lanciai un'occhiata e vidi il cratere che si era aperto nell'asfalto. Fu allora che, senza alcuna spiegazione logica, Abu Hanin diede il segnale di via libera. Attraversammo di corsa la strada vuota, dirigendoci verso un edificio ancora intatto a una quindicina di metri alla nostra destra. I proiettili continuavano a sfrecciare nel cielo e alcuni caddero a una quarantina di metri da noi. Giunti a destinazione, ci ritrovammo in un ingresso di cemento apparentemente sicuro. Lanciai un'occhiata a Marie. Quando mi strizzò l'occhio e sorrise, mi rilassai un po'.

La famiglia che abitava nell'edificio si radunò intorno a Marie, che si dedicò all'arduo, dal punto di vista di un fotografo, compito di mettere insieme la loro storia. Non la invidiavo affatto. Lasciai Wa'el con Marie e andai a fotografare ciò che restava della strada.

Baba Amr, quartiere musulmano sunnita di una città e di un Paese governati da una minoranza elitaria sciita, era una delle zone più povere di Homs. Le case di cemento erano per lo più unifamiliari o bifamiliari, tutte leggermente diverse, perché la maggior parte era stata costruita a mano dai proprietari. Dopo mesi di pesanti bombardamenti, la strada sembrava morta. Le tracce di vita umana stavano scomparendo. I vasi, incrinati o spaccati dalle schegge di granata, contenevano i resti secchi e avvizziti di rose un tempo curatissime; i fili del bucato, divelti dai giardini in seguito alle esplosioni, avevano ancora attaccati dei vestiti da bambini.

Mentre camminavo lentamente lungo la strada con i proiettili che mi volavano sopra la testa, mi trovai davanti il relitto arrugginito di una bicicletta da bambino, tutta accartocciata e scorsi un orsacchiotto che marciva in un canale di scolo, sotto la fredda pioggia invernale. "La vita di questa strada è saltata in aria", pensai.

Arrampicandomi sui cumuli di macerie, sbirciai nei buchi neri degli edifici colpiti da artiglieri che avevano fatto bene il loro lavoro. Attraverso le aperture, vedevo i momenti finali della vita di un'intera famiglia, cristallizzati nel tempo. Quelle case erano veri e propri musei della violenza e della morte improvvisa. Il rumore dei calcinacci e del vetro rotto sotto i miei scarponi e quello delle granate nel cielo era diventato la colonna sonora di Baba Amr. Quella strada era davvero un *Desolation Row*, un vicolo della desolazione, come cantava Bob Dylan.

Osservai i resti dell'edificio in cui tre giorni prima erano morte quelle quattro donne. L'interno era andato completamente a fuoco, lasciando i muri vuoti anneriti dal fumo. Tra le ceneri si intravedevano effetti personali e oggetti domestici carbonizzati: gli unici indizi che quella casa fosse stata abitata. Sebbene fosse del tutto inutile, non potei fare a meno di domandarmi come fosse stato vivere lì e immaginai le quattro donne strette l'una all'altra nel buio mentre le esplosioni devastavano le strade. Pensai alla paura che dovevano aver provato udendo le granate sibilare ed esplodere intorno mentre supplicavano il loro Dio di risparmiarle. E poi pensai all'impatto che le aveva smembrate, lasciando carne lacerata e ossa a bruciare tra le fiamme del massacro di Assad. Alla fine mi riscossi.

"Meglio piantarla", mi dissi, continuando a fotografare la strada. In quei momenti la macchina funge da scudo: è una specie di schermo che non fa passare gli orrori che ho sotto gli occhi. Non riuscivo a entrare in una zona di guerra senza macchina fotografica e mi dispiaceva per i giornalisti, che non potevano usufruire di quella forma di protezione. Loro sì che erano veramente soli.

«Paul, Paul!», chiamò Marie. «Vieni a fotografare i bambini».

Entrai in casa e venni fatto accomodare in una camera da letto completamente buia. Mi guardai intorno sbattendo le palpebre: non vedevo nulla.

«Ehm... non è che avete una torcia a portata di mano?», chiesi nell'oscurità.

Udii qualcuno frugare in una borsa e, alcuni istanti dopo, un raggio di luce illuminò la stanza fermandosi su sei bambini. Dormivano a due a due su dei cuscini stesi sul pavimento e sembravano degli angioletti. L'innocenza dei loro volti così giovani mi scosse. Le loro piccole sagome sembravano fuori luogo in mezzo a tutta quella violenza. Mentre scattavo, dovetti tenere sotto controllo il tremolio alle mani. Feci il possibile per sfruttare al meglio la luce della torcia, pur sapendo che il valore delle immagini non avrebbe avuto niente a che fare con la loro qualità. Poi, però, Abu Hanin mi interruppe. Sembrava agitato e mi chiese di raggiungere Marie, J.-P. e Wa'el in un'altra stanza.

«Ragazzi», cominciò, «è il momento di andare all'ospedale da campo. C'è una tregua nei bombardamenti e dobbiamo approfittarne. Ve lo dico fuori dai denti: è un tragitto di cinque minuti, ma ci saranno un sacco di cecchini e i bombardamenti potrebbero intensificarsi in qualsiasi momento. Quando parcheggiamo, dovrete correre per un centinaio di metri, perché non possiamo fermarci con la macchina fuori dall'ospedale. È uno dei bersagli principali e non ci sono rimasti molti veicoli intatti». Azzardò un sorriso, ma il suo sguardo mobile e sfuggente lo tradì.

Marie mi guardò e fece una smorfia. «Quanto possiamo restare?», chiese poi a Abu Hanin.

«Se i bombardamenti peggiorano, anche tutta la notte», rispose lui.

«Hanno anche una lavanderia?», chiesi, lanciando un'occhiata obliqua a J.-P. Abu Hanin mi guardò come se fossi impazzito, Marie scoppiò a ridere e Wa'el si morse il labbro. Non credo che J.-P. avesse colto la battuta, perché rimase lì con un'espressione sconcertata.

Marie stava ancora ridacchiando quando ci stringemmo sul sedile posteriore della macchina di Abu Hanin, che mandò il motore su di giri un paio di volte per accertarsi che fosse pronto a partire. Poi uscì dal parcheggio e accelerò immediatamente, sfrecciando lungo la stradina ed evitando i crateri laddove poteva. Mentre ci avvicinavamo a una grossa rotonda in fondo alla strada che passava davanti al media centre, si voltò a guardarci.

«Questo è un incrocio molto pericoloso», avvertì. «Ci sono diversi cecchini su quegli edifici alti alla nostra destra».

Imboccammo la rotonda a tutta velocità e, quasi subito, si udì il crepitio dei proiettili esplosivi che colpiva il terreno dietro l'auto. I cecchini erano rapidi, ma, man mano che la gente di Baba Amr scopriva dove si appostavano, le loro prede diminuivano drasticamente. Un veicolo in corsa era un bersaglio molto allettante. Proseguimmo per altri cinquecento metri finché non raggiungemmo un edificio sulla destra che ci offrì un riparo.

«Gli sciacalli possono morire di fame», disse Abu Hanin sorridendo.

Lungo il tragitto, la distruzione di Baba Amr si svelò in tutta la sua tragicità. Non c'era nessuno: il quartiere era deserto. Poi cominciò a piovere, il che non fece che peggiorare lo squallore. Attraversammo un altro incrocio e i proiettili dei cecchini ci mancarono di nuovo. Poi svoltammo bruscamente in una strada secondaria e rallentammo. Abu Hanin parve rilassarsi un po'. Ogni cinquanta metri passavamo davanti alle carcasse arrugginite di auto carbonizzate. Dalle case distrutte si levava un fumo nero che formava una cortina soffocante, e le strade divennero quasi impraticabili a causa delle macerie. Le esplosioni riecheggiavano intorno a noi. Abu Hanin borbottò che i soldati dovevano aver finito di pranzare.

«Quando parcheggiamo, non esitate», disse. «Seguitemi e correte più veloce che potete. Io non mi fermerò fino all'ospedale. Correte e basta. La strada dell'ospedale è uno dei bersagli principali di Baba Amr. Fra un minuto ci siamo».

Il quartiere in cui stavamo entrando era pieno di edifici pericolanti che sembravano essere stati colpiti più e più volte. Nessuno era stato risparmiato: non c'era una finestra con i vetri intatti. Se lo scopo di Assad era quello di rendere Baba Amr inabitabile, in quella zona lo aveva senz'altro raggiunto. L'auto frenò bruscamente sotto quel che restava di una terrazza al secondo piano di un palazzo e noi ci preparammo ancora una volta a una corsa per la vita o per la morte.

«Correte. Non vi fermate finché non raggiungete l'ospedale. Andiamo», gridò Abu Hanin, sbattendo lo sportello.

Attese che scendessimo tutti e poi scattò in avanti. Io lasciai che Marie partisse prima di me in modo da poterla controllare e Wa'el fece altrettanto con J.-P. Un proiettile esplose cinquanta metri dietro di noi. "Forse mirano alla macchina", pensai. Continuammo a correre, trafelati, finché non giungemmo a un angolo di strada. Abu Hanin girò a sinistra. Un attimo dopo, si udì una raffica di mitragliatrice che colpì il terreno e gli edifici che ci circondavano.

«Forza! Forza!», ci urlò. Altre esplosioni squarciarono la strada davanti a noi, facendo volare schegge e pezzi di cemento. I proiettili sembravano arrivare da ogni angolazione. Sfrecciammo davanti a due ribelli che trasportavano un ferito con la gamba sinistra maciullata e il viso stravolto e pallido come un fantasma.

Davanti a noi, a un centinaio di metri, c'erano altri due uomini che si sbracciavano per dirci di fare presto. Ma io avevo l'impressione di correre nella melassa: non riuscivo a prendere velocità. Udimmo un colpo di mortaio alle nostre spalle: avvertii distintamente l'onda d'urto sulla schiena. Gli uomini continuarono a incitarci. Dieci metri, cinque metri e poi delle mani sconosciute ci afferrarono e ci tirarono dentro l'ospedale da campo.

Ci fermammo in un atrio per riprendere fiato: eravamo tutti piegati in due. Poi, con il cuore in gola e il corpo tremante di paura e di adrenalina, trovai la forza di alzare la testa e contarci. Ce l'avevamo fatta tutti. Wa'el fece un gran sorriso e si avvicinò a J.-P. per chiedergli come stava.

«Mica male, eh?», scherzò Abu Hanin quando cominciammo a riprendere fiato.

Marie gli lanciò un'occhiata e scosse la testa, ripetendo sbigottita le sue parole: «Mica male». Mentre ci riprendevamo, si udì qualcuno bussare con violenza alla porta dell'ospedale. I due uomini che avevamo incrociato per la strada pochi minuti prima irruppero nell'atrio, trasportando il ferito con la gamba maciullata. Un'infermiera li fece entrare in una stanza alla nostra sinistra e, con l'aiuto degli altri, lo caricò su una barella. L'uomo lasciò una densa scia di sangue sul pavimento.

Un giovane con un camice da chirurgo ci fece accomodare in un ufficio vuoto e ci offrì del tè. Poi ci pregò di aspettare dicendo che il dottor Mohamed ci avrebbe raggiunti subito. Nell'attesa ci accendemmo tutti una sigaretta, tranne Marie, che aveva smesso su ordine del dentista, e ci guardammo intorno. In un angolo era appesa una giostrina per culla. Qualcuno, forse uno dei genitori, aveva dipinto sulle pareti dei personaggi della Disney per dare un po' di colore alla stanza. Le persiane di metallo alla finestra affacciata sulla strada principale erano crivellate da buchi causati da schegge di granata. L'orologio a parete era fermo al momento in cui un pezzo d'acciaio rovente era volato nella stanza da letto del bambino.

La porta si aprì ed entrò il giovane di prima con il tè, seguito dal dottor Mohamed Al-Mohamed. Chiunque avesse studiato la rivolta siriana, guardato i notiziari o curiosato su YouTube negli ultimi mesi lo avrebbe riconosciuto. Le sue performance al vetriolo di fronte alla telecamera erano diventate leggendarie. Il dottor Mohamed, ex medico dell'esercito, era noto per aver condannato esplicitamente Assad e la crisi che lacerava il suo Paese. Gestiva da mesi ospedali da campo segreti come quello in cui ci trovavamo, spostandosi continuamente per evitare di venire colpito dal fuoco dell'artiglieria. Aveva un'indole mite e, mentre parlava, sorrideva, ma aveva gli occhi cerchiati di nero e il suo sorriso non riusciva a nascondere i mesi di barbarie di cui era stato testimone.

«Questo è il mio terzo ospedale da campo. L'ultimo è stato distrutto. Un mio amico farmacista ci ha lasciato le gambe», spiegò in tono neutro. «Ci colpiranno presto. Ogni giorno bombardano il tetto. Sanno dove siamo. Non dureremo a lungo.

«Non abbiamo vere e proprie forniture mediche. Non abbiamo anestetici, né antidolorifici più forti dell'ibuprofene. Dobbiamo amputare pazienti svegli e, anche quando sopravvivono, non possiamo tenerli qui perché non c'è spazio. Dobbiamo sistemarli in case private in città e spesso muoiono prima che li visitiamo.

«Ci sono giorni in cui abbiamo così tanti morti che non sappiamo dove metterli. Li seppelliamo di notte, di nascosto, perché i cecchini sparano anche ai funerali. Abbiamo perso l'umanità qui a Baba Amr».

Un'enorme esplosione fece tremare l'edificio. L'intonaco del soffitto ci cadde sopra, ma il dottor Mohamed non batté ciglio. Qualcuno urlò il suo nome dal corridoio. Lui accorse subito e, prendendomi per una spalla, disse: «Venite, dovete vedere».

Io afferrai la macchina fotografica rovesciando il tè e mi precipitai fuori dalla stanza per seguire il dottore. Nell'atrio dell'ospedale ci trovammo di fronte a una scena apocalittica. La gente trascinava corpi attraverso la porta, c'erano lunghe scie di sangue in tutte le direzioni, l'aria risuonava di urla e, attraverso la cortina di fumo, scorsi un corpo senza vita abbandonato a terra.

«È morto», disse un'infermiera in camice da chirurgo. «Deve restare lì, non abbiamo posto».

La porta principale era spalancata e la gente cercava disperatamente di trascinare all'interno i corpi dei feriti. Era difficile mantenere la lucidità. Ovunque guardassi, c'era un paziente ferito o un medico che tentava di resuscitare i morti.

Un'infermiera, Um Ammar, che avevo conosciuto poco prima, mi trascinò in una delle stanze laterali. All'interno c'erano due tavoli operatori ricavati da barelle, tavoli e da un carrello ospedaliero riciclato. Entrambi erano occupati e in un angolo della stanza giacevano due cadaveri che avevano portato dentro pochi secondi prima. Non c'era neanche una coperta per coprirli. Un dentista, il dottor Ali, stava tagliando i pantaloni di uno degli uomini distesi sul tavolo operatorio. Aveva profonde ferite a una gamba causate da schegge di granata e perdeva sangue a fiotti. A un tratto, il suo corpo ebbe uno spasmo, poi un altro e infine rimase immobile, gli occhi fissi sul dottor Ali. Quest'ultimo gli tastò il collo in cerca del battito. «Morto», dichiarò freddamente. Poi scosse la testa e ripeté: «Morto».

Sull'altro tavolo improvvisato, il dottor Mohamed stava tagliando freneticamente i vestiti di dosso a un giovane che si contorceva in agonia. Misi a fuoco e scattai. Poi vidi l'uomo diventare sempre più debole. Il dottor Mohamed scostò i vestiti svelando la ferita. Era stato colpito al petto da un'esplosione e, prima ancora che il medico riuscisse a valutare il danno, smise di dimenarsi ed esalò l'ultimo respiro.

Incrociai lo sguardo del dottor Mohamed e ci fissammo per un lungo istante: il respiro del giovane sembrava aleggiare ancora tra noi. Non dicemmo nulla; il medico con il bisturi insanguinato, il fotografo con la macchina e il cadavere silenzioso nel mezzo.

Il massacro andò avanti per ore. I feriti più gravi e i morti venivano trasportati in tutta fretta in quella casa trasformata in ospedale di fortuna. I morti erano sistemati in una stanza sul retro che si andava riempiendo con il passare delle ore in modo da fare spazio ai nuovi pazienti. Nei rari momenti di quiete, i medici e il personale bevevano tè caldo e fumavano insieme. Lo stress era visibile sui loro volti, da quello del ragazzo che preparava il tè a quelli dei medici che facevano miracoli avendo a disposizione semplici kit di pronto soccorso e qualche sacchetto di plasma attaccato ad appendiabiti di legno.

Udii altre esplosioni all'esterno, seguite da uno stridio di pneumatici che annunciava la fine dei pochi istanti di tregua. Vidi un altro medico che cercava di aiutare una bambina di tre anni ferita allo stomaco da schegge di granata. Morì al termine di una terribile agonia: il medico non aveva i farmaci per alleviare il dolore. Quando l'ennesima onda d'urto fece tremare i muri dell'ospedale, si avvicinò a un angolo della stanza, si prese la testa fra le mani e alzò gli occhi al cielo. Poi cominciò a sbattere, lentamente e ripetutamente, la fronte contro il muro.

Marie mi si avvicinò. Sembrava stravolta e svuotata. Aveva le spalle curve e la voce lenta e stanca. «Come va, Paul?», mi chiese.

Io mi limitai a scuotere la testa.

«Dài, non è la prima volta. Non ti buttare giù, socio», mi disse, abbracciandomi. «Dobbiamo farlo vedere al mondo intero. Faremo la differenza, vedrai».

In quei momenti, la capacità di Marie di motivare e confortare malgrado l'orrore che la circondava era davvero straordinaria. Ci eravamo già passati in Libia, dove ci eravamo aiutati a vicenda. C'erano dei momenti in cui diventava una vera e propria furia: quando eravamo entrambi sfiniti e bisognosi di una pausa, la grinta di Marie faceva sì che andassimo avanti ben al di là delle nostre forze fisiche. Ma, quando ciò a cui assistevamo cominciava a fare sentire tutto il suo peso, Marie mostrava la compassione che in genere riservava alle vittime delle guerre di cui scriveva.

Restammo in ospedale per circa cinque ore, distrutti da tutto ciò che avevamo visto e sentito. Poi Abu Hanin propose di andare al Sotterraneo delle vedove, come lo chiamò. La parola "sotterraneo" mi fece trasalire.

Aprile 2011, Misurata, Libia

A Misurata avevo fatto amicizia con un apprendista chirurgo, il dottor Tameem. Sfrecciavamo per la città a bordo della sua ambulanza per soccorrere le vittime delle salve di missili GRAD (razzi da 120mm di fabbricazione russa) lanciate incessantemente contro i quartieri dei civili. C'era un continuo viavai di ambulanze che trasportavano morti, moribondi e mutilati al reparto traumatologico improvvisato, che consisteva in una tenda piantata all'interno di quella che un tempo era una clinica privata.

Una notte, stremato, mi sedetti per riposarmi. Il giubbotto antiproiettile, zuppo di sudore e del sangue dei feriti che avevo trasportato, sembrava pesare più di me. Io e il dottor Tameem eravamo scampati per miracolo ai missili e mi sentivo sul punto di esplodere dalla rabbia per quella strage che sembrava senza fine. Tameem, un libico sorridente e rotondetto, aveva energie infinite e un incrollabile senso dell'umorismo. Mi trovò lì a fumare e mi costrinse ad alzarmi.

«Forza, Paul, dobbiamo andare. C'è stata un'altra esplosione. Ci sono un sacco di morti», disse, trascinandomi verso l'ambulanza. Era crivellata dalle schegge e aveva perso il parafango anteriore in una missione precedente. Salimmo a bordo e uscimmo dall'ospedale a tutta velocità. Sopra il rumore del motore si udivano i profondi boati dei missili GRAD che venivano lanciati a salve da venti o quaranta e devastavano qualsiasi cosa colpissero. Un solo missile era in grado di radere al suolo un'intera casa. A Misurata cadevano dal cielo come pioggia esplosiva.

L'ambulanza si fermò a un piccolo incrocio al centro di una zona residenziale. Le auto erano in fiamme e dalle finestre delle case si levavano colonne di fumo nero. Le urla agghiaccianti dei feriti e dei moribondi intrappolati tra le macerie squarciavano l'aria della notte. Sapevo per esperienza cosa stava per succedere e avvertii un brivido gelido lungo la schiena. I lealisti del regime di Gheddafi bombardavano una zona, poi aspettavano un quarto d'ora, di modo che arrivassero le ambulanze, e bombardavano di nuovo, spesso raddoppiando il numero di vittime. Secondo i miei calcoli, avevamo un altro paio di minuti prima della seconda ondata di missili.

Udii delle urla provenire da un punto più lontano. Svoltai un angolo e si fecero più forti, ma la strada era piena di fumo e facevo fatica a vedere. Mi fermai e tesi l'orecchio, ma le grida sembravano venire da ogni angolo. Poi scorsi un piccolo varco tra uno degli edifici e il marciapiede. Mi avvicinai lentamente. Le urla si fecero più forti. Mi inginocchiai e sbirciai nell'apertura buia. Una lucina al neon illuminava quello che doveva essere un deposito o un parcheggio sotterraneo. Ammassati in un angolo c'erano, a occhio e croce, centocinquanta donne e bambini terrorizzati.

Balzai in piedi, cercando freneticamente l'entrata del rifugio sotterraneo: sapevo che la seconda salva di missili ci sarebbe piovuta addosso da un momento all'altro. Svoltai un altro angolo di strada e vidi un ribelle di guardia di fronte a una porta. Vedendomi correre verso di lui, si girò a guardarmi con aria diffidente e mi fermò alla porta: stava proteggendo la gente nascosta nel sotterraneo. Quando gli mostrai la macchina fotografica, annuì e aprì la porta.

Mi precipitai giù per le scale e mi ritrovai davanti donne e bambini rannicchiati a terra in piccoli gruppi. L'aria risuonava di urla, pianti e lamenti. Vedendomi, le donne, vestite di nero e con i volti nascosti dai veli, si misero a gridare ancora più forte, tendendo le braccia verso di me. I bambini erano terrorizzati. A un tratto, l'onda d'urto di un'enorme esplosione mi sollevò e mi scaraventò a terra. Per un attimo pensai che mi scoppiassero le orecchie per via del boato e delle urla isteriche e agghiaccianti.

L'esplosione aveva fatto saltare la luce, sprofondando il sotterraneo nel buio. Accesi la torcia, che illuminò un angolo della stanza, e le donne mi fecero cenno di avvicinarmi indicando un cumulo di coperte. Mi inginocchiai scostandole, e trovai una vecchia signora, la pelle scura e spessa come cuoio tirata sulle ossa sottili e fragili. Le toccai il viso. Era tiepido, ma non sapevo dire se fosse ancora viva. Le tastai il collo in cerca del battito, ma nulla. Provai con i polsi, ma fu tutto inutile. Doveva aver avuto un attacco di cuore. La coprii con le coperte e feci per andarmene: non c'era nulla che potessi fare per quella gente intrappolata lì sotto. Non potevano fuggire né nascondersi da nessuna parte. Porsi la mia torcia a una ragazzina e mi avviai su per le scale, inseguito dalle urla delle donne e dei bambini.

Fuori i sibili terrificanti e le violente esplosioni dei missili GRAD continuavano inesorabili. Vidi un portone buio a pochi metri dal sotterraneo e mi ci appoggiai, togliendomi il casco e accendendomi una sigaretta. Aveva un pessimo sapore ma la fumai comunque. Mi sentivo svuotato e impotente. Mi giungevano ancora le grida raccapriccianti provenienti dal sotterraneo. Tentai di razionalizzare i motivi per cui mi trovavo lì: documentare, registrare e, come diceva sempre Marie, denunciare. Ma mi sembrava tutto così irrilevante. Sapevo che la mia presenza non aveva salvato neanche una vita quella notte. Nella migliore delle ipotesi, si sarebbe creato un po' di scalpore quando le mie immagini fossero state pubblicate, ma non ero in grado di fare nessuna differenza pratica, immediata. Mi accucciai contro il portone, arrabbiato e inutile, aspettando che la pioggia di fuoco dal cielo facesse saltare in aria la gente intrappolata nel sotterraneo.

16 febbraio 2012, Baba Amr, Siria

Odiavo i sotterranei. Al solo pensiero di mettere di nuovo piede in un posto del genere, in Siria poi, mi sentii invadere dal terrore. Marie mi lanciò un'occhiata interrogativa mentre ascoltavamo Abu Hanin parlare del Sotterraneo delle vedove. Si era accorta che stavo pensando ad altro e si era preoccupata.

«Ehi», disse. «Ehi, Paul, stai bene? Hai una faccia. È per via del sotterraneo di Misurata?». Conosceva la storia di quella notte e aveva visto le fotografie, quindi aveva acutamente notato il mio silenzio.

Le risposi che stavo bene e cominciai a raccogliere l'attrezzatura in previsione di un'altra volata per le strade di Baba Amr. Era scesa la notte, ormai, e i bombardamenti erano scemati. Tornammo di corsa alla macchina con molta meno ansia rispetto all'andata. E scorsi qualcosa tra le ombre gettate dalla luna alta nel cielo, qualcosa che non avevo visto prima: segni di vita. Dei gruppetti di persone dall'aria nervosa se ne stavano fuori dagli edifici distrutti, in mezzo alle macerie e al caos. Era evidente che Baba Amr non era deserto: semplicemente, i suoi abitanti si avventuravano fuori solo con il favore delle tenebre. Se ne stavano lì come fantasmi, i visi scavati, e ci fissarono ansiosamente quando passammo loro accanto in macchina.

Dopo un tragitto di circa cinque minuti, ci fermammo in una stradina buia e Abu Hanin ci fece cenno di scendere. Noi restammo lì in attesa, domandandoci dove fossimo e cosa stessimo facendo. Abu Hanin bussò con decisione a una porta, nel silenzio totale. Dopo pochi istanti i battenti si aprirono, e la luce dell'interno illuminò il nostro gruppetto. Entrammo e le porte si richiusero rapidamente alle nostre spalle. Eravamo nel cosiddetto Sotterraneo delle vedove.

Non era difficile capire perché si fosse guadagnato quel nome. Sotto di noi si apriva un sotterraneo fiocamente illuminato che, un tempo, doveva essere una falegnameria e ora ospitava una massa brulicante di donne e bambini. I torni e gli altri attrezzi erano stati impilati in un angolo per fare spazio ai nuovi occupanti.

Mentre scendevamo lentamente le scale che conducevano allo scantinato, preparai la macchina fotografica. Bisogna essere rapidi, altrimenti è finita e ci si ritrova solo delle foto di bambini che sgomitano per farsi immortalare. Mi fermai a metà scala e cominciai a scattare, cercando di non farmi notare. Lasciai che Marie si mischiasse alla folla e attesi che tutti gli occhi si posassero sulla sua figura alta e snella. Poi cominciai a fotografare gli altri nelle loro pose naturali. Sapevo di avere solo un paio di minuti prima che una trentina di bambini urlanti facesse a gara per un primo piano.

Le condizioni nel sotterraneo erano spaventose. Ci dissero che in quello stanzone non più grande di 10x15 metri vivevano circa trecento donne e bambini. Le anziane se ne stavano accucciate su tappeti logori o sacchi di farina vuoti, lo sguardo assente. Le ragazze cucinavano piccole ciotole di zuppa su dei bruciatori a gas, e una vecchia signora scaldava del pane azzimo sopra un wok rovesciato. Erano donne e bambini che avevano perso tutto. Un misto di vedove anziane che non potevano più provvedere a loro stesse e ragazze giovani che avevano perso il marito durante l'assedio di Baba Amr.

Una ragazza con due occhi bellissimi e tristi che spuntavano da dietro il velo ci fermò mentre ci facevamo strada tra i gruppi di donne e bambini. Stringeva al petto un fagotto avvolto in una coperta di lana bianca. Era suo figlio: aveva tre giorni ed era nato nel sotterraneo, ma lei non riusciva ad allattarlo per via dello stress e della malnutrizione. Senza latte in polvere disponibile, l'unico nutrimento per il neonato era acqua e zucchero.

Il sotterraneo era un rifugio, ma non era a prova di bomba. Se colpito direttamente da un mortaio da 240mm, tutte quelle persone sarebbero morte. Era un luogo di sofferenza, privo di qualsiasi speranza. I suoi occupanti non potevano fare altro chc accettare il loro triste destino e pregare che i missili che udivano sibilare sopra le loro teste non li trovassero.

Ce ne andammo in silenzio. Quel posto era un simbolo potente di tutto ciò che stava accadendo a Baba Amr. Sentivo la rabbia montarmi dentro ogni volta che pensavo alla totale indifferenza verso la vita innocente di cui davano prova Assad e il suo esercito. Capisco la guerra: l'ho vista da vicino molte volte. Ma quello che stava accadendo a Baba Amr non poteva definirsi guerra. Era un attacco deliberato a donne e bambini. Baba Amr era un macello.

Di ritorno al media centre, cominciai a selezionare e a caricare via satellite le fotografie scattate quel giorno. Era fondamentale inviarle prima possibile. Se il satellite fosse stato improvvisamente distrutto da un proiettile o da un colpo di mortaio, quella giornata di lavoro sarebbe stata inutile. Mentre caricavo le immagini, Marie, avvolta in una coperta, sistemava i suoi appunti. Eravamo entrambi esausti e volevamo finire quanto prima e andare a letto presto. Fu proprio allora, mentre accarezzavamo la prospettiva di un sonno ristoratore, che ricevemmo un'email e l'idea di una notte tranquilla sotto otto coperte svanì.

7
ANDIAMO O RESTIAMO?

17 febbraio 2012, Baba Amr, Siria

Marie mi fece un cenno discreto del capo per invitarmi ad avvicinarmi. Perplesso, attraversai la stanza e mi accucciai accanto a lei, rubandole furtivamente mezza coperta per scaldarmi. La schermata del suo portatile mostrava un'email e Marie sembrava allarmata.

«Che c'è, Marie?», le chiesi, con un brutto presentimento.

Lei esitò un istante, poi rispose in tono cupo: «Be', ho appena ricevuto un'email da Sara Hashash, ex corrispondente del giornale, che ora vive in Egitto. La sua fonte sostiene che l'assalto finale a Baba Amr avverrà stanotte. Manderanno carri armati e fanteria per schiacciare la ribellione una volta per tutte».

Sentii un brivido lungo la schiena mentre assimilavo la notizia in tutta la sua gravità.

«Che ne pensi, Paul? Cosa ti dice il tuo istinto?», mi chiese a bruciapelo.

«Be'», risposi, «secondo gli attivisti, l'intensità del fuoco dell'artiglieria è andata aumentando negli ultimi giorni. È l'attacco più pesante che abbiamo mai visto e sono settimane che gli uomini di Assad cercano di fiaccare la resistenza di Baba Amr. A un certo punto dovranno lanciare l'attacco finale. Se vogliono davvero fare piazza pulita dei ribelli, prima o poi succederà».

In quel preciso istante, la troupe della CNN, formata da Arwa, Neil e Tim, la loro guardia del corpo, entrò nella stanza, rompendo il silenzio contemplativo in cui eravamo piombati io e Marie mentre riflettevamo sul da farsi. I ragazzi della CNN lasciarono cadere le borse e le telecamere accanto alla porta, visibilmente esausti. Marie lasciò il tepore della coperta per avvicinarsi a Arwa, che parlava fitto fitto con Neil e Tim. Io la seguii. Ci sedemmo tutti insieme il più lontano possibile dagli attivisti per non seminare il panico. Marie spiegò brevemente a Arwa che aveva ricevuto la notizia che Assad stava per sferrare il colpo di grazia. Arwa annuì in silenzio.

«Abbiamo saputo la stessa cosa dai ragazzi dell'ESL per le strade», disse. «Anche Abu Hanin è andato a parlare con l'ESL, e poi abbiamo ricevuto un'email dall'ufficio. Immagino la fonte sia la stessa. Il problema è che sono giorni che ci arrivano voci di ogni tipo, quindi perché questa dovrebbe essere più vera delle altre?». Arwa sembrava turbata: non sapeva se restare e rischiare di essere uccisa o partire e rischiare di abbandonare la storia prematuramente, nel caso l'assalto annunciato non si fosse verificato.

«Esatto», convenne Marie, cogliendo al volo i dubbi di Arwa sulla probabilità di un attacco su vasta scala. «Se ce ne andiamo adesso e non succede nulla, sarà un casino rientrare». Sembrava più ottimista, da quando si era resa conto che anche gli altri avrebbero potuto restare.

Marie era nota per essere rimasta in posti pericolosi dopo che gli altri giornalisti erano fuggiti: la Cecenia, lo Sri Lanka e Misurata erano solo alcuni esempi. Una volta si era testardamente rifiutata di abbandonare centinaia di rifugiati a Timor Est mentre i soldati del governo marciavano sul loro campo. Le Nazioni Unite e i colleghi di Marie, tranne due giornaliste olandesi, avevano deciso che era troppo rischioso restare lì. Il redattore esteri di Marie, seriamente preoccupato per la sua sicurezza, aveva voluto sapere perché non ci fossero altri giornalisti lì con lei. «Dove sono finiti gli uomini?», le chiese, domanda a cui Marie, com'è noto, rispose: «Non ci sono più gli uomini di una volta».

Mentre discutevamo dei pro e dei contro di lasciare Baba Amr, capii che Marie voleva restare. Voleva credere che la notizia di un assalto imminente fosse una voce infondata. Poi andò a cercare Abu Hanin insieme a Arwa per sapere se erano giunte altre informazioni. Io rimasi con Neil e Tim a sviscerare ulteriormente la questione.

«Okay, ragazzi», cominciai, «siamo stati tutti in un sacco di posti pericolosi. Tim, immagino che tu, in quanto addetto alla sicurezza della CNN, abbia fatto parte dell'esercito».

Tim sorrise e annuì. «Forze speciali della Marina».

Neil scosse la testa. Non era un ex militare, ma era comunque un veterano.

«Okay», ripresi, «allora analizziamo la faccenda da un punto di vista puramente militare. Siamo in una brutta situazione: il quartiere è completamente isolato, sigillato da un anello di carri armati, artiglieria e fanteria. E si tratta della Quarta divisione, non di un branco di marmittoni. Sanno quello che fanno».

«Il problema principale è il piano di fuga, o meglio, la mancanza di un piano di fuga. La nostra unica via d'uscita è il tunnel e se il tunnel, o la strada che conduce fin lì, crolla, allora siamo veramente nella merda fino al collo. A quanto abbiamo visto, l'ESL ha abbastanza uomini e munizioni da respingere gli attacchi di un carro armato alla volta, ma se gli uomini di Assad ci attaccano con tutta la loro potenza di fuoco, l'ESL verrà disintegrata e i ribelli avranno la peggio su tutti i fronti. Io ho abbastanza foto per questa settimana e sono sicuro che Marie abbia pronta una storia. Voi?».

Neil annuì e rispose che anche loro avevano una storia. Condivideva in pieno la mia analisi. Anche Tim era d'accordo con le mie osservazioni e con il fatto che restare avrebbe potuto rivelarsi fatale. Come me, pensava che il tunnel fosse la soluzione: era l'unica via d'uscita sicura da Baba Amr. Io mi rilassai leggermente, confortato dalla certezza che, se avessi dovuto convincere Marie che non potevamo restare, avrei avuto il loro appoggio.

La tensione crebbe nelle ore seguenti. Uomini misteriosi spuntavano dalle ombre e parlavano fitto fitto con gli occupanti della casa per poi svanire di nuovo nel nulla. I combattenti dell'ESL, armati fino ai denti e pronti a combattere, facevano tappa per bere tè, fumare e verificare il funzionamento delle armi. A un certo punto Marie e Arwa riapparvero confermando che l'opinione generale dell'ESL era che l'attacco sarebbe stato sferrato quella notte. Per il momento, avremmo dovuto aspettare. Gli attivisti erano immersi nella conversazione. Quella che inizialmente sembrava una voce si stava trasformando in una possibilità concreta.

Preparammo la borsa, poi ci sedemmo di nuovo: non potevamo fare altro che ingannare il tempo. La tensione si tagliava con il coltello. Sebbene l'atmosfera al media centre fosse sorprendentemente tranquilla, le esplosioni e le continue raffiche di mitragliatrice pesante che risuonavano intorno andavano sempre più assumendo i contorni di un infausto presagio. Verso le nove, Abu Hanin entrò nella stanza, visibilmente stremato.

«Sentite», cominciò, rivolto al nostro gruppetto, «siamo quasi sicuri che succederà stasera. Tutte le nostre informazioni fanno pensare che sia così. Dividerò la mia squadra di dodici uomini in due gruppi da sei. Uno si è offerto volontario per restare e sacrificarsi; l'altro partirà con voi stanotte».

«Non potete restare, o sarete martiri anche voi, e non possiamo permetterlo. Quando le truppe di Assad entreranno, continueremo a inviare informazioni finché potremo. Poi, quando sarà tutto finito, imbracceremo i fucili e combatteremo fino alla morte. Ci servite vivi, di modo che possiate dire al mondo intero cosa avete visto qui. Capite?». Ci stava supplicando. Sapeva che la fine era vicina e voleva che ce ne andassimo senza tante storie.

Noi annuimmo in silenzio.

«Allora preparatevi a partire. Grazie a tutti», concluse con aria triste e fece per andarsene.

Marie mi prese da parte. «Paul, ci credi veramente o pensi che dovremmo restare?». Non era convinta che le forze di Assad stessero davvero per lanciare la loro temuta incursione di terra sulla piccola enclave ribelle.

Io le riferii la conclusione a cui ero giunto prima insieme a Neil e a Tim. Forse ci sbagliavamo, le dissi, ma, se fossimo rimasti, la posta in gioco sarebbe stata troppo alta. «Guardati intorno, Marie. Se ne stanno andando tutti. Ci sarà un motivo», aggiunsi, indicando gli attivisti che stavano riponendo computer e cavi.

Così, pur con una certa riluttanza, anche lei acconsentì a unirsi al gruppo in partenza. «Potremmo pentircene, Paul, davvero», disse però prima di andare a raccogliere le sue poche cose.

«Su con la vita, musona. Almeno ne usciamo tutti interi», sussurrai, di modo che mi sentisse solo lei.

Marie ridacchiò e si mise a cercare tutte le cose che aveva lasciato in giro. Era un disastro: perdeva tutto. In Libia prendevo sempre da parte i faccendieri che ingaggiavamo per informarli che era loro dovere controllare gli effetti personali di Marie ogni volta che lasciavamo una stanza o un'auto. Ci scherzavamo parecchio su. Mi ricordo di quella volta che mi raggiunse a Tripoli pochi giorni dopo che i ribelli l'avevano conquistata, per poi accorgersi di aver dimenticato la borsa a bordo dell'auto, che stava tornando in Tunisia. Dentro c'erano il portatile, il trasmettitore satellitare e tutti i suoi vestiti: non era certo il modo migliore per cominciare un nuovo incarico. Ma era talmente piena di risorse che dopo un'ora era riapparsa con un nuovo portatile preso in prestito da chissà chi, chissà dove, mentre fuori infuriava la battaglia per la capitale. Va detto che anche il secondo portatile ebbe vita breve: dopo pochi giorni lo dimenticò in una base provvisoria dei ribelli.

Gli attivisti continuarono a smontare la postazione. Uno stringeva un piatto satellitare, altri due una grossa telecamera che avevano tirato giù dal tetto. A poco a poco, tutto intorno a noi cambiò. Il posto che aveva funto da occhi e orecchie del mondo dentro Baba Amr si trasformò in una sala d'attesa.

Un pensiero straziante mi attraversò la mente. Quegli uomini, che ci avevano protetto e sfamato, avevano, nell'ultima mezz'ora, preso una decisione terribile: avevano selezionato chi di loro sarebbe sopravvissuto e chi invece sarebbe morto. Era altamente probabile che molti dei nostri amici di Baba Amr non sarebbero giunti alla mattina seguente.

Pensai a Abu Hanin. Quando ci aveva lasciato, non aveva sulle labbra il consueto sorriso radioso. Era doloroso rendersi conto che, mentre organizzava la nostra fuga, si stava anche preparando a una probabile morte. Di fronte agli eventi di quella sera, aveva mantenuto una dignità forte e tranquilla. Non c'era panico, né dramma, né, almeno all'apparenza, paura nell'ex studente di Bournemouth che si apprestava a compiere la sua ultima impresa. Tutti gli attivisti, quelli che dovevano restare e quelli che dovevano partire, se ne stavano seduti insieme a fumare. La morte aleggiava nell'aria, ma nessuno ne parlava.

Come a confermare le voci di un attacco di terra, le forze di Assad bombardarono Baba Amr fino a tarda sera. Sapevamo che non avremmo potuto tentare la fuga finché le esplosioni non fossero cessate, e questo non faceva che acuire la tensione. Ma, non appena la situazione si calmò, successe tutto molto in fretta. Un ribelle dell'ESL dall'aria esausta irruppe nella stanza parlando animatamente con Abu Hanin. Entrambi annuirono e si strinsero la mano prima che il ribelle se ne andasse. Poi Abu

Hanin ci radunò per spiegarci il piano. Nel giro di un paio di minuti i giornalisti e un gruppo di attivisti sarebbero partiti a bordo di due diversi furgoni e si sarebbero diretti al tunnel.

Senza dire una parola, prendemmo tutti le borse e le sistemammo nei veicoli in attesa là fuori. Nel buio ebbero luogo addii brevi ma sentiti. I due gruppi di attivisti sapevano che avrebbero potuto non rivedersi mai più. Avevano vissuto un vero e proprio inferno e, mentre dicevano addio agli amici che avevano condiviso con loro gli orrori e la paura quotidiana della morte, avevano dipinta in volto un'espressione di puro dolore.

Dopo aver abbracciato gli attivisti che sarebbero rimasti, ci fermammo all'ingresso per infilarci gli scarponi, dopo di che ci accingemmo a partire. Tutti tranne J.-P., che rimase lì impalato.

«Che succede, J.-P.?», gli chiesi, preoccupato dalla sua immobilità in un momento così cruciale.

«I miei scarponi, i miei scarponi», gemette lui. «Qualcuno li ha presi».

«Ehm, vedrai che non te li hanno rubati, J.-P. Dài un'altra occhiata in giro».

Lui continuò a cercare alla luce della torcia, e alla fine ne trovò uno. Poi un ribelle gli suggerì di provare al piano di sopra e, pochi minuti dopo, J.-P. riapparve tutto sorridente, stringendo tutti e due gli scarponi.

«Okay, J.-P., monta su. Dobbiamo andarcene adesso», dissi, sottolineando la parola "adesso".

Lui salì su un minibus bianco borbottando: «Perché rubare una scarpa sola?».

Abu Hanin ci fermò prima che uscissimo. Ci abbracciò entrambi, con un'espressione risoluta, e ci ringraziò sinceramente per essere venuti a Baba Amr. Noi non potemmo offrirgli altro che un "grazie" per tutto ciò che aveva fatto per noi e gli promettemmo di tenerci in contatto. Lui sorrise e fece per allontanarsi, poi si fermò e si voltò, come a voler pronunciare un'ultima frase memorabile.

«Paul, non dimenticare il Golden Virginia nella busta di Tesco».

«Non ti preoccupare, amico. Ti porterò anche del pollo alle spezie e della birra», risposi mentre salivo sul minibus, che aveva il parabrezza crivellato di proiettili.

Seduto su uno dei sedili posteriori, provai una cocente umiliazione. Stavamo lasciando quegli uomini in balìa di un destino sconosciuto. La sensazione di abbandonarli mi faceva inorridire. Fu in quel momento che capii, finalmente, il profondo desiderio di denuncia di Marie.

Lei mi si sedette accanto. La troupe della CNN si strinse su un altro sedile insieme a J.-P. mentre un soldato dell'ESL saliva a bordo dal retro. Altri due, l'autista e una guardia del corpo con il Kalashnikov, si sistemarono davanti. Gli attivisti si stiparono invece nell'altro minibus, anch'esso bianco.

I due veicoli partirono insieme per poi fare una brusca inversione a U davanti al media centre. Quando vidi gli altri attivisti stagliarsi come fantasmi contro la luce fioca dell'ingresso del centro e salutarci con la mano, la sensazione di abbandono che mi stringeva lo stomaco peggiorò. Ma era già tempo di accelerare verso la prima curva in fondo alla strada. Gli spari dei cecchini riecheggiarono nella notte e i proiettili esplosivi colpirono il terreno non lontano dai nostri minibus. Incredibilmente, l'autista accese lo stereo, sintonizzandolo su una stazione che trasmetteva musica tecno araba e alzando il volume al massimo.

Non so quale sia il misterioso collegamento tra i siriani, la musica, il viaggio e la guerra, ma sembra essere molto stretto. Il nostro arrivo a Homs era stato accompagnato dai canti dei ribelli, e quella corsa folle verso la salvezza si svolgeva al ritmo di assordante tecno araba. Vista la natura del viaggio, sembrava tatticamente irresponsabile squarciare il silenzio della notte con quei bassi così potenti.

Marie, disgustata, mi urlò in un orecchio: «Paul, è una follia! Digli di abbassare il volume».

Io mi sporsi in avanti e diedi un colpetto sulla spalla dell'autista, facendogli cenno di diminuire un po'. Lui obbedì, pur con visibile riluttanza, ma abbassò solo di mezzo decibel, per poi continuare a cantare. Se stanno per spararmi, mi piace saperlo. Lì, invece, se ci fosse passata accanto una granata a razzo, non ce ne saremmo neanche accorti. Nel buio le orecchie diventano più importanti degli occhi. Il cielo era nero e minaccioso e non si vedeva nulla. Sfrecciavamo, ciechi e sordi, in mezzo alle linee nemiche. L'unico riferimento geografico che avevamo era l'oleodotto che era stato fatto saltare in aria alcuni giorni prima e che continuava ad ardere in lontananza, illuminando il cielo di un bagliore arancione.

Per fortuna, giunti a un incrocio, l'autista abbassò la musica e si fermò dolcemente. Seguì una breve discussione, che somigliava in modo inquietante a un litigio, tra l'autista e la guardia del corpo seduta sul sedile davanti. Dopo una piccola pausa, ripartimmo, imboccando una strada a sinistra. Ma avevamo percorso sì e no venti metri quando la guardia del corpo cominciò a sbraitare in arabo contro l'autista, che fece subito marcia indietro tornando all'incrocio e si mise a discutere animatamente anche con il soldato in fondo al minibus. Finalmente ripartimmo, svoltando a destra, stavolta.

«Ho l'impressione che ci siamo persi», osservai rivolto a Marie.

Lei scosse la testa sbigottita. «Ma davvero, Sherlock», ribatté, poi chiuse gli occhi rassegnata.

In seguito scoprimmo che, se avessimo proseguito lungo la prima strada, saremmo finiti dritti contro un checkpoint dell'esercito siriano presidiato da circa duecento soldati.

Non solo avevamo perso la fiducia nel nostro autista, ma avevamo anche perso di vista l'altro veicolo con a bordo gli attivisti del media centre. La guardia dell'ESL seduta davanti cercò disperatamente di contattare qualcuno, chiunque, alla radio. A un tratto l'autista si mise a urlare. Era triste, felice o arrabbiato? Non ne avevamo idea finché non mostrò i pollici, segnale universale che andava tutto bene. "Oh", pensai, "conosce la strada". Marie si era ritirata nella sua cupa rabbia. Capivo quella furia silenziosa; era sopravvissuta a tutto e morire per via di una svolta sbagliata l'avrebbe fatta davvero incazzare.

Grazie a un misto di fortuna e determinazione, riuscimmo finalmente a raggiungere l'altro minibus, parcheggiato nei pressi del gruppo di edifici dove ci eravamo fermati alcuni giorni prima, all'andata. Gli attivisti presero le loro attrezzature dal veicolo e poi ci disponemmo in fila indiana, pronti ad affrontare di nuovo il tunnel.

Ma la nostra fuga clandestina stava assumendo i contorni di una farsa. I ragazzi del media centre erano, per loro stessa ammissione, attivisti, non soldati, perché l'ESL ammetteva solo disertori con un passato nell'esercito, ma qualcuno avrebbe potuto insegnare loro almeno i primi rudimenti della tattica. Uno di loro, tre persone davanti a me, trasportava il disco satellitare che sembrava un grosso bersaglio bianco. Avrei anche potuto passarci sopra, non fosse stato per lo spettacolo, uno dei più strambi e memorabili della mia vita, che si svolgeva una decina di persone più avanti. Sulle prime rimasi sbigottito, ma poi dovetti accettare il fatto che, nel territorio occupato dalle forze del governo e nel bel mezzo del nostro audace tentativo di fuga, c'era un tizio con le scarpe da ginnastica con i LED, uno di un bianco brillante, l'altro di un rosso sgargiante, che illuminavano il sentiero per il tunnel, la via d'accesso segreta a Baba Amr, come una pista d'atterraggio. Per poco non mi misi a piangere. Molti dei fuggitivi indossavano felpe e giubbotti bianchi e chiacchieravano tra loro come se stessero facendo una passeggiata al parco. Il chiasso era terrificante e la scena al di là della mia comprensione, così mi rassegnai all'idea che, con ogni probabilità, presto saremmo morti tutti.

La mancanza di consapevolezza tattica degli attivisti non contribuì a rendere più agevole il viaggio, che si rivelò lungo, stancante e terrificante. Cantarono per tutto il tragitto sotterraneo e fecero un gran baccano anche spostandosi dal tunnel ai veicoli in attesa. Mi aspettavo di saltare in aria a ogni passo.

Fu una fuga incredibilmente tesa, ma sarebbe stata molto più difficile non fosse stato per Neil, il cameraman della CNN. Dopo essere scesi nel tunnel, sistemammo tutte le borse con le attrezzature su un carrello attaccato alla motocicletta che trasportava J.-P. La moto sfrecciò via e noi avanzammo faticosamente a piedi. Quando raggiungemmo il punto in cui la moto era costretta a fermarsi e a girarsi, cercai la mia borsa e, non vedendola, diedi per scontato che l'avesse presa uno degli attivisti. Fu solo quando Neil arrivò, esausto, alla fine del tunnel e mi chiese se la borsa estremamente pesante che aveva in mano fosse mia, che mi resi conto di averla dimenticata. Quel povero diavolo l'aveva trasportata fino a metà tunnel al posto mio. Avrei dovuto offrirgli parecchie birre per sdebitarmi.

Quando giungemmo finalmente al luogo dell'appuntamento, non lontano dal tunnel, i ribelli ci caricarono sul retro di un camion. Era buio pesto lì dentro, ed eravamo stipati come bestiame. Alcuni rimasero in piedi, altri si accucciarono: eravamo talmente tanti che era impossibile incastrarsi. A un certo punto e con mio grande stupore vista la mancanza di spazio, qualcuno mi passò una sigaretta accesa. Anche altri riuscirono ad accendere e, nel giro di poco tempo, il camion si riempì di fumo.

Mi sedetti sul pianale bagnato con le ginocchia strette al petto e il cappuccio del giaccone tirato sopra la testa per scaldarmi un po', e ripensai alle ultime ore. Se Assad aveva davvero sferrato l'attacco a Baba Amr quella notte, la nostra decisione si sarebbe rivelata giusta. Restare avrebbe significato morire e, nel giro di uno o due giorni, la zona sarebbe stata militarizzata. D'altra parte, se non era successo nulla, avevamo lasciato il posto che avevamo raggiunto con tanta difficoltà. Ma avremmo scoperto solo la mattina dopo se la nostra partenza era stata un errore.

Il viaggio di ritorno a Al Buwaida fu una specie di test di resistenza. Bloccato in quella posizione fetale, cominciai ad avere crampi dappertutto. Potevo raddrizzare la schiena e ruotare le caviglie, e basta. Finalmente l'autista ci lasciò di nuovo alla casa del comandante Abu Hassan, dove avevamo alloggiato prima di entrare a Baba Amr. Mentre ci radunavamo davanti al cancello, mentalmente e fisicamente esausti, infreddoliti e in grave debito di sonno, mi sembrò di tornare a casa.

Entrammo senza tante cerimonie, prendemmo delle coperte e ci rannicchiammo sui cuscini sparsi a terra per dormire. Marie si recò alla casa delle donne, a una cinquantina di metri di distanza, dove la attendeva un letto grande e comodo. Io mi abbandonai al sonno, con il rumore dell'artiglieria finalmente lontano.

Fui svegliato da qualcuno che mi scuoteva la spalla. Ci stavano attaccando?, mi domandai. Dovevamo metterci al riparo? Nel giro di pochi secondi, ero perfettamente sveglio e pronto a fuggire. Alzai gli occhi e vidi Marie china su di me. «Paul, Paul, svegliati», sussurrò.

Aveva una pessima cera: l'aria stanca, gli occhi iniettati di sangue, la fronte aggrottata. Era il volto che pochi vedevano: quello di una donna stremata e sotto pressione che lavorava in condizioni indicibili in una zona di guerra.

«Paul, non hanno attaccato stanotte», disse in tono grave. «Il comandante Hassan mi ha detto che a Baba Amr è tutto normale:

fuoco d'artiglieria intenso e costante, ma niente forze di terra. Paul, abbiamo fatto una cazzata».

Sospirai, sollevato dal fatto che Abu Hanin e i nostri amici fossero ancora vivi e che i superstiti di Baba Amr potessero vivere un altro giorno. Sapevo bene che eravamo partiti per motivi logistici e di sicurezza, ma stavo cominciando a rimpiangere la nostra decisione.

«Marie, abbiamo fatto la cosa giusta», ribattei in tono esitante, cercando di confortarla. «Avrebbero potuto benissimo attaccare stanotte. È stato meglio così».

«Okay», concesse Marie. «Ne parliamo dopo. Non ho chiuso occhio. Ho scritto tutta la notte e ora c'è un problema: il BGAN. Non funziona. Posso provare con il tuo?».

Il BGAN era il sistema satellitare che utilizzavamo per inviare email e immagini a Londra. Se non avesse funzionato, non avremmo potuto spedire nulla, né articoli né fotografie.

«Adesso lo facciamo funzionare», dissi, cercando di liberarmi dal groviglio di coperte e accendendomi una sigaretta. «Riposati cinque minuti mentre prendo l'attrezzatura. Poi saliamo sul tetto e proviamo con il mio».

«È stato un incubo, cazzo. Ero riuscita a farlo funzionare, e poi ha smesso. Secondo me gli uomini di Assad stanno bloccando il segnale».

Ci dirigemmo verso la casa delle donne, a una cinquantina di metri di distanza dall'altra, e salimmo le scale di cemento che conducevano sul tetto dove Marie aveva sistemato il suo BGAN. Da quella posizione la vista spaziava a chilometri di distanza. La luce splendente del sole offriva un panorama magnifico. A sud c'erano le dolci colline che conducevano in Libano. Immerse nella nebbia della prima mattina, erano un'immagine di una tale tranquillità che avrebbe potuto ispirare Constable. Ai loro piedi, nei vicoletti di Al Buwaida, i bambini giocavano rumorosamente, arrampicandosi sui muri e lanciando pietre contro i gatti spaventati. Nel mosaico di giardini e cortili, le donne stendevano il bucato e strofinavano i vestiti nelle tinozze piene d'acqua. I vecchi se ne stavano seduti al sole a fumare la pipa. Per pochi brevi istanti, mi sentii in pace anch'io.

In lontananza si udiva il rombo familiare del fuoco d'artiglieria. Prima lo scoppio, poi, quando i proiettili colpivano Baba Amr, l'esplosione. Mi voltai verso nord, in direzione dei cannoni, e la meravigliosa vista svanì. Colonne nere di fumo di petrolio incombevano come nubi sinistre sopra Homs, in netto contrasto con le splendide colline avvolte nella nebbia verso sud.

Era un ottimo punto per il trasmettitore BGAN. Avevo trasmesso da posti molto peggiori e non avevo mai avuto problemi di connessione. Ma c'era qualcosa che non andava: collegai il mio BGAN e non accadde nulla. Non riuscivamo neanche a captare il segnale di base. C'era un'unica spiegazione: le forze di Assad lo stavano bloccando davvero. I siriani disponevano di contromisure elettroniche e strumenti di monitoraggio molto efficaci grazie alla Russia e all'Iran, che non si erano limitati a fornire alla Siria grandi quantità di armi e munizioni, ma anche la tecnologia necessaria a sorvegliare e, eventualmente, bloccare, l'attività elettronica. Avevano persino procurato ai siriani gli operatori in grado di gestire quei complessi sistemi.

Non solo: l'Iran aveva dotato la Siria della maledizione della guerra moderna: i droni, o aerei senza pilota, in grado di trasmettere immagini in tempo reale del campo di battaglia e di lanciare missili contro i bersagli di terra individuati. Erano il Grande fratello degli eserciti, affidabile e abbordabile. Permettevano alle forze di Assad di sorvolare Baba Amr e individuare bersagli per i cannoni dell'artiglieria. Li avevamo sentiti ronzare nel cielo tutti i giorni. Con un drone sopra la testa, non c'era nessun posto dove nascondersi.

«Niente da fare, Marie, non riesco a farlo funzionare», dissi.

Marie era avvilita: aveva un pezzo fantastico da inviare. Sapevamo che l'alternativa era telefonare al giornale e dettarlo. Ma non era così semplice: potevamo comunicare con la redazione solo tramite un telefono satellitare, che era uno dei dispositivi più facili da rintracciare. Più restava acceso, più possibilità aveva il governo di individuarne la posizione. Era la nostra opzione più pericolosa.

Marie trascorse la mattina a dettare al telefono l'articolo a Lucy Fisher, della redazione esteri di Londra. Le ci vollero ore: le batterie si scaricavano, il segnale andava e veniva e dovevamo cambiare spesso posizione per evitare di essere individuati. Verso mezzogiorno, poche ore prima del termine ultimo per la consegna, Marie chiuse la comunicazione. Aveva ripreso un po' di colore e dichiarò con un sorriso stanco che sarebbe andata a schiacciare un "pisolino".

Quel sabato mattina Marie aveva anche informato il redattore esteri Sean Ryan che avevamo intenzione di spostarci a nord, nella città di Hama. Il padre di Bashar al-Assad l'aveva rasa al suolo nel 1982, durante una rivolta popolare. Migliaia di persone erano morte nella terribile carneficina che il padre del presidente aveva scatenato sulla città e si temeva che Bashar volesse seguire le orme paterne. Aveva già ordinato ai suoi uomini di mettere sotto assedio Hama e loro avevano iniziato a bombardare indiscriminatamente le zone residenziali. Sean diede l'okay al nostro piano.

Chiedemmo al comandante Hassan se poteva aiutarci a entrare a Hama e lui rispose che avrebbe provato a organizzare un viaggio per il lunedì successivo. Ci spiegò tuttavia che sarebbe stato difficile: le strade tra Al Buwaida e Hama erano impraticabili a causa della massiccia presenza delle truppe del governo. Inoltre disponeva di poche informazioni sulla situazione in città. Era a soli cinquanta chilometri di distanza, ma le linee di comunicazione tra i ribelli erano pessime, soprattutto quando combattevano in luoghi diversi.

Approfittammo del sabato e della domenica per riposarci dalle fatiche dei giorni precedenti. Sapevamo che il viaggio per Hama sarebbe stato difficile e pericoloso e avevamo bisogno di ricaricare le batterie mentali e fisiche. Io e un ribelle dell'ESL andammo in moto a fare scorta di sigarette. Trovai anche un regalo per Marie: un barattolo di Nescafè originale. Quando chiesi della carta da regalo, il proprietario del negozio mi guardò senza capire, così avvolsi il barattolo nella carta igienica, bene ancora più raro.

Fu un sollievo uscire di casa per un po', e chiesi al motociclista di portarmi a fare un giro della città. Non era bella, ma fu molto rilassante girare per le strade in moto, soprattutto dopo gli incessanti bombardamenti di Baba Amr. C'erano poche strade pavimentate. Passammo davanti a un piccolo caffè dove un gruppetto di anziani dalla pelle scura e spessa come cuoio se ne stava seduto a fumare e a bere caffè, mentre alcune donne anziane spazzavano l'eterna polvere sulla porta di casa. Di tanto in tanto, mentre sfrecciavamo tra le stradine, i bambini incitavano il ribelle con il Kalashnikov in spalla e ci seguivano di corsa per un po', per poi tornare a torturare i gatti.

Con il passare dei giorni, io e Marie cominciammo a preoccuparci. Chiedevamo notizie a Hassan quasi ogni ora, ma lui non sapeva dirci nulla di Hama. Wa'el era andato a trovare i genitori, ma prima di andarsene ci aveva assicurato che Hassan era l'uomo adatto a farci entrare in città. Tuttavia, se ci avesse detto che era impossibile, avremmo dovuto dargli ascolto. Non avrebbe messo a repentaglio le nostre vite se avesse ritenuto il viaggio troppo rischioso. Wa'el espresse anche i suoi timori sulla faccenda. Non aveva contatti a Hama e non aveva informazioni sulla situazione della rete degli attivisti laggiù. Era più a suo agio a Baba Amr, dove conosceva la gente e, soprattutto, la gente lo conosceva.

La tensione crebbe. Io e Marie continuavamo a discutere del viaggio a Hama. Mettendo da parte Baba Amr, rischiavamo di perdere il filone più importante? Alla fine, non fummo noi a decidere. Il comandante Hassan venne a casa lunedì mattina presto e ci disse che la trasferta a Hama era esclusa. Aveva provato a mettersi in contatto con i ribelli laggiù da sabato, ma non ci era riuscito, per cui si rifiutava di spedirci in missione alla cieca.

Io e Marie ci sedemmo con aria imbronciata intorno a una stufa a gasolio, bevendo tè e ponderando la mossa successiva. Fu lei, che era ancora estremamente contrariata dalla fuga da Baba Amr, a parlare per prima.

«Paul, lo sai cosa dobbiamo fare, vero?», mi chiese sottovoce, piegando il capo di lato.

Annuii. «Sì. È che il pensiero di quel cazzo di tunnel mi distrugge. Credevo davvero che non lo avremmo più rivisto», risposi, sentendomi invadere dall'ansia.

«Hai abbastanza sigarette per un'altra settimana laggiù?», fece lei, alleggerendo l'atmosfera con un sorriso sornione e sfrontato.

«Solo roba locale. Potrebbero caricarle nei lanciarazzi da 120mm e usarle come armi chimiche», ribattei, contando le ultime Marlboro che mi ero portato dal Libano. «Ma secondo te ne vale la pena? Andare in giro è difficile. Ci sono solo l'ospedale da campo e il Sotterraneo delle vedove, di cui abbiamo già parlato. Dobbiamo trovare un'altra traccia. Non voglio tornare lì per fare le stesse cose».

«Ehi, musone, troveremo del materiale nuovo. Lo sai», replicò Marie.

Io abbozzai un sorriso e annuii.

«Allora è deciso? Si torna a Baba Amr», disse dolcemente lei. Entrambi fissammo lo sguardo sulla stufa. A me veniva da vomitare.

Chiamammo Wa'el e gli chiedemmo se il comandante Hassan

avrebbe potuto aiutarci a tornare laggiù, nel quartiere assediato. Wa'el parve sollevato: non voleva andare a Hama. J.-P., che aveva udito la nostra conversazione, ci guardò come fossimo pazzi e dichiarò che non avrebbe più rimesso piede a Baba Amr. Sarebbe tornato in Libano, invece.

Non trovavo pace. In condizioni normali mi sarei preparato psicologicamente per il viaggio che ci attendeva, e invece ero svogliato e deconcentrato, senza capire perché. Un'ora dopo ricevemmo un messaggio da Hassan che dava l'okay al nostro ritorno a Baba Amr. Ci saremmo mossi quello stesso giorno. Io e Marie trascorremmo il lunedì pomeriggio ad approntare l'attrezzatura: caricammo le batterie, preparammo le borse e attendemmo il cenno di Hassan.

Ci sedemmo intorno alla nostra stufa a gasolio preferita nel soggiorno della casa del comandante. Eravamo tutti e due nervosi. D'altronde, saremmo stati davvero dei pazzi a non esserlo. Non era la prima volta che entravamo in una città assediata, ma era la prima volta che ci rientravamo dopo esserne appena usciti. Forse era quello che mi disturbava: quella volta sapevamo esattamente cosa ci aspettava.

Non mi ero sentito così quando ci eravamo introdotti a Misurata, né avevo visto niente di simile in Marie. All'epoca era in forma smagliante e non aveva avuto la minima esitazione. Quel giorno, invece, notai piccoli segnali: sguardi, silenzi e risate nervose.

20 aprile 2011, Misurata, Libia

Inizialmente io e Marie avevamo intenzione di andare a Misurata per una missione di ricognizione di due giorni, per vedere se era possibile corrispondere dalla città. Avevamo portato solo lo stretto indispensabile: macchine fotografiche, portatili e trasmettitori satellitari e, nel caso di Marie, l'unico lusso che si concedeva nelle zone di guerra: le mutandine di La Perla. Lasciammo indietro spazzolini da denti, sapone e vestiti. Dopotutto, si sarebbe trattato di pochi giorni, giusto? Sbagliato. Restammo a Misurata due mesi.

Eravamo a bordo del traghetto del nostro simpatico capitano greco e guardavamo il mare dai ponti sporchi di grasso quando scorgemmo Misurata. Pennacchi di fumo nero si levavano nel cielo dagli edifici bruciati. Il rombo sordo dell'artiglieria pesante rieccheggiava nell'aria fresca del Mediterraneo. Marie ammutolì. Come tutti, del resto. I pochi giornalisti che avevano fatto il viaggio insieme a noi fissavano la città in fiamme, immersi nei loro pensieri, immaginando il caos e la distruzione che li attendevano. La paura è raramente argomento di conversazione tra i corrispondenti di guerra: nessuno la mostra né la nomina. Eppure era tangibile nel silenzio di tutti coloro che se ne stavano sui ponti del traghetto quella fredda mattina nuvolosa.

Caos è sinonimo di guerra. Hanno un rapporto simbiotico antico quanto i conflitti stessi. Nel porto di Misurata trovammo entrambi. Non appena i portelloni di prora di acciaio arrugginito si abbassarono sulla banchina, apparve il caos. Centinaia di volontari – portuali, ribelli e civili – che attendevano ansiosamente il traghetto, si precipitarono a bordo e si lanciarono nell'ardua impresa di scaricare i preziosi rifornimenti di cibo, medicine, combustibile e generatori di cui la popolazione, duramente provata, aveva estremo bisogno. C'era disperazione nei loro gesti e fame nei loro occhi mentre trasportavano il carico a terra.

Io e Marie emergemmo dalle viscere dello scafo buio, rimanendo per un attimo accecati dal sole libico. Nessuno sembrava avere idea di cosa fare, ma il nostro piano era astuto nella sua semplicità: trovare il ribelle più armato con il veicolo in migliori condizioni e andare dritti verso di lui. Il ribelle in questione si chiamava Raeda Montasser ed era un contrabbandiere di professione di cinquantacinque anni con due occhi gentili e vivaci. Raeda rimase sconcertato di fronte all'incontenibile americana con la benda sull'occhio che si rifiutava di lasciarlo in pace finché non si fosse assicurata un passaggio in città.

Dopo le dovute presentazioni, Marie mi diede di gomito e mormorò: «Fagli vedere la lettera, Paul. La lettera».

La lettera era stata scritta da un consigliere del neonato governo di opposizione di Bengasi, roccaforte dei ribelli a est. Mi era stato detto di consegnarla a qualunque capo delle forze ribelli a Misurata. Avevo fatto amicizia con l'autore della lettera qualche mese prima, quando lavoravo a Bengasi. Gli avevo dato erroneamente l'impressione di voler andare a combattere a Misurata e avevo rischiato di venire arruolato tra i ribelli. In realtà, stavo cercando di comunicare, a gesti, che ero un ex soldato e non avevo problemi ad andare al fronte. Fu solo quando mi porsero un pacco di moduli da compilare e mi fecero una foto che mi resi conto di cosa stava succedendo e dovetti fare marcia indietro.

Estrassi la lettera spiegazzata dal fondo di una delle mie sudicie tasche e gliela porsi. Raeda la prese tra le mani paffute e cominciò a leggere la calligrafia araba, mentre sul suo volto compariva un'espressione stupita. A un certo punto ripiegò accuratamente la lettera, me la restituì e disse in tono disinvolto: «Salite in macchina e non fatela più leggere a nessun altro».

Una volta a bordo, Marie mi lanciò un'occhiata interrogativa e mi chiese: «Ma cosa c'era scritto in quella lettera?»

«Non lo so, ma a quanto pare funziona», risposi sorridendo. Infatti la conservammo e la mostrammo a molte altre persone nei mesi che seguirono.

Subito dopo il caos del porto, giunse la guerra. Non appena ci assicurammo il passaggio, ebbero inizio i bombardamenti. Il sibilo inconfondibile dei GRAD squarciò l'aria mentre le forze di Gheddafi dirigevano il fuoco di artiglieria sul porto e sul traghetto dei rifornimenti.

Marie odiava i missili. Il loro stridio bastava a troncare le conversazioni dei veterani più esperti. Marie credeva, piuttosto ingenuamente, che fosse possibile sfuggire a quei razzi. «Se non altro, li senti arrivare e puoi metterti al riparo», mi disse una volta con aria sicura, mentre cercavamo di fonderci con il banco di sabbia dietro il quale ci eravamo rifugiati.

Io ribattei con nonchalance: «In realtà, Marie, quello che ti colpisce non lo senti». Lei mi guardò incredula: «Come? Ho passato anni nella convinzione che, sentendolo arrivare, avrei potuto schivarlo, brutto bastardo!», esclamò, tra il serio e il faceto.

Misurata non era il luogo adatto per chi odiava i GRAD. Mentre salivamo sulla macchina di Raeda, i missili cominciarono ad avvicinarsi e a cadere a soli cinquecento metri da noi. I ribelli e i civili intenti a scaricare il traghetto sentivano l'onda d'urto delle esplosioni e accelerarono le operazioni. Le esplosioni causarono anche un rapido e frenetico esodo di veicoli. Non direi che la nostra auto sfrecciò via sgommando, ma mi venne in mente una delle espressioni preferite di mio padre ai tempi del servizio militare: MIL (muovi il culo). Ed è quello che facemmo, con rapidità e scioltezza.

L'attacco al porto ci innervosì, ma ci diede anche la certezza di trovarci nel posto giusto. L'assedio aveva già raggiunto il culmine e la gente di Misurata aveva iniziato a rispondere agli attacchi. Dovunque c'erano segni di un'escalation nel conflitto. I proiettili che tappezzavano i viali e le stradine dicevano chiaramente degli scontri a fuoco che avevano luogo nel cuore della città; i muri crivellati di colpi di case, negozi e scuole testimoniavano l'uso brutale dell'artiglieria pesante da parte di Gheddafi; gli ospedali e i cimiteri straripanti raccontavano la loro storia.

La nostra storia, pensammo io e Marie mentre attraversavamo a tutta velocità quello scenario di distruzione cupo ma familiare. Eravamo nel nostro elemento ed era tempo di cominciare a lavorare.

«Raeda, possiamo andare all'ospedale?», chiese Marie in un arabo terrificante.

Lui annuì e rispose in perfetto inglese: «Possiamo andare dappertutto». Mi domandai nuovamente quale fosse il misterioso contenuto della lettera scritta a mano.

Giungemmo all'ospedale Al Hikma, una clinica privata che fungeva da ospedale centrale di Misurata (quello vero era stato colpito troppe volte dall'artiglieria pesante, il che aveva costretto i dottori ad abbandonarlo). Nel parcheggio c'era una grossa tenda bianca che fungeva da reparto traumatologico. I medici erano impegnati a gestire un'emergenza, ed era presente il nostro vecchio amico Caos: i clacson strombazzavano, le sirene ululavano e il personale correva da tutte le parti. Mentre mi guardavo intorno, non potevo sospettare che avrei trascorso i due mesi successivi ad assistere alla stessa scena, come in loop. Era una storia implacabile di devastazione, tragedia personale e morte, con qualche tocco di commedia qua e là per non uscire di senno.

Pochi minuti dopo il nostro arrivo ci spedirono nell'ufficio del dottor Mohamed Fortia. Fortia, un dirigente medico, rivestiva un ruolo importante all'interno dell'ospedale ed era ansioso di accoglierci con tutti i crismi, anche se eravamo saltati fuori da chissà dove. Così bevemmo un tè e io fumai una sigaretta, anzi, fumai per due, in realtà, perché Marie, che in teoria aveva smesso, mi chiedeva di soffiare il fumo nella sua direzione perché le mancava tanto l'odore. Anzi, si lamentava anche del fatto che, secondo lei, non fumavo abbastanza.

La situazione a Misurata, spiegò il dottor Fortia, era critica. L'ospedale si trovava nel raggio d'azione dei missili GRAD che, allora, causavano i danni maggiori. Finché i ribelli non fossero riusciti a ricacciare indietro i lanciarazzi, la loro enclave non sarebbe stata sicura. Mentre Fortia descriveva la tragedia umanitaria che aveva luogo in città, si udì qualcuno bussare forte alla porta. Ed ecco Andrea, un amico fotografo con cui avevo lavorato in Libia per più di un mese. Sembrava distrutto: aveva l'aria assente e gli occhi rossi e umidi.

«Che cazzo è successo, Andrea?», gli chiesi, allarmato.

Lui mi fissò e rispose: «Chris Hondros è stato colpito da un mortaio che gli ha fatto saltare le cervella e Tim Hetherington è appena morto dissanguato di sotto, nella tenda. Una scheggia di granata gli ha reciso l'arteria femorale».

Le morti di Tim e Chris gettarono nello sconforto tanto i giornalisti quanto i ribelli libici. Per noi occidentali era un brutale promemoria della nostra mortalità. Nessuno crede di essere a prova di proiettile, ma quasi tutti pensiamo che succederà a qualcun altro. "Non capiterà proprio a me", ci diciamo.

Dopo l'attacco in cui persero la vita Tim e Chris, molte organizzazioni richiamarono i propri inviati. Altri se ne andarono di loro stessa volontà. Chris Chivers e Bryan Denton del «New York Times», Marie e io decidemmo di restare. La nostra logica era semplice: persino le agenzie di informazione come la Reuters e l'Associated Press avevano lasciato il campo, quindi se ce ne fossimo andati anche noi nessuno avrebbe saputo nulla dell'assedio di Misurata. Non potevamo partire.

Per me e Marie Misurata fu un corso di base in morte supersonica ad alto esplosivo. Dopo due mesi, eravamo in grado di identificare la causa di qualsiasi esplosione. Poteva essere un

GRAD o una granata di carro armato da 120mm, un mortaio, un missile Katyusha o un cannone da campo da 155mm. Se veniva dal cielo ed esplodeva, c'erano ottime probabilità che lo riconoscessimo. Senza saperlo, Marie aveva imparato a distinguere il suono dell'arma che avrebbe causato la sua morte.

20 febbraio 2012, Al Buwaida, Siria

Un colpo secco alla porta di metallo della casa del comandante Hassan squarciò il silenzio strappandomi ai ricordi. Io e Marie ci eravamo appena assopiti e, svegliandoci, ci trovammo di fronte Wa'el e Hassan.

«Marie, Paul, dobbiamo andare», disse Wa'el. «I ragazzi sono pronti. Possiamo tornare a Baba Amr». Io avevo lo stomaco di piombo.

8
INFAUSTI PRESAGI

20 febbraio 2012, Al Buwaida, Siria

Il vento gelido ci penetrava nei vestiti mentre attendevamo fuori dalla casa del comandante Hassan in quel pomeriggio di febbraio, sereno ma freddo. Avevamo salutato J.-P., che aveva deciso di tornare a Beirut, quindi eravamo rimasti in tre. Io e Marie ce ne stavamo lì a fumare con Wa'el, Hassan e alcuni soldati dell'ESL, quando udimmo una specie di sibilo nell'aria che ci indusse ad alzare lo sguardo.

«Spie airlines», dissi, scrutando il cielo alla ricerca della fonte di quel rumore meccanico mentre un brivido mi correva lungo la schiena.

«Come?», fece Marie, perplessa.

«È un drone, Marie», le spiegai ridendo.

«Li odio quei bastardi», borbottò lei, socchiudendo gli occhi alla luce del sole mentre cercava di scorgere l'aereo senza pilota.

Negli ultimi tre giorni un drone delle forze aeree siriane aveva sorvolato i cieli di Homs e le zone rurali circostanti, individuando bersagli strategici per la presenza di ribelli e trasmettendo le informazioni alle forze di terra del governo. Era inoltre probabile che i droni fossero diventati due, perché la frequenza dei loro passaggi sopra le nostre teste sembrava essere aumentata nel fine settimana.

Stavamo ancora guardando in su quando due auto lasciarono la polverosa strada principale per immettersi nel vicolo in cui si trovava la casa di Hassan. Accelerarono bruscamente, per poi inchiodare sollevando una nube di polvere a un passo da noi. Gli autisti scesero e si misero subito a scrutare il cielo insieme a noi in cerca del drone. Quegli aerei rendevano tutti nervosi.

Malgrado i droni e il viaggio che ci attendeva, Wa'el sorrideva: avrebbe rivisto i suoi amici di Baba Amr e la prospettiva sembrava rallegrarlo. Quando uno degli autisti diede un colpetto al quadrante dell'orologio, ebbe inizio il giro dei saluti. Il comandante Hassan mi attirò a sé per un abbraccio e per il tradizionale bacio arabo sulla guancia. Poi, guardandomi dritto negli occhi, disse scherzosamente: «Torna presto, Abu Falafel. Quando torni, ti prepareremo un sacco di falafel».

Io, per tutta risposta, gonfiai le guance e mi accarezzai la pancia.

Marie, che indossava un giaccone nero, un paio di jeans e scarponi da trekking, salì a fatica in macchina, impedita dal giubbotto antiproiettile. Io mi sedetti accanto a lei, seguito da Wa'el. Una guardia dell'ESL occupò il posto davanti e l'autista partì a tutto gas, facendo una stretta inversione a U per poi dirigersi verso la strada principale.

Mi voltai verso Marie, che mi sorrise serena e alzò le spalle come a dire: «Be', rieccoci qui». Ricambiai il suo sorriso ma non dissi nulla e fissai lo sguardo fuori dal finestrino. Avevo una sensazione sgradevole che mi tormentava ma che non riuscivo a identificare. C'era qualcosa che non andava, ma non capivo cosa.

Percorremmo un sentiero tortuoso in aperta campagna e, man mano che ci avvicinavamo a Homs, il sole cominciò a tramontare. Si stava avvicinando l'ora ideale, quella prediletta dai fotografi, quando la luce calante crea le condizioni perfette per scattare. L'intera zona era immersa nel tiepido bagliore del sole e le lunghe ombre esaltavano la bellezza delle montagne che ci circondavano. Eravamo tutti affascinati da quella magnifica luce. Spiegai il concetto di ora ideale a Wa'el, che mi ascoltò rapito. Vista l'impresa che ci attendeva, rimasi stupito dalle sue capacità di astrazione.

Proseguimmo in mezzo alla campagna mentre il sole ci salutava. A poco a poco, con la lentezza silenziosa e furtiva di un gatto che segue una preda, non vedemmo più nulla. Scese la notte e, con il buio, giunse la paura, che ci avvolse con i suoi tentacoli invisibili. Nessuno fiatava. La notte apparteneva ai cacciatori e alle prede. In lontananza, si vedevano le salve di proiettili traccianti attraversare il cielo notturno in enormi archi. Percepivamo, pur senza udirli, i rombi subsonici dell'artiglieria pesante e fummo invasi da una profonda inquietudine. L'assedio di Baba Amr continuava inesorabile. Ci eravamo riposati. Ora era tempo di tornare.

Non una luce era accesa nei paesini che attraversammo a bordo dell'auto dell'ESL. Ogni tanto, il lampo di una torcia dava il via libera, ma era l'unico bagliore che squarciava l'oscurità. Giunti in un altro villaggio, ci fermammo accanto a un imponente edificio di cemento e scendemmo per poi proseguire a piedi, seguendo l'autista in un labirinto serpeggiante di casette di pietra, capanni per le bestie e fossati rocciosi. Poi ci fermammo davanti a una casa modesta, con le finestre ad assicelle da cui filtravano raggi di luce. Ci togliemmo gli scarponi ed entrammo.

Ci eravamo già stati: solo sei giorni prima avevamo lasciato la stessa casa per calarci nel tunnel di tre chilometri che ci aveva condotto, ansimanti e doloranti, dentro Baba Amr.

Marie, con la sua tenuta chic da commando, accettò un caffè da un ribelle con la barba indurito dalla guerra. Poi ci sedemmo a gambe incrociate davanti alla stufa a gasolio mentre una luce a LED a batteria gettava un bagliore sinistro sulle figure accucciate a terra. Attraverso l'aria calda che si levava dalla stufa, scorsi «lo Sceicco», un ribelle barbuto e sorridente che ci promise di portarci sani e salvi a destinazione. Accanto a lui sedeva un altro combattente dalla pelle scura che armeggiava continuamente con la pistola: la controllava, la scaricava, la ricaricava e via da capo. Io e Marie ci guardavamo allarmati ogni volta che udivamo il suono metallico di un proiettile che scivolava nella camera. Avevamo avuto entrambi brutte esperienze con dei ribelli che avevano fatto partire un colpo per sbaglio. Ma, in un angolo della stanza, si annidava qualcosa di molto più sinistro: la paura.

Mi era cresciuta dentro per tutto il giorno, da quando avevamo deciso di tornare a Baba Amr. All'inizio, una vocina interna si era messa a darmi dei colpetti sulla spalla, ma il suo messaggio era vago e indistinto. In quel momento, invece, era forte e chiaro: "Che stai facendo? Stai davvero tornando a Baba Amr?".

Da quando eravamo arrivati in quella casa, i miei pensieri avevano cominciato a vagare senza meta. Così mi misi a pulire le macchine fotografiche, bevendo caffè e fumando una sigaretta dietro l'altra. Tentai di nascondere agli altri la mia distrazione e di ignorare la voce minacciosa che mi martellava il cervello come un parassita, divorando ogni altro pensiero. Con il passare del tempo, mi ripiegai sempre più in me stesso. Ogni tanto, per salvare le apparenze, mi univo alla conversazione, per poi lasciare che la mia mente venisse riassorbita dalla discussione quasi schizofrenica che aveva luogo nella mia testa. Così come i bombardamenti facevano tremare la stanza, i pensieri scuotevano il mio spirito.

Quello che mi stava accadendo non era nuovo, ma era raro. In quel momento, in quella fredda stanza rettangolare con i soldati, il caffè e le sigarette, udii di nuovo la voce urlare: "Non entrare in quel cazzo di tunnel. Non andare a Homs. Non mi ignorare, cocciuto bastardo". Dovevo assolutamente parlare con Marie e Wa'el.

Ero seduto in mezzo a loro e decisi di approfittare di una pausa nella conversazione per esprimere le mie perplessità. Presi il coraggio a due mani e farfugliai, con finta nonchalance: «Ehm, ragazzi, devo dirvi una cosa».

Loro si voltarono verso di me, in attesa.

«Per caso anche voi sentite una vocina dentro che vi dice di non farlo, di non tornare a Baba Amr?», chiesi, tutto speranzoso e con occhi supplichevoli.

Loro tacquero, così aggiunsi: «Sono ancora tutto intero e in tutte le guerre che ho coperto non mi sono mai fatto neanche un graffio. Sarebbe la prima volta che ignoro il mio istinto e sono molto preoccupato».

Marie fu la prima a rispondere. «In base a cosa? Su cosa si basa la tua vocina?», mi domandò con aria seria e interessata.

Io alzai le spalle. «Niente di concreto», ammisi in un tono di rassegnata disperazione, sapendo di non essere abbastanza incisivo. «Ho fatto le solite valutazioni. È un lavoro ad alto rischio, ma abbiamo fatto di peggio. Lo sai che farei praticamente qualsiasi cosa: l'ho sempre fatto».

Marie annuì. «Allora perché proprio adesso?», insisté lei con la consueta empatia.

Mi sentii profondamente stupido, incapace di spiegare quella che doveva sembrarle un'epifania soprannaturale. «Non lo so. Davvero. So solo che sarebbe la prima volta che ignoro quello che mi dice la pancia. Sento che sta per succedere qualcosa di brutto».

«Forse è solo una giornata no. Forse hai semplicemente avuto troppo tempo per pensare», azzardò Wa'el, offrendomi una via d'uscita.

«No», ribattei. «Non è un'impressione». E tacqui.

Marie disse in tono risoluto ma con una punta di rimpianto: «Be', io sono il corrispondente e tu sei il fotografo. Io vado, anche da sola, se necessario. Tu puoi tornare a casa se vuoi». Sembrava decisa ad andare fino in fondo e sapevo che diceva sul serio: non avrebbe mai sacrificato una storia per un semplice presentimento.

«Lo sai che non posso lasciarti sola», sussurrai.

La cosa finì lì. Avevo espresso i miei timori e Marie aveva detto la sua. Mi sforzai di ricacciare indietro i cattivi pensieri. Avevamo un lavoro da svolgere e dovevo essere lucido per concentrarmi sul da farsi.

Marie si versò un altro caffè mentre io mi accendevo un'altra sigaretta. Lo Sceicco ci rivolse un sorriso radioso. «È ora del tunnel. Adesso tornate a Baba Amr».

Uscimmo nel freddo pungente: la luce tenue della luna illuminava le nuvole prodotte dal nostro respiro. Ci infilammo, come sempre a fatica, gli scarponi e controllammo per l'ennesima volta le attrezzature. Il ribelle con la pistola e altri due che ci avrebbero fatto da guardie del corpo si avviarono nella notte. Erano rapidi e sicuri. Ogni svolta, ogni muro e ogni fosso per l'irrigazione sembrava impresso a fuoco nella loro mente. Per noi non era la stessa cosa. Marie era in difficoltà al buio. Fu Wa'el a prenderla per mano, stavolta, e a guidarla attraverso gli ostacoli mentre io restai a metà fila, cercando di non perdere di vista le guardie e mantenendo al tempo stesso il contatto visivo con Marie e Wa'el.

Era la stessa strada dell'andata, ma, come capita quasi sempre, sembrò molto più breve e, dopo poco, ci ritrovammo di fronte all'ultimo muro da scavalcare prima dell'entrata del tunnel. Quando atterrammo sull'altro lato, degli uomini con i volti coperti ci afferrarono e ci sbatterono a faccia ingiù nella terra bagnata. Poi si abbassarono al nostro livello e si portarono un dito alle labbra, facendoci cenno di tacere e, subito dopo, mimarono un cecchino che prendeva la mira e indicarono l'entrata del tunnel. Noi annuimmo.

A un certo punto uno degli uomini mascherati si tirò su e corse verso l'entrata, costeggiando il filare di alberi. Noi lo imitammo a turno. Io andai per primo, seguito da Marie, da Wa'el e da una guardia dell'ESL che chiudeva la fila. A un tratto, si udì il crepitio di armi leggere vicino a noi, anzi, cosa ancor più inquietante, vicino all'entrata del tunnel.

Dopo circa duecento metri ci raggruppammo e ci accucciammo vicini. Eravamo senza fiato per la fatica e la paura, ma mostrammo i pollici per rassicurarci a vicenda. Mentre ce ne stavamo rannicchiati ai piedi di un muro di mattoni separato dal tunnel da un centinaio di metri privi di riparo, una guardia ci fece cenno di correre verso l'entrata. Noi annuimmo, sempre in silenzio. Mi preparai a partire per primo, anche se avevo le gambe pesanti come ciocchi e il respiro affannoso. Cercai di concentrarmi sullo scatto che dovevo fare, poi mi lanciai in avanti, accucciato, e proseguii zigzagando, incitandomi ad andare più forte. Immaginai il cecchino appostato che prendeva la mira su di me, il suo reticolo che si allineava con il mio corpo lento, il suo dito che premeva delicatamente il grilletto a doppio scatto. Avrebbe respirato tranquillamente, lui, non come me che rantolavo. Avrebbe svuotato i polmoni e avrebbe trattenuto il fiato prima di sparare. Io correvo a rotta di collo, con i polmoni che mi bruciavano mentre le gambe di piombo chiedevano sempre più ossigeno per il mio organismo terrorizzato. A un tratto, delle mani mi afferrarono e mi sbatterono senza tanti complimenti a faccia in giù nello spesso strato di fango. Poi i ribelli mi trascinarono per i piedi e mi gettarono nell'entrata del tunnel. «Vaffanculo, cecchino», dissi ridendo fragorosamente mentre mi tiravo su dal fango. «Grazie tante, stronzo».

Zuppo fino al midollo e tutto tremante per la scarica d'adrenalina, strisciai attraverso l'apertura di cemento che conduceva al tunnel vero e proprio, aspettando che arrivassero gli altri. C'erano molti uomini, donne e bambini feriti, alcuni anche in modo grave, che venivano evacuati da Homs su delle barelle. Ormai conoscevo bene quel tunnel. Era stato un inferno attraversarlo con una borsa; farlo con un essere umano steso su una barella richiedeva una forza fisica e mentale fuori dal normale. Leggevo la sofferenza sui volti degli uomini che trasportavano i feriti e i moribondi attraverso quel cammino da incubo.

Marie atterrò nel fango accanto a me, seguita a ruota da Wa'el e dalle guardie dell'ESL. Fu un enorme sollievo vedere che ce l'avevano fatta. Una delle guardie si mise in testa e si avviò lungo il tunnel, seguita da Marie, da me e da Wa'el. Il ribelle con la pistola chiuse la fila, coprendoci le spalle.

Avanzando in mezzo alle pozzanghere fangose, Marie e Wa'el commentarono il gran numero di feriti che stavano lasciando il tunnel. Era la conferma che le forze del governo avevano intensificato i bombardamenti sull'enclave ribelle e che le condizioni sul campo stavano degenerando rapidamente.

La conversazione si spense quasi subito e tutti ci concentrammo sulla difficoltà di muoversi in uno spazio così angusto. Poi, a un tratto, si udì un canto. Non si trattava di un coro stavolta, bensì di una voce solitaria che riecheggiava malinconica nel tunnel. Andò avanti per cinque minuti circa, finché non udii la voce di Marie sopra quel cupo lamento.

«Ma chi cazzo è?», sbraitò furiosa dal buio davanti a me.

«Wa'el», gridai alle mie spalle, «Marie vuole sapere chi cazzo sta cantando».

«La guardia dell'ESL», rispose lui.

«Marie, è la guardia dell'ESL», le riferii.

«Che cazzo canta? Fa schifo», urlò lei di rimando.

Trasmisi il messaggio a Wa'el, che tese l'orecchio alcuni istanti prima di rispondere: «Sta dicendo che moriremo tutti da martiri e andremo in paradiso».

Riferii di nuovo a Marie.

«Be', digli di chiudere quella cazzo di bocca. È deprimente e sembra un calabrone di merda», fu la sua ultima replica.

Io feci di nuovo da tramite con Wa'el, che già rideva a crepapelle per la reazione di Marie e per il tenore surreale di quella conversazione sotterranea. Pochi istanti dopo, il canto cessò e nell'aria fetida rieccheggiò solo il rumore degli scarponi nell'acqua e dei respiri affannosi. Si udivano suoni sconosciuti provenire dall'esterno: il rombo sordo dei carri armati e delle esplosioni faceva tremare la terra che ricopriva il tunnel. Era una sensazione piuttosto sinistra e non faceva che peggiorare l'atmosfera claustrofobica.

Come se non bastasse, dovevamo fare posto al flusso continuo di civili feriti, insanguinati e sotto shock che provenivano da Baba Amr, quindi ci raggomitolavamo sul fondo bagnato per permettere loro di passare nello spazio ristretto del tunnel. Era evidente che l'assalto a Baba Amr era diventato più violento e indiscriminato nella sua ferocia. Gli sguardi traumatizzati e assenti delle donne che stringevano tra le braccia i corpi fasciati e sporchi di sangue dei figli erano estremamente eloquenti. Gli uomini, pallidi, emaciati, piegati in due, avevano tutti una ferita da qualche parte. Il tunnel era la loro ultima risorsa, l'ultima possibilità di sfuggire alla brutalità, mentre i vivi e gli illesi erano costretti a restare nel purgatorio di Baba Amr.

A un tratto, il ribelle canterino in fondo alla fila intonò di nuovo il suo triste lamento, il che segnò la ripresa delle ostilità per Marie. Evidentemente il cantore dell'apocalisse aveva deciso fosse il momento di esacerbare il clima lugubre del tunnel. Marie esplose.

«Digli di chiudere quella cazzo di bocca!», sbraitò, senza la minima traccia di ironia.

Wa'el trasmise il messaggio, dopo di che nel buio riecheggiò uno scambio acceso in arabo. "Merda", pensai, "ci manca solo che scoppi un litigio nel nostro gruppetto". Avevamo tutti i nervi a fior di pelle ed ebbi la netta sensazione che ci stessimo rendendo conto solo allora di esserci lanciati in un'impresa al di là delle nostre possibilità.

Il caldo era insopportabile. Zuppi di sudore e in preda ai crampi, proseguimmo, inseguendo il tenue bagliore della torcia del ribelle in testa. In quel momento, il tunnel era la mia vita e non riuscivo a ricordare un tempo fuori dalle sue pareti ruvide e opprimenti. Quel loculo di cemento, sepolto nella terra, era un inferno che conduceva a un altro inferno: Baba Amr.

E inferno fu. Riemergemmo dal sarcofago sotterraneo in un mondo completamente diverso. Le esplosioni si susseguivano senza soluzione di continuità, la terra tremava e il cielo era attraversato da lampi di un bianco stroboscopico che illuminavano un paesaggio devastato, demoniaco. Il nostro mondo era cambiato per sempre. Non poteva esserci ritorno da un posto come quello. Stavamo per entrare nel sesto cerchio dantesco, nella città infernale di Dite, circondata da una cinta muraria di ferro incandescente e disseminata di tombe infuocate.

Restammo lì, l'uno accanto all'altro, a contemplare la scena.

«Porca troia», borbottò Marie.

Io rimasi in silenzio: Marie aveva reso perfettamente l'idea e non c'era molto altro da dire.

Wa'el ci strappò ai nostri pensieri mettendomi in bocca una sigaretta e dichiarando con un sorriso: «Ragazzi, abbiamo bisogno di un caffè. Forza, andiamo in centro».

Wa'el si dimostrò il perfetto antidoto all'orrore che ci circondava. Non fosse stato per la sua battuta, saremmo scappati a gambe levate e avremmo riattraversato il tunnel per tornare alla relativa tranquillità di un campo di battaglia "normale".

Per fortuna, a differenza dell'altra volta, non c'erano camion da caricare né ribelli canterini a spaventarci a morte. C'era solo l'urgente bisogno di muoversi. Salimmo sul retro di un pickup e le nostre guardie, con le armi pronte a far fuoco e gli occhi bene aperti, fecero cenno di andare all'autista, che partì a tutta velocità. Gridando per farsi sentire sopra il rumore del motore, Wa'el si rivolse al comandante dell'ESL di Homs, che aveva acconsentito a portarci direttamente al media centre. La situazione era cambiata: non c'erano più posti sicuri dove fare tappa lungo il tragitto.

Fu una corsa folle. L'autista spingeva l'acceleratore a tavoletta, senza cercare di innestare dolcemente le marce per maggiore discrezione, ma anzi inchiodando e accelerando all'uscita delle curve con l'abilità di un rallysta. E faceva bene: il fuoco era molto più intenso in confronto al nostro ultimo viaggio. La situazione era degenerata in così poco tempo che iniziai a domandarmi se non si trattasse del preludio alla tanto temuta invasione di terra.

Marie sembrava pensare la stessa cosa. «Paul, è allucinante», urlò sopra il rombo del motore e delle esplosioni.

«Concordo», gridai di rimando.

Lei sorrise.

«Come sei inglese, Paul», e scoppiò a ridere, accucciandosi istintivamente mentre una salva di proiettili passava accanto al pickup.

Continuammo a sfrecciare nella notte in una cacofonia di esplosioni e fuoco di armi leggere che non facevano che acuire il terrore che provavamo di fronte alla guida spericolata dell'autista. A un tratto, scorgemmo due fari in avvicinamento. Le guardie dell'ESL assunsero la posizione di difesa e l'autista si fermò sul ciglio della strada. Il veicolo, intanto, continuava a venirci incontro, illuminandoci con i fanali. Non potemmo fare altro che trattenere il fiato e aspettare. Poi l'auto lampeggiò e le guardie si rilassarono. Wa'el chiese loro spiegazioni e ci rassicurò: si trattava di un'altra pattuglia dell'ESL.

Il pickup parcheggiò accanto a noi e ci fu un breve scambio che Wa'el ascoltò attentamente. Poi i due veicoli ripartirono in direzioni opposte e Wa'el ci informò che avremmo dovuto fermarci a Sultaniya, dove J.-P. aveva lasciato i pantaloni l'ultima volta, perché i ribelli avevano bisogno del nostro pickup per una missione. Una volta lì, avremmo trovato un altro passaggio.

Non era una bella notizia. Non avevamo nessuna voglia di rimanere bloccati in periferia e il tempo ci remava contro. Sapevamo quanto fosse difficile lavorare a Baba Amr: ogni ora era cruciale. Marie attirò Wa'el a sé per sottolineare l'importanza di trovare subito un altro veicolo. Stavolta niente tè e niente bucato, gli disse.

A Sultaniya accettammo le tazze di tè offerte dai ribelli dell'ESL che ci guardavano, seduti sul pavimento. Il viso di Marie tradiva una profonda irritazione. Wa'el sembrava mortificato e io mi limitai a osservare la scena, cercando con tutte le mie forze di reprimere l'ilarità. Era una situazione inevitabile: non c'erano veicoli a disposizione, di qui il rito del tè e i ribelli sorridenti. Marie si rivolse a Wa'el chiedendogli a denti stretti di "trovare una stracazzo di macchina il più presto possibile". Wa'el non batté ciglio, ma io capii che rideva fra sé quando, mentre usciva dalla stanza in cerca di un mezzo e di un autista, mi strizzò l'occhio.

Facemmo in tempo a bere tre tazze di tè prima di salire finalmente su una vecchia Datsun metallizzata con il parabrezza crepato e rattoppato con lo scotch. L'autista girò la chiave nel quadro e il motore si accese per poi spegnersi subito dopo. Ci riprovò, ma non ebbe più fortuna. Nell'auto cadde il silenzio. Marie incrociò il mio sguardo, non disse nulla e tornò a fissare il vuoto davanti a sé.

La terra tremava, il cielo notturno era squarciato dai lampi delle esplosioni e la Datsun partì al quarto tentativo. Non sapevo se fosse una buona notizia o meno. Mi chiesi se sarebbe mai ripartita nel caso il motore si fosse spento lungo il tragitto per Baba Amr. Ma non aveva senso farsi quelle domande: ormai procedevamo a tutta birra. Sapevo che quella era la parte più pericolosa del viaggio, perché dovevamo attraversare le postazioni militari di Assad.

L'autista aveva una tecnica tutta sua. Spingeva l'acceleratore a tavoletta e non rallentava a meno che non fosse assolutamente necessario. Sospettavo che ormai le forze del governo tenessero quella strada nel mirino. Il fuoco d'artiglieria che ci riversarono addosso fu incredibile, e non in senso buono. A un certo punto optai per un approccio "occhi chiusi": non volevo vedere cosa ci avrebbe colpito; preferivo che fosse una sorpresa. L'autista, dal canto suo, aveva sviluppato una variante alla mia tattica: se ne stava accucciato dietro il volante di modo che spuntassero solo gli occhi da sopra il cruscotto. Sembrava un pensionato alla guida di una Morris Minor.

Sfrecciavamo per le stradine e, a ogni incrocio, venivamo inseguiti da raffiche di proiettili esplosivi. Superavamo ballonzolando crateri, schivavamo pezzi di muratura e aggiravamo bruscamente alberi e pali del telefono crollati a terra. Era quasi impossibile credere alle stime secondo le quali a Baba Amr vivevano ancora 28.000 persone. Non ne avevo vista neanche una.

Viaggiando a quella velocità attraverso le rovine del quartiere immerso nel buio della notte, perdemmo completamente l'orientamento, e fu con una certa sorpresa che, all'improvviso, ci fermammo fuori dal media centre. Il mio corpo irrigidito si rilassò. Mi voltai verso Marie, che aveva il capo reclinato all'indietro e gli occhi chiusi. Sapevo cosa provava in quel momento: puro e semplice sollievo. Era stato un viaggio mentalmente e fisicamente sfiancante. Mi accesi una sigaretta e sorrise.

Marie Colvin a Tripoli Street, Misurata, durante l'assedio della città libica.

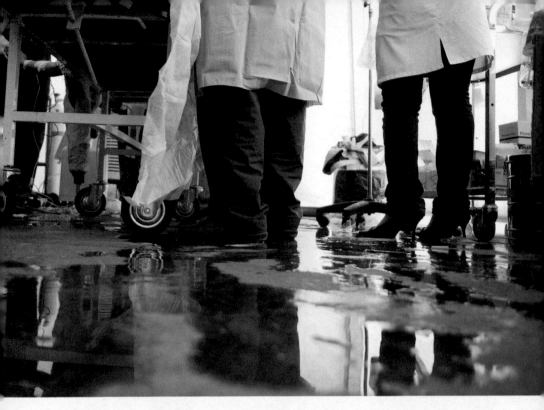

Un pavimento macchiato di sangue: all'ospedale Al Hikma di Misurata i dottori devono cura-re un flusso costante di feriti, rischiando di farne collassare le pericolanti strutture d'emergenza.

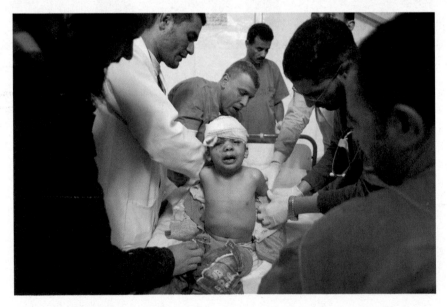

Un bambino ferito dalla scheggia di una granata nel corso di un attacco di missili GRAD, du-rante l'assedio di Misurata.

Paul Conroy insieme ai ribelli libici subito dopo la presa del palazzo di Gheddafi, a Tripoli.

Marie Colvin e Paul Conroy, quando vivevano sul prato sintetico fuori da una scuola, poco dopo che Tripoli era caduta in mano ai ribelli.

I membri dell'ESL difendono il loro quartier generale nei pressi della città di Homs.

Il Sotterraneo delle vedove, un'ex falegnameria in cui hanno trovato rifugio donne e bambini di Baba Amr.

Marie Colvin esplora le rovine di una casa vicina al media centre, dove poche settimane prima, durante un attacco dell'artiglieria, sono state uccise quattro donne. *William Daniels/Panos Pictures*

La stanza principale del media centre di Baba Amr dove Marie Colvin e Rémi Ochlik sono stati uccisi dalle bombe del regime siriano. *William Daniels/Panos Pictures*

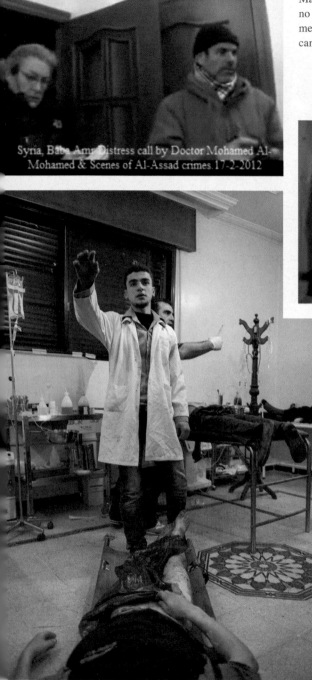

Marie Colvin e Paul Conroy documentano l'assedio di Baba Amr, mentre le vittime continuano ad affluire all'ospedale da campo.

Il dottor Mohamed Al-Mohamed, che ha lavorato nei vari ospedali da campo sin dall'inizio del conflitto, si scaglia contro la violenza dell'assedio che Baba Amr è costretta a subire.

Un membro del team medico della clinica da campo di Baba Amr, afflitto per la morte di un altro civile.

Rémi Ochlik con alcuni ribelli dell'ESL pochi giorni prima di entrare a Baba Amr, dove è stato ucciso, solo otto ore dopo essere arrivato al media centre. *William Daniels/Panos Pictures*

La casa in cui Paul Conroy, Edith Bouvier, William Daniels e Javier Espinosa si sono nascosti per cinque giorni in seguito alla morte di Marie Colvin e Rémi Ochlik. *William Daniels/ Panos Pictures*

My name is Paul conroy.

Un'immagine del videomessaggio che Paul Conroy, gravemente ferito, ha inviato al resto del mondo per denunciare gli orrori di Baba Amr.

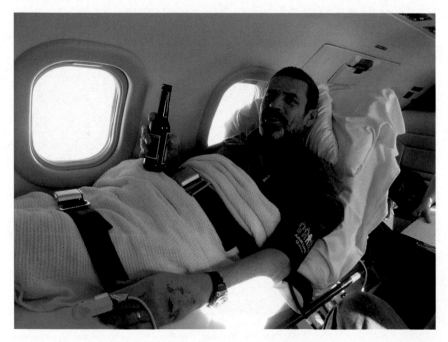

Un momento indimenticabile: Paul Conroy festeggia la sua fuga dal Libano a bordo di un aereo diretto in Gran Bretagna.

Wa'el era su di giri. «Ehi, ragazzi, siamo a casa!», esclamò con un sorriso radioso. Poi scese dalla macchina e prese le nostre borse. Io e Marie uscimmo barcollando e stirandoci per alleviare i crampi. Alzando lo sguardo sul media centre, vedemmo che era ancora intatto e, malgrado il feroce assalto di Assad, ci sentimmo davvero a casa.

Un violento colpo di mortaio in fondo alla strada spazzò via le nostre riflessioni sentimentali e ci indusse a correre al relativo riparo dell'edificio di tre piani. Conoscevamo già la routine: saltellare goffamente qua e là finché non riuscivamo a slacciarci gli scarponi sporchi di fango. Lì, nell'ingresso di un edificio condannato, sotto il bagliore verde pallido di una triste lampadina a basso consumo, Marie Colvin si tolse gli scarponi per l'ultima volta.

Entrammo nel centro, ormai familiare, in silenzio. Nessuno sapeva del nostro ritorno e speravamo che funzionasse ancora tutto. Richiudendo la porta scorrevole di vetro che conduceva alla stanza principale, vedemmo subito Abu Hanin. Si stava alzando in piedi e girò istintivamente la testa verso la porta quando percepì del movimento. Rimase un attimo immobile, a bocca aperta.

«Ma porca puttana! Abu Falafel, Marie», sbottò poi. «Che cazzo ci fate di nuovo qui?».

Marie sorrise e replicò: «Ehi, una storia è una storia, e questa non è ancora finita». Era di nuovo felice. Era tornata per fare quello che le veniva meglio: denunciare.

Abu Hanin si rivolse a me. «Abu Falafel, mi hai portato il tabacco e il pollo di Nando's?», mi chiese con aria scherzosa.

«Mi dispiace, amico mio, ma il Tesco più vicino era a più di mille chilometri, ed era chiuso, per giunta, e il pollo ce lo siamo mangiato per strada», risposi, accarezzandomi la pancia e leccandomi le labbra con finta soddisfazione.

Fu un piacere rivedere i volti familiari degli attivisti del centro.

Erano passati solo pochi giorni da quando ci eravamo salutati con la minaccia incombente di un'imminente invasione. E invece eccoli lì, ancora vivi. Certo, il loro numero si era dimezzato e la stanza sembrava stranamente spaziosa. Sistemammo le borse accanto alla porta scorrevole nel caso in cui avessimo dovuto fuggire in fretta e prendemmo posto sul pavimento. Abu Hanin prese una coperta e si sedette accanto a noi.

«Ragazzi, gli ultimi giorni sono stati allucinanti», cominciò nel suo inglese che tradiva un lieve accento canadese. «I bombardamenti stanno peggiorando, parecchio. L'altro giorno abbiamo perso due macchine per via di un colpo di mortaio. Ora è difficile muoversi. Dobbiamo andare a piedi dappertutto e i cecchini conoscono i nostri percorsi. I medici non ce la fanno più».

Io e Marie ascoltammo attentamente. Le parole di Abu Hanin confermavano ciò che avevamo visto nel tunnel: l'intensità dell'assedio era cresciuta. Spostarsi stava diventando sempre più difficile e il numero di feriti aumentava di giorno in giorno.

«Possiamo tornare all'ospedale da campo?», chiese Marie.

Abu Hanin parve perplesso. «Perché? Lo avete già visto. Non c'è bisogno che ci torniate».

Marie spiegò a Abu Hanin che volevamo raccontare come facevano gli abitanti di Homs a raggiungere l'ospedale, chi ce li portava e come facevano senza ambulanze e senza altri veicoli.

«È molto difficile», disse lui. «Ma possiamo provarci domani. Dipenderà dai bombardamenti, però. Non posso promettervi nulla».

Marie aveva un'ultima domanda. «Hai ancora il mio vestito? Sto morendo di freddo», disse, riferendosi al lungo abito nero di foggia araba che aveva indossato l'ultima volta. Quello da regina cecena.

Abu Hanin scoppiò a ridere. «Te lo vado a prendere subito».

Io, Marie e Wa'el ci sistemammo nell'ambiente spartano del

media centre di Baba Amr. Tirammo fuori i portatili, scaricammo la posta elettronica e attendemmo nervosamente di vedere se Skype avrebbe funzionato. Per fortuna sì. Effettuai l'accesso per leggere eventuali messaggi. Negli ultimi giorni lontano da Homs non avevamo potuto collegarci a Internet, quindi quella era una buona occasione per rimettersi in contatto con il resto del mondo.

Mentre scorrevo i messaggi su Skype, ne notai uno da parte di Miles Amoore. L'anno precedente io e lui ci eravamo uniti alla prima unità di ribelli per dare l'assalto alla capitale libica. Il suo messaggio era abbastanza telegrafico. «Ehi, amico mio, stai facendo un gran lavoro in Siria, sono invidioso, vorrei essere lì».

La mia risposta fu ancora più telegrafica. «Col cazzo che vorresti essere qui». Immaginai che sarebbe rimasto scioccato, perché sapeva che non ero il tipo che esagerava.

Io e Amoore eravamo rimasti coinvolti nella feroce battaglia a Tripoli e dintorni mentre coprivamo la marcia dei ribelli sulla capitale. Stavamo assistendo all'assedio del palazzo di Gheddafi quando Miles era stato colpito al casco da un cecchino ed era sopravvissuto per miracolo. Malgrado ammettesse apertamente di essere astemio e di fumare sigarette "da donna", aveva portato avanti la sua corrispondenza.

Il proiettile colpì il casco, conficcandomi il Kevlar nel lato sinistro del cranio e scaraventandomi a terra. Confuso e scioccato, non capii subito cosa mi avesse fatto cadere: mi ci volle qualche secondo per rendermi conto che ero stato colpito alla testa. Sentivo un rumore metallico risuonarmi nelle orecchie.

Come prima cosa, visualizzai un ammasso informe di materia grigia. Un attimo dopo, però, mi accorsi di non provare dolore, a parte un mal di testa che mi aveva martellato per tutta la giornata perché avevo solo una lente a contatto. Il pensiero successivo fu che stavo ancora pensando, quindi il mio cervello non aveva smesso di funzionare. Ma poi mi dissi: "Forse quando si muore è così".

Infilai entrambe le mani nel casco in cerca di sangue, pregando di non trovarne. Era difficile, però, perché la cinghia era talmente stretta che non riuscivo ad arrivare fino in fondo con le dita.

Mi ci volle più di un tentativo per avere la certezza che non perdevo sangue e che il mio cervello non era in mezzo alla sabbia: avevo le mani nere di sporcizia.

Niente sangue. Bene. La paura di morire, seguita dall'euforia di essere ancora vivo, mi fece per un attimo dimenticare dov'ero. Poi alzai gli occhi e vidi un ribelle libico che mi fissava a bocca aperta, visibilmente sotto shock.

Gli altri erano fuggiti quando ero stato raggiunto dal proiettile: steso a terra, vedevo i loro piedi allontanarsi di corsa.

Mi resi conto che dovevo alzarmi. I proiettili continuavano a sfrecciarmi accanto, sollevando schizzi di fango. Mi tirai su e corsi verso un riparo, girando l'angolo di un edificio e appoggiando la schiena contro il muro per riprendere fiato.

Poi mi tolsi il casco e controllai di nuovo che non ci fosse sangue. Niente. I ribelli si allinearono contro un muro sul lato opposto del vicolo e continuarono a fissarmi impassibili.

Era colpa mia.

Io e Paul Conroy, fotografo del «Sunday Times», ci eravamo accucciati dietro un cancello rosso sul ciglio di una strada che conduceva al palazzo di Gheddafi.

I pickup dei ribelli, con i mitragliatori montati a bordo, risalirono la via alla nostra destra esplodendo raffiche assordanti di fuoco antiaereo contro il palazzo di Gheddafi e sparando sventagliate di armi leggere per la strada.

«Vado prima io. Tu seguimi», disse Paul. Io annuii. Paul fece in modo che il suo scatto coincidesse con la successiva raffica di fuoco antiaereo, che sperava bloccasse i tiratori di Gheddafi abbastanza a lungo da consentirgli di raggiungere la moschea. Mentre correva, un ribelle pochi metri dietro di lui fu colpito a un braccio da un proiettile.

Sapevo che il cancello non offriva un riparo sicuro. Così mi tirai su, pronto a scattare, quando un gruppo di ribelli partì davanti a me.

Non volevo essere l'ultimo per paura che i cecchini di Gheddafi avessero già aggiustato la mira nel momento in cui mi fossi accodato agli altri. Così aspettai che passassero alcuni pickup e che le loro raffiche si esaurissero. Nel frattempo, un altro gruppo di ribelli mi raggiunse al cancello.

Fu allora che il proiettile mi scaraventò a terra. Probabilmente aveva perforato il cancello alla mia sinistra, rallentando la sua corsa quel tanto che bastò a non passare attraverso il Kevlar e a non conficcarmisi nel cranio.

Paul non si era accorto che ero stato colpito: si stava occupando del ribelle che aveva perso il braccio.

Mi trovò a fumare una sigaretta e a bere dell'acqua, seduto su un marciapiede accanto a un ribelle con una t-shirt rosa che cercava di convincermi ad andare a farmi visitare in un'ambulanza dietro l'angolo.

«Che ti è successo?», mi chiese.

«Mi hanno sparato alla testa», risposi, ridacchiando come uno scemo.

«Stai bene?»

«Sì».

«Okay, allora alzati e piantala di frignare», ribatté lui ridendo.

Pochi minuti dopo, mentre avanzavamo a fianco dei ribelli, un proiettile fece saltare via la macchina dalle mani di Paul. Eravamo stati entrambi fortunati. Mentre la battaglia continuava a infuriare intorno a noi, ci imbattemmo in un corrispondente della Reuters che ci apostrofò, scherzando: «Che ci fanno due corrispondenti del "Sunday" in giro a farsi sparare di martedì?».

[2011, Bab al-Aziziya, Tripoli, estratto dal resoconto dell'incidente scritto da Amoore]

20 febbraio 2012, media centre, Baba Amr, Siria

Ed ecco com'era andata fra me e Miles. Lui possedeva un fantastico e grottesco senso dell'umorismo, che sarebbe stato messo a dura prova nelle settimane successive. Avevamo stretto un legame molto forte, forgiato dallo stress della battaglia urbana.

I bombardamenti fuori dal media centre si stavano placando.

Non cessavano mai del tutto (gli artiglieri sparavano anche di notte), ma provammo tutti un leggero sollievo quando le esplosioni si diradarono.

Scrissi delle email alla mia famiglia, sostituendo le parole "Baba Amr" con "quel posto" per far capire loro dove mi trovavo. Non avevo voglia di pubblicizzare il fatto che fossimo tornati a Homs, e speravo che avrebbero decifrato il mio messaggio vagamente criptico. Non volendo causare inutili preoccupazioni, durante una conversazione su Skype con Bonnie, la mia compagna, tentai di minimizzare i rischi che stavamo correndo e mentii sui motivi che ci avevano spinto a tornare a Baba Amr. Le dissi che l'unico modo per uscire dalla Siria era attraversare il quartiere assediato e che dovevamo tenere un basso profilo mentre l'ESL escogitava un piano di evacuazione. Purtroppo, le raffiche di mitra e i rombi delle granate giungevano fino in Devon, e Bonnie era visibilmente spaventata. Le mie parole di rassicurazione suonavano banali e poco convincenti. Così ci augurammo la buonanotte e ci salutammo.

Poi io e Marie ci dedicammo per l'ennesima volta all'ardua impresa di preparare dei giacigli per la notte nella stanza sul retro del media centre. Vestiti dalla testa ai piedi, costruimmo i nostri nidi di pesanti coperte per poi aiutarci a vicenda a infilarci sotto quello spesso strato.

Marie professava spesso il suo odio per il fatto di dover dormire in stanze piene di uomini per via di un episodio spiacevole che le era capitato durante la sua fuga dalla Cecenia. Era stata costretta a vivere e dormire in una grotta con dei ribelli ceceni e, a suo dire, il loro russare raggiungeva livelli sonori epici che nessuna donna avrebbe mai dovuto sopportare. Peccato che anche Marie russasse come un ribelle ceceno. Nemmeno con le cuffie e la musica a tutto volume riuscivo a coprire il baccano che faceva.

Mentre cercavamo di appisolarci, Wa'el mi sussurrò: «Paul, Marie ha un compagno?».

Io gli risposi di sì. «Si chiama Richard. È un tipo in gamba».

Lui aspettò che il russare di Marie si placasse per osservare: «Deve amarla molto».

Io rimasi sveglio per ore quella notte. Soffro abitualmente d'insonnia, ma la combinazione dell'incredibile performance sonora di Marie e del crescente disagio rispetto alla nostra situazione accentuò la mia difficoltà a prendere sonno.

Non ero mai tranquillo a Baba Amr. Mi domandai quali battaglie si combattessero ancora a quell'ora assurda. Forse quelle impossibili da vincere? Ma si trattava davvero di battaglie o solo di un gioco psicologico teso a complicare la vita agli abitanti di quel pezzo di terra dimenticato da Dio?

Riflettei sul trauma inflitto agli uomini, alle donne e ai bambini costretti a subire un bombardamento che io stesso, da ex soldato e giornalista che aveva assistito a molte guerre, trovavo psicologicamente devastante. I pensieri mi si affastellavano nella mente, le esplosioni riecheggiavano nella città morente e Marie, la regina cecena, continuava a russare.

9
LA FUORILEGGE CORAGGIOSA

21 febbraio 2012, Baba Amr, Siria

Durante le prime ore della mattina di martedì, Abu Hanin ci convocò nella stanza principale del media centre. Sullo schermo di un portatile c'era un bambino di pochi anni che si dimenava e rantolava disperatamente prima di esalare l'ultimo respiro. Noi restammo a guardare in silenzio.

Quella scena galvanizzò Marie, toccando i nervi scoperti che alimentavano il suo bisogno di testimoniare. «Paul, dobbiamo diffondere la notizia. Non possiamo lasciare che passi sotto silenzio e scompaia nell'etere. Stanno ammazzando i bambini, Cristo santo. Dobbiamo dirlo al mondo. È per questo che siamo qui», disse, gli occhi furiosi fissi su di me.

Sotto la sua rabbia covava una determinazione d'acciaio unita a un mirabile sprezzo del pericolo. Nella sua ultima corrispondenza da Baba Amr aveva restituito un'immagine vivida e toccante della vita nel quartiere assediato. Marie, però, non si accontentava mai. Si sarebbe spinta oltre, avrebbe scavato più a fondo, rifiutando di lasciarsi intimorire dal regime omicida di Bashar al-Assad.

«Va bene Marie, sono d'accordo. Ma abbiamo due problemi», risposi io. «Primo: è martedì mattina, non sono io a dovertelo ricordare. Possiamo davvero rimandare la storia fino a domenica?

Secondo: nessuno sa che siamo tornati a Baba Amr. Dovremmo dirglielo».

In effetti, né io né lei avevamo informato i nostri rispettivi redattori, Sean Ryan, degli esteri, e Ray Wells, del pic desk, del nostro progetto di fare ritorno laggiù. Era una decisione unilaterale che avevamo preso a Al Buwaida. In pratica, avevamo fatto di testa nostra. D'altra parte, se li avessimo messi al corrente, ci avrebbero, con ogni probabilità, negato l'autorizzazione. Al giornale davano tutti per scontato che stessimo seguendo la storia dalla relativa sicurezza di Al Buwaida.

In realtà, io e Marie ce ne stavamo accucciati come conigli spaventati in una tana. I bombardamenti avevano avuto un'escalation assurda e continuavano a intensificarsi di ora in ora. I sibili dei razzi Katyusha e delle granate dell'artiglieria erano ormai talmente vicini da coprire le nostre conversazioni. Dovemmo sederci vicini per riuscire a parlare.

«Secondo me dovrei dirglielo che siamo qui», osservò Marie.

«Sì, forse è meglio», concordai.

Marie accese il portatile e cominciò a scrivere.

Da: Marie Colvin
Data: 21 febbraio 2012, 10:30
Oggetto: baba amr
A: Sean Ryan, Graham Paterson
Cc: Lucy Fisher

Sono a Baba Amr, i bombardamenti sono iniziati alle 6:30 di mattina. È disgustoso che lascino che il regime siriano continui così. Oggi abbiamo assistito a una scena scioccante che ha avuto luogo all'ospedale da campo. C'era un bambino piccolo disteso su un foulard, nudo, con il pancino gonfio, che faticava a respirare. I medici dicevano: «Non possiamo fare niente per lui». Era stato colpito al fianco sinistro da una scheggia di granata. Non hanno potuto fare altro che lasciarlo morire, con sua madre che piangeva.

Non c'è elettricità, non c'è acqua e fa molto, molto freddo.

Come vi ho già detto, vorrei concentrarmi sulla difesa della città per approfondire un tema diverso da quello della scorsa settimana. Tuttavia, credo fermamente che, per essere più incisivi, dovremmo includere le storie dei civili, a costo di sembrare un po' ripetitivi. Credo che mi concentrerò di nuovo su Baba Amr, 28.000 civili indifesi sotto i bombardamenti, e l'unica cosa che l'ESL riesce a fare è respingere le incursioni dell'esercito siriano con armi leggere e cercare di portare i feriti in ospedale, o in Libano nei casi più gravi. L'esercito siriano si sta accanendo su questo quartiere, che martella quotidianamente dal 4 febbraio. È la nuova Srebrenica. Ci sono state parecchie indagini sugli errori delle Nazioni Unite dopo la caduta di Srebrenica. Ma erano già morte migliaia di uomini e di ragazzi. Succederà anche qui?

Che io sappia, il «Sunday Times» è l'unico giornale occidentale presente a Baba Amr, forse addirittura a Homs, anche se da questo posto sotto assedio è difficile dire cosa succede nel resto della città.

Il Thuraya non funziona qui. Solo email o Skype. Per favore, dite a Annabelle che Paul è qui e ha inviato un video ieri notte.

M

Il tempo non passava mai al media centre. Sapevamo che qualsiasi tentativo di muoversi all'esterno sarebbe stato un suicidio, e persino gli attivisti più esperti esprimevano delle riserve sull'eventualità di lasciare l'edificio. Un profondo sconforto aleggiava nella stanza fredda e umida in cui ce ne stavamo raggomitolati in cerca di un po' di calore. Non potevamo fare nulla. Alcuni provavano a dormire, altri chattavano su Skype per ingannare il tempo e tranquillizzarsi. Il media centre era diventato il nostro mondo.

A un tratto, udimmo un rumore di passi e qualcuno spalancò la porta di vetro alla nostra destra. Un attimo dopo, un giovane cameraman coperto di polvere di cemento, ansimante e visibilmente esausto, irruppe nella stanza e si rivolse agli attivisti in un arabo concitato. Un gemito sconsolato percorse la stanza. Alcuni chiusero i portatili, interrompendo bruscamente le loro conversazioni su Skype, altri si presero la testa tra le mani. Il giovane doveva aver portato una pessima notizia.

Sebbene morissimo dalla voglia di chiedere a Abu Hanin cosa fosse successo, sia io sia Marie mostrammo la delicatezza di lasciare che quell'ondata di emozione si placasse. Ce lo avrebbero detto al momento opportuno. Io, nel frattempo, passai in rassegna le varie possibilità. "Merda", pensai, "e se si tratta dell'invasione di terra? Se è davvero iniziata, siamo morti".

Abu Hanin notò le nostre espressioni allarmate e venne a sedersi accanto a noi. Aveva lo sguardo spento. Sembrava che gli eventi di Baba Amr avessero prosciugato tutto il suo sentire. Ci disse che uno dei loro cameraman più bravi e coraggiosi, Rami al-Sayed, era stato colpito da una scheggia di granata ed era morto dissanguato all'ospedale da campo. Era una perdita gravissima per tutti loro. Ebbi un capogiro: quando una di quelle persone muore, ti rendi conto che nessuno è indistruttibile e che potrebbe capitare anche a te. La morte di Rami al-Sayed gettò tutti nello sconforto.

Il suo ultimo tweet prima della morte diceva:

A Baba Amr è in atto un genocidio. Non voglio che la gente dica semplicemente: i nostri cuori sono con voi! Abbiamo bisogno di azioni. Abbiamo bisogno di campagne di mobilitazione ovunque, dentro e fuori la Siria. Abbiamo bisogno di gente davanti alle ambasciate di tutto il mondo. Nel giro di poche ore Baba Amr non esisterà più e credo che questo sarà il mio ultimo messaggio. Nessuno vi perdonerà per aver parlato e basta, senza fare nulla!

Mi accasciai su un cuscino, accesi una sigaretta e fissai gli occhi sul soffitto, ripensando alle ultime parole di Rami. "Nel giro di poche ore Baba Amr non esisterà più e credo che questo sarà il mio ultimo messaggio. Nessuno vi perdonerà per aver parlato e basta, senza fare nulla!".

«Secondo te la situazione peggiorerà ancora, Paul?», chiese Marie. «Il padre di Assad ne uccise trentamila quando distrusse Hama nel 1982. Pensi che Bashar avrà le palle di rifarlo?»

«Secondo me Rami ci ha visto giusto nel suo ultimo tweet. Sarà sempre peggio», risposi in tono cupo. «Le truppe di terra di Assad non entreranno finché qua non saranno tutti morti o moribondi, ma sì, secondo me ci proveranno. Quegli stronzi non hanno il senso del limite».

Mi riappoggiai al cuscino continuando a fumare e cercando di non pensare alla spirale negativa in cui eravamo intrappolati.

Il portatile di Marie segnalò l'arrivo di una nuova email. Era da parte di Sean Ryan, della redazione esteri. La sua prima domanda era: «Siete al sicuro?». Poi la informava che le sue storie stavano raggiungendo un pubblico sempre più ampio. Quella mattina il suo amico Jim Muir, corrispondente della BBC, l'aveva nominata nel corso del programma *Today*, citando una frase tratta dal suo articolo sul veterinario che cercava di curare i feriti all'ospedale da campo. Le comunicava anche che Channel 4 aveva chiesto un'intervista con lei. Ma poi aggiungeva:

Non vogliamo istigare l'esercito siriano a venirvi a cercare perché trasmettete notizie sui loro crimini di guerra. Se è troppo rischioso, dirò a chiunque chieda interviste che al momento non è possibile averne. Mi raccomando, fatevi sentire via mail o hushmail e teneteci al corrente dei vostri movimenti e dei vostri piani.

Sean

«Che ne pensi?», mi chiese Marie in tono esitante, staccando gli occhi dallo schermo e fissandoli su di me dopo aver finito di leggere.

Eravamo perfettamente consapevoli dei rischi di un reportage live da Baba Amr. Marie era un pezzo grosso e sapevamo che avrebbe potuto dar fastidio nelle alte sfere, scatenando le ire del regime siriano.

Riflettei un istante. «Non so se quello che facciamo abbia più importanza, Marie. Questo posto è fottuto. Piove morte. In che

modo potremmo peggiorare le cose? Prima, però, è meglio se
ci consultiamo con Abu Hanin e i ragazzi. Non vorrei esporli ad
altri rischi. Se ci danno l'okay, facciamolo».

Abu Hanin tradusse la nostra richiesta agli altri attivisti nella
stanza, che si dissero d'accordo, «Sì, trasmettete dal vivo. Siete
qui per questo. Dovete raccontare la vostra storia», ci disse poi.

L'umore di Marie si risollevò immediatamente. Starsene lì seduti a farsi bombardare era per lei una tortura mentale. Aveva
bisogno di agire per non impazzire, quindi quella nuova prospettiva la rianimò. Chiunque arrivasse da fuori veniva sottoposto a
un lungo e sfiancante interrogatorio colvinesco. Tutti gli attivisti
e i soldati dell'ESL che si avventuravano nel media centre erano
costretti a sedere obbedienti e sconcertati di fronte a lei che li
torchiava e li spremeva come limoni. Alla fine di quelle sedute, ciascuno di quei giovani poteva dire di aver capito a fondo
il concetto di "accuratezza". E Marie proseguiva imperterrita,
guardando attentamente i video provenienti dalla prima linea e
controllando nomi, orari ed episodi. Così, a poco a poco, mise
insieme il puzzle dell'ultima giornata di massacri a Baba Amr.

Mentre Marie lavorava, iniziammo a ricevere richieste di interviste: una da Channel 4, in Gran Bretagna, un'altra dal programma *Anderson Cooper 360°* della CNN e un'altra ancora da
BBC World. Concordammo sul fatto di accordare l'intervista a
tutti e tre, e io autorizzai la BBC a utilizzare le mie immagini e le
mie riprese.

Il freddo era ormai diventato insopportabile. Eravamo senza
elettricità per la maggior parte della giornata e l'unica forma di
riscaldamento, una stufa elettrica a tre elementi, era fredda. In-
dossavamo tutti i vestiti che possedevamo, ma il gelo ci entrava
sempre più nelle ossa ogni minuto che passava. L'elettricità andava e veniva in modo del tutto imprevedibile: quando tornava
per qualche ora, scoppiava un vero e proprio pandemonio, perché

tutti si precipitavano a ricaricare le batterie prima dell'interruzione successiva. Anche il cibo stava diventando sempre più scarso. A un certo punto, trovai Marie intenta a esaminare un piatto. Lo teneva sollevato all'altezza degli occhi e punzecchiava i resti di cibo con una matita. Continuò a studiarli con grande attenzione prima di annunciare: «Cazzo, a quanto pare qualcuno ha mangiato del tonno».

Continuò a mettere insieme i suoi appunti in previsione della prima intervista con Jonathan Miller di Channel 4 News. Gli attivisti immersi nelle loro conversazioni su Skype facevano talmente tanto baccano che Marie dovette spostarsi nella stanza accanto, che però aveva una finestra sulla strada, cosa che mi allarmava un po'. La sistemai in un angolo, lontano dal raggio d'azione di qualsiasi ordigno che sarebbe potuto esplodere all'esterno. Nella stanza non c'era elettricità, quindi si sedette da sola, al buio, china sul portatile, tentando di orientarsi nell'oscuro mondo di Skype. A un certo punto, malgrado fosse, per sua stessa ammissione, una luddista di prim'ordine, mi mostrò i pollici. Era pronta, a quanto pareva.

Due minuti dopo, udii la sua voce lamentosa chiamare dall'altra stanza. «Paul, non si sente niente. Cazzo, Paul, non mi sentono. Non funziona, posso usare il tuo?».

Ridacchiando fra me, alzai il volume usando l'apposito e visibilissimo comando e collegai al portatile le cuffie che Marie aveva sulla testa. Ed eccola miracolosamente pronta per l'intervista live su Channel 4.

Fu eloquente e appassionata nel restituire un'immagine di morte e disperazione nel quartiere assediato e semidistrutto di cui noi stessi eravamo ormai virtualmente prigionieri. Raccontò dei civili straziati che venivano trascinati nell'improvvisato ospedale da campo, di arti appesi a un filo e vite appese a molto meno. Descrisse il modo in cui i medici, impotenti, si trovavano a dover rimuovere enormi schegge da corpi rattrappiti e a sostenere gli sguardi terrorizzati dei feriti distesi sulle barelle che sentivano la vita sfuggire via. Parlò di tutti coloro che non ce l'avevano fatta: di un bambino che non riusciva a respirare e di dottori che non potevano fare altro che piangere, mentre i piccoli della Siria venivano massacrati sotto i loro occhi per una spietata lotta di potere.

Il suo messaggio fu trasmesso da un piatto satellitare tutto ammaccato sopra un tetto che cadeva a pezzi alle case di milioni di inglesi che si stavano mettendo a tavola per la cena, migliaia di vite più in là.

Poi fu la volta dell'intervista a BBC World. Il racconto di Marie e le immagini che avevo scattato nei giorni precedenti dipinsero l'assurda realtà. Marie parlò con furia e fervore.

C'è un piccolo ospedale. Non lo si può neanche definire tale; più che altro è un appartamento trasformato in ospedale. Ci sono le sacche del plasma appese alle stampelle per i vestiti. E c'è un flusso costante di civili.

Oggi ho visto un bambino morire. Una cosa terribile. Aveva solo due anni ed era stato colpito da una scheggia. Quando lo hanno spogliato, hanno constatato che si era conficcata nella parte sinistra del petto. Il medico ha detto semplicemente: «Non posso fare nulla», e il suo pancino ha continuato ad alzarsi e ad abbassarsi finché non è morto. E succede in continuazione.

Nessuno qui riesce a farsi una ragione dell'inerzia della comunità internazionale. Soprattutto quando si ha un esempio precedente, quello di Srebrenica: una città bombardata, una serie di indagini delle Nazioni Unite dopo il massacro, tante promesse che non sarebbe più accaduto. Ci sono 28.000 persone nel quartiere sotto assedio di Baba Amr, a Homs, dove mi trovo ora. E stanno qui perché non possono fuggire. I siriani non li lasciano uscire e bombardano tutte le zone abitate dai civili.

Ovviamente c'è l'Esercito siriano libero, qui. Ma i soldati dispongono solo di armi leggere. Kalashnikov e qualche granata a razzo. Per lo più hanno un ruolo difensivo. Infatti la gente ha il terrore che se ne vadano. E intanto piovono granate, razzi e proiettili di carri armati. È implacabile.

Marie, la fuorilegge vestita di nero, se ne stava seduta davanti al portatile al freddo e al gelo tentando di umanizzare la gente di Baba Amr. Armata solo di parole, trasformò le vittime anonime di una guerra lontana in persone con un volto e una vita: persone che richiedevano l'attenzione del mondo.

Tra l'intervista a Channel 4 e quella alla BBC, mi raggiunse nella sala principale. Si avvolse una coperta intorno alle spalle, sopra l'abito nero, e si sedette accanto a me con un'espressione accigliata. Era tornata l'elettricità ed eravamo riusciti a guardare la sua intervista.

«Com'è andata?», mi chiese dubbiosa.

«Sei stata grande, Marie. Vedrai che solleverai un polverone. È roba forte».

«Lo spero proprio», rispose lei. «Sono contenta che siamo riusciti a trasmettere qualcosa finché possiamo».

Non la ripresi per le sue ultime parole: "finché possiamo". Avevamo raggiunto un tacito accordo, io e lei. Eravamo consapevoli della situazione e non c'era bisogno di aggiungere altro. Passarono due ore, che trascorremmo seduti nella stanza. Io fumavo e lei inalava passivamente. Se c'era un momento adatto per infrangere il suo proposito e ricominciare a fumare, era proprio quello. Ma Marie non cedeva mai. In attesa del collegamento con la trasmissione *Anderson Cooper 360°* della CNN, scrisse una mail a Sean della redazione esteri per aggiornarlo.

Da: Marie Colvin
Data: 21 febbraio 2012
Oggetto: baba amr
A: Sean Ryan, Graham Paterson
Cc: Lucy Fisher
Tutto bene qui. Dal punto di vista dei bombardamenti, è la giornata peggiore in assoluto. Ho contato 14 esplosioni in 30 secondi.

Ho rilasciato le interviste a *The Hub* della BBC e a Channel 4. Anche ITN me ne ha chiesta una, ma non sono sicura dell'etichetta, diciamo. Se rilascio interviste a tutti, poi si incazzano tutti?

Ecco il mio piano per domani: cercherò di raggiungere l'unico ospedale da campo e passerò la giornata lì con le vittime civili. Muoversi troppo è pericoloso. Oggi sono state colpite due macchine di attivisti che giravano per Baba Amr per fare delle riprese. Una è stata distrutta.

Comunichiamo su Skype o solo via email? Mi trovate su mariecolvin1, forse è diverso da quello che avete voi, ma devono averlo clonato.

M

Marie si stava preparando per l'ultima intervista alla CNN quando arrivò un'altra mail che diceva:

Da: Ryan, Sean
Data: 21 febbraio 2012
A: Marie Colvin
Parliamo adesso. Ho aggiunto mariecolvin1 ai miei contatti. Mi chiami su Skype?

Visto che Marie non rispose, ricevemmo un'altra mail da Sean, che si era molto preoccupato.

Da: Ryan, Sean
Data: 21 febbraio 2012
A: Marie Colvin
Ccn: io
Ciao Marie,
sono preoccupato per quello che è successo alle due auto oggi. Ci sono un paio di questioni che dovremmo analizzare seriamente. La prima è se sia il caso di muoversi da lì. La seconda è se il materiale extra sulle vittime civili che riusciresti a raccogliere in un giorno all'ospedale varrebbe il rischio, visto lo straordinario lavoro che hai fatto la settimana scorsa a proposito dell'impatto sulla popolazione. Vorrei parlarti di questo. Se per qualsiasi motivo non riusciamo a comunicare via Skype, discutiamone via mail.

Sean

Marie era tornata nella stanza buia per rilasciare l'ultima intervista alla trasmissione *Anderson Cooper 360°* della CNN, un programma che raggiungeva un vasto pubblico.

Stava per raccontare al mondo intero ciò che avevamo visto a Baba Amr. A fine serata, non sarebbe più stato un segreto. I cosiddetti video "non verificati" sulla brutalità dell'attacco del presidente Assad che gli attivisti avevano postato su YouTube potevano essere passati inosservati, ma le cose stavano per cambiare: la strage stava per essere "verificata" dagli occhi occidentali di una corrispondente estera altamente competente e universalmente stimata. Insomma, da una fonte autorevolissima.

Ma non prima di alcuni intoppi tecnici dell'ultimo minuto.

«Paul, si è rotto. Cazzo, aiuto, il portatile è morto!», esclamò Marie pochi istanti prima della diretta.

Io mi precipitai nella stanza e la trovai che scuoteva il computer sopra la testa, imprecando contro quell'oggetto inanimato, girandolo da una parte e dall'altra e fulminandolo con lo sguardo. Mi bastò spingere il pulsante di accensione per farlo uscire dall'ibernazione.

Lei scoppiò a ridere. «Penserai che sono un'idiota, cazzo».

Io ci riflettei un attimo, poi mi guardai teatralmente intorno. «No, Marie. Penso che siamo due idioti, cazzo».

Marie rilasciò una delle interviste più incisive di tutta la sua vita. Usò parole semplici ma efficaci, esprimendosi con una rabbia repressa che ridusse al silenzio persino gli attivisti del media centre. La gente di tutto il mondo guardò quell'intervista. La sua mirabile eloquenza fece a pezzi la leggenda secondo la quale Assad stava portando avanti una campagna militare. Si trattava in realtà dell'annientamento e dell'assassinio ingiustificato di civili su vasta scala.

Io me ne stavo seduto con la sigaretta in bocca a guardare la CNN nella stanza principale del media centre. "Porca vacca", pensai, "chissà quanto si incazzeranno ai piani alti".

Quando ebbe finito, Marie si sedette accanto a me sui cuscini. Era visibilmente più rilassata. Aveva fatto il massimo per diffondere la notizia. Il mondo non poteva più fingere di non sapere e starsene con le mani in mano.

«Ce l'abbiamo fatta, Marie. Lo abbiamo detto a tutti e faremo scalpore, vedrai. Brava», esclamai.

«Bravo tu», ribatté lei sorridendo, per poi aggiungere, con uno sbadiglio: «Sono stanca. Non ho dormito benissimo ieri notte».

«Come?», saltai su allibito. «Ma se sembravi un trattore! Altro che ceceni».

«Ah, sì? Russo?», chiese lei. Era sinceramente convinta di no.

«Aspetta un attimo», feci ridendo. «Chiamo il mio primo testimone. Wa'el, vieni un po' qui, amico mio».

Quella sera, quando i bombardamenti cominciarono a diradarsi in termini di frequenza e intensità, ricevemmo una chiamata su Skype da Sean Ryan. La prima reazione di Marie fu: «Digli che non ci sono».

«Non ci sei? E dove dovresti essere, Marie? A fare la spesa?», replicai ridendo, mentre accettavo la chiamata in entrata.

Sean sembrava preoccupato, molto preoccupato. Aveva letto le email di Marie sulla situazione a Baba Amr e fece un rapido riassunto dello stato delle cose. Qualche giorno prima era uscita sul «Sunday Times» una storia in esclusiva, e ci eravamo appena collegati in diretta con tre reti televisive. Ormai il mondo era al corrente di ciò che accadeva a Baba Amr. Cos'altro volevamo, ci chiese, e cos'altro potevamo aggiungere senza che il rischio diventasse troppo grande? Voleva che ci preparassimo a partire il giorno seguente, mercoledì.

Marie non era d'accordo. Ribatté che l'indomani avremmo dovuto fare un sopralluogo all'ospedale da campo, in modo tale da rendere più incisivo l'articolo in uscita domenica. Certo, ci eravamo già stati, ma dovevamo tornarci per raccogliere altro materiale. Inoltre cercò di sdrammatizzare la situazione a Baba Amr dicendo a Sean che, anche se l'esercito avesse sferrato un attacco di terra, avremmo potuto nasconderci tra le macerie per alcuni giorni e mantenere un basso profilo finché non fossimo riusciti a scappare. Ma il piano di fuga di Marie sembrò rafforzare i timori di Sean, anziché attenuarli.

La sua replica fu infatti che non era affatto convinto dell'utilità della nostra permanenza. Avrebbe preferito che ce ne andassimo prima possibile, anziché restare per raccogliere del materiale che avevamo già.

Il braccio di ferro tra Sean e Marie proseguì: nessuno dei due voleva cedere. Lei era evasiva, mentre lui cercava di ottenere una specie di conferma che saremmo effettivamente partiti. Alla fine, l'unica freccia rimasta all'arco di Sean era quella di ordinarle di andarsene. Ma, se pure Marie avesse obbedito, cosa improbabile, non saremmo potuti partire prima di mercoledì sera, visto che muoversi durante il giorno era fuori discussione.

Dopo la chiamata di Sean mi sentii invadere da un senso di disagio. Avevo detto poco, lasciando parlare loro due. In qualità di fotografo, avvertivo la necessità di continuare a scattare e capivo anche il senso del dovere di Marie verso quella storia. Tuttavia, non riuscivo a cancellare dalla mente il tono profondamente allarmato di Sean. Sapevo che aveva ragione: la situazione sul campo degenerava di ora in ora, ed era evidente che le forze di Assad avrebbero invaso il quartiere con le truppe di terra alla prima occasione. Il tunnel era la nostra unica salvezza: se fosse caduto nelle mani dell'esercito siriano, non avremmo avuto scampo. Decisi di scrivere a Sean una email contenente un resoconto onesto della situazione.

Da: Paul Conroy
Data: 21 febbraio 2012
Oggetto: per quel che vale
A: Sean Ryan
Movimento estremamente limitato.

L'unica via di uscita che abbiamo potrebbe essere colpita in qualsiasi momento. A quel punto, la fuga sarebbe impossibile.

Nascondersi tra le macerie non è un piano fattibile. Le pattuglie ci stanerebbero. Se accadesse, non ci sarebbe nessuna via d'uscita affidabile o confermata.

Sospetto anche che l'alto profilo che Marie ha tenuto in questi giorni, con la storia uscita sul giornale e le interviste in TV, possa compromettere la nostra sicurezza. I siriani hanno un servizio di intelligence molto efficiente, lo sappiamo bene.

Secondo me il rapporto costi-benefici è a nostro sfavore qui. Marie ha un ottimo fiuto per le storie, ma manca di una consapevolezza strategica generale quando si tratta di tattica e operazioni militari.

Vorrei che queste valutazioni restassero fra noi. È solo la mia lettura della situazione. Come ben sai, Marie è difficile da convincere quando ha qualcosa in mano, ma secondo me c'è bisogno di un punto di vista più pragmatico.

Ciao,

Paul

Un'ora dopo ricevemmo un'altra email da Sean. Come speravo, fece sue le mie preoccupazioni senza espormi.

Da: Ryan, Sean
Data: 21 febbraio 2012
A: Marie Colvin
Ccn: io
Ciao Marie,

buone notizie da Channel 4 News: hanno mandato in onda due segmenti della tua intervista con Jonathan Miller. Miller ha sottolineato che i bombardamenti si stanno intensificando e che le truppe si stanno radunando, ma tutto questo lo sai già.

Vorrei ripetere quanto già detto, di modo che tu possa fare le tue valutazioni prima che ci sentiamo di nuovo domattina. Stai svolgendo, in modo brillante, un lavoro importante. Su questo non c'è dubbio. I miei dubbi sono altri.

Il primo è se restare a Baba Amr ti darebbe molto di più di quanto tu non abbia già. Hai il punto di vista dei ribelli su come difendere la città e dettagli sconvolgenti sulle vittime civili. Se resti, potresti aggiungere altri elementi importanti?

Il secondo è se questi eventuali elementi valgano la pena di correre un rischio simile. Da qui, sembra che i pericoli stiano aumentando: i bombardamenti sono peggiorati, le auto saltano in aria e, soprattutto, le truppe potrebbero essere pronte a entrare. Cosa faresti se attaccassero di giorno, impedendoti di partire? O se la tua unica via d'uscita venisse bloccata? Saresti in grave pericolo. E poi: i tuoi articoli e le tue interviste hanno fatto di te un bersaglio? Non credo che possiamo escluderlo.

Aspettiamo di vedere com'è la situazione domattina, ma, a meno che non si verifichi qualche miglioramento imprevisto, dovresti valutare l'ipotesi di lasciare Baba Amr alla prima occasione utile, cioè mercoledì sera. Ne usciresti con del materiale interessante e potresti integrarlo da un luogo relativamente sicuro nei dintorni, aggiungendo altri sviluppi come il referendum e il quadro internazionale, di cui parla questo servizio di stasera:

WASHINGTON – Gli Stati Uniti hanno fatto sapere che potrebbero prendere "misure aggiuntive" per porre fine ai massacri in Siria se la protesta della comunità internazionale e un rafforzamento delle sanzioni non convinceranno il governo del presidente Bashar al-Assad a sospendere la repressione dell'opposizione.

Metto Paul in copia, così domattina possiamo fare una chiacchierata tutti insieme.

                                                                    Sean

Avevo appena finito di leggere l'email, quando Marie si lasciò cadere stancamente accanto a me.

«Hai letto?», mi chiese in tono incolore.

«Sì, e mi dispiace, Marie, ma sono d'accordo con Sean. Se domani andiamo in ospedale farò altre foto ad altra gente maciullata. Solo che non verranno mai pubblicate», dissi.

«Abbiamo già fatto una cazzata quando ce ne siamo andati la

prima volta e l'invasione non c'è stata. Vuoi farne un'altra?»,
replicò, ricordandomi la nostra fuga.

«Lo so, Marie, ma adesso è diverso. La situazione sta precipi-
tando. I soldati dell'ESL, per quanto coraggiosi, non riusciranno
a resistere ancora a lungo. Cosa faremmo se il tunnel venisse
bloccato o se invadessero durante il giorno?»

«Potrei mettermi un burqa».

«Io invece sembrerei un coglione con il burqa. E poi, cosa
cambierebbe? Pensaci. Le donne le stuprano e le ammazzano»,
conclusi con una leggera irritazione.

«Okay, Paul, lo sai che potremmo sopravvivere in qualche edificio distrutto. Dovremmo fare scorta di acqua e cibo e preparare
un rifugio», replicò Marie.

«Sì, e poi? Nel giro di pochi giorni Baba Amr verrebbe mili-
tarizzato. I soldati andrebbero di casa in casa, ci sarebbero carri
armati e auto blindate a ogni angolo e noi ce ne andremmo in
giro in burqa. Senza elettricità, senza comunicazioni e senza uno
straccio di possibilità di attraversare un checkpoint di Assad, saremmo carne da macello». "Beccati questa", pensai.

Marie rifletté un istante. «Mmm. Forse hai ragione», ammise
alla fine.

"Alleluja, cazzo", mi dissi, sollevato. "Ha capito, finalmente".

«Okay. Che ne dici di questo piano? Ci alziamo prestissimo,
andiamo all'ospedale da campo, ci restiamo un paio d'ore, rac-
cogliamo un altro po' di materiale per questa settimana e lo mettiamo insieme in modo da poter partire con l'ESL domani sera?»

«Okay», concessi ridendo. Aveva ottenuto quello che voleva.

Però avevamo un piano, il che era sempre meglio che starcene
lì ad aspettare il volgersi degli eventi. Mi appoggiai al cuscino,
accesi una sigaretta e sentii un'ondata di sollievo. Una volta fuggiti da Baba Amr, avremmo potuto comunque seguire l'invasione
di terra, ma sul lato giusto di un mortaio a 240mm.

A un tratto, si udì la porta sbattere e tutti ci voltammo. Un volto familiare mi sorrise dall'ingresso. Era Rémi Ochlik, un caro amico e un collega, veterano della guerra in Libia.

Era insieme ad altri tre poveri diavoli coperti di fango e visibilmente stremati: Javier Espinosa, un reporter spagnolo che avevo conosciuto in Libia, e due giornalisti francesi, Edith Bouvier e William Daniels. I volti familiari aumentano il senso di sicurezza, per quanto falso. Fu subito evidente che, vedendo me e Marie lì, i quattro nuovi arrivati riacquistarono fiducia nella loro decisione di introdursi nel quartiere assediato. Mi sembrava di sentirli pensare: "Non siamo gli unici pazzi".

Rémi prese una coperta e mi si sedette accanto. Mi spiegò che, nell'attesa di entrare a Baba Amr attraverso il tunnel, lui e i suoi tre compagni erano rimasti bloccati in una casa fuori Homs con i soldati dell'ESL. Era stato strano, disse. Mentre se ne stava lì a girarsi i pollici, aveva sentito più volte parlare di un misterioso personaggio di nome Abu Falafel. Non ci aveva fatto molto caso finché una sera, mentre guardava la televisione, Al Jazeera non aveva mandato in onda delle immagini girate da attivisti che mostravano me e Marie all'ospedale da campo. I ribelli si erano messi ad applaudire e a indicare lo schermo urlando: «Abu Falafel, Abu Falafel». Solo allora Rémi aveva capito. E aveva chiesto all'ESL di portarli a Baba Amr prima possibile. Ed eccoli lì.

Fui onesto riguardo alla situazione attuale. Gli dissi che era quasi impossibile lavorare per via dell'intensità dei bombardamenti e della mancanza di veicoli. Chiacchierammo e fumammo per un po', aggiornandoci su cosa era successo da quando avevamo lasciato la Libia. Era bellissimo avere compagnia ma, parlando, la mia preoccupazione aumentò. E, nel giro di pochi minuti, i miei timori divennero realtà. Marie incrociò il mio sguardo e mi fece cenno di avvicinarmi. Mi diressi con un brutto presentimento verso il nido che si era costruita per la notte.

Lei mi lanciò un'occhiata birichina e mi chiese: «Ehi, Paul, te ne vuoi ancora andare ora che sono arrivati i francesi?».

Fu il colpo di grazia. Tutta la fatica che io e Sean avevamo fatto per convincerla a lasciare Baba Amr era stata inutile. Non si sarebbe più mossa ora che c'erano altri giornalisti. Li percepiva come la concorrenza, come degli intrusi che volevano soffiarle la storia. Io capii che saremmo rimasti e mi sentii morire.

Marie, infatti, stava già pensando alla storia che avrebbe scritto per il numero di domenica. «Paul, domattina dobbiamo andare all'ospedale molto presto, prima dei francesi», disse.

Io scoppiai a ridere e le ricordai che le auto erano saltate tutte in aria. Avremmo dovuto muoverci a piedi, cioè schivare cecchini a ogni piè sospinto: tutti gli incroci principali lungo la strada per l'ospedale avevano il loro tiratore che sembrava non dormire mai.

«Cazzo, mi ero dimenticata dei cecchini. E se ci andiamo verso le cinque di mattina, quando è tutto più tranquillo?», mi propose.

«Quand'è che ci volete andare?», chiese allibito Abu Hanin.

Io e Marie gli spiegammo il nostro piano per raggiungere l'ospedale: partire prima che i cecchini si svegliassero e restare il più a lungo possibile. Abu Hanin continuò a guardarci sbigottito, ma, essendo ormai abituato alle richieste bislacche dei suoi ospiti, finì con l'acconsentire ad accompagnarci all'ospedale a piedi, alle cinque di mattina.

«Sarò pronto», disse sorridendo. «Cinque di mattina. Tanto non dormo, quindi non avrò bisogno della sveglia». Marie gli lanciò un'occhiata dubbiosa, ma lasciò correre.

Era mezzanotte passata quando salutammo gli altri radunati nella stanza principale. Ci attendeva una levataccia e volevamo dormire il più possibile. Il nuovo gruppo di giornalisti era arrivato da poche ore quando andammo a letto. Se ne stavano lì, infreddoliti, a scrivere email per avvertire che erano giunti a

Baba Amr sani e salvi. Anche se "sani e salvi" e "Baba Amr" sembravano un ossimoro.

Io e Marie ci infilammo nei nostri nidi, pronti a trascorrere un'altra notte nella stanza sul retro. Marie puntò la sveglia sul cellulare, poi mi sussurrò: «Paul, ho paura che i bombardamenti mi stiano facendo diventare sorda».

«Come?», saltai su, sconvolto. «Fammi dare un'occhiata. Non va mica bene».

Estrassi la mia torcia a LED e lei si tirò su per farmi esaminare l'orecchio. Quello che vidi mi lasciò interdetto. «Aspetta un attimo, Marie», dissi, cercando i fiammiferi nella borsa. «Non ti muovere. Devo entrare nell'orecchio».

Lei tacque mentre le infilavo un fiammifero nel condotto. Finalmente, riuscii ad agganciare quello che avevo visto e lo estrassi piano piano, per poi mostrarglielo.

«Okay, puoi aprire gli occhi, adesso».

Lei socchiuse gli occhi nella luce fioca. «Cristo, che cazzo è?», esclamò.

«È il gommino delle mie cuffie. È rimasto lì dall'intervista con la CNN».

Provammo a dormire, ma non fu facile. La causa della temporanea sordità di Marie era talmente buffa che, di tanto in tanto, uno dei due scoppiava in una risatina isterica, contagiando anche l'altro. Impiegammo un secolo a addormentarci.

Non saprò mai chi scivolò per primo nel sonno in quella gelida notte a Baba Amr, ma ancora oggi, quando è buio e non riesco a dormire, mi sembra di sentire le nostre risa rauche e ridicole.

10
ADDIO

22 febbraio 2012, Baba Amr, Siria

«Sta dormendo, cazzo. Abu Hanin non dorme mai, e invece sta dormendo, cazzo!», sibilò Marie barcollando nella stanza immersa nell'oscurità: il suo unico occhio non riusciva a guidarla nella direzione giusta.

"Oh, merda, ci siamo", pensai, costringendomi ad aprire gli occhi. «Hai provato a svegliarlo?», le chiesi sbadigliando.

«Secondo me è morto, Paul. Dice che non dorme mai, ma dorme eccome, cazzo. Forse è morto davvero», replicò lei, continuando a girare in tondo.

"Guai in vista", mi dissi. Marie trovò finalmente il letto e si infilò sotto la montagna di coperte.

«Be'», osservò dopo un attimo di riflessione, «ci toccherà muoverci più tardi. Ma gli stronzi di Assad saranno svegli».

Io ridacchiai tra me. Ero abituato a sentirla brontolare quando le cose non andavano come previsto e avevo imparato a lasciar correre. Le suggerii di svegliare Abu Hanin verso le sette e di provare ad andare comunque all'ospedale. Lei acconsentì, pur con riluttanza e, incredibile ma vero, nel giro di pochi minuti russava di nuovo. Wa'el emise un gemito dal suo letto ma, a poco a poco, ripiombammo tutti in un sonno profondo.

Com'era prevedibile, vista l'ora tarda a cui ci eravamo addor-

mentati, dormimmo troppo. Faceva freddo e fu con molta riluttanza che raccogliemmo le nostre cose e ci dirigemmo rabbrivi-
dendo nella stanza principale. Percorremmo in punta di piedi lo
stretto corridoio buio che collegava i due locali, e ricordo chiaramente le parole di Marie: «Merda, i cecchini saranno svegli
ormai». Tacque un istante, poi aggiunse in un sussurro: «E anche
i francesi», riferendosi ai quattro giornalisti arrivati la sera prima.

Dovetti reprimere una risata: i cecchini e i francesi nella stessa
frase. Solo Marie poteva dire una cosa del genere.

Aprimmo le porte scorrevoli, ma la stanza era buia e non riuscivamo a distinguere quasi nulla. Era impossibile capire chi
stesse dormendo e chi se ne stesse disteso in silenzio nel buio a
occhi aperti, in attesa che iniziassero i bombardamenti. Mentre
ci muovevamo cauti nella stanza cercando di non disturbare,
non vedevamo altro che sagome seppellite sotto strati di coperte.

A un tratto e senza preavviso, il sibilo di un razzo squarciò il
silenzio e un'esplosione particolarmente violenta fece tremare
l'edificio. "Merda", dissi fra me, "questo era vicino". Feci appena in tempo a formulare quel pensiero quando un altro sibilo,
seguito da una deflagrazione assordante, scosse il media centre.

Le esplosioni, a non più di cento metri di distanza, scatenarono
un'attività frenetica. La gente cominciò a muoversi febbrilmen-
te. Alcuni cercavano di districarsi dal groviglio di coperte e cavi, altri barcollavano per la stanza, ancora mezzi addormentati,
in cerca di macchine fotografiche e portatili. Il buio, unito alla
quantità di persone in movimento, mi disorientò. Poi ci fu un'altra esplosione: era ancora più vicina delle precedenti e l'onda
d'urto fece tremare l'edificio di tre piani. L'attività nella stanza
si fece ancora più convulsa. Venti secondi dopo esplose un altro
razzo, vicino al retro della casa. L'effetto fu lo stesso: una violenta scossa mentre i detriti e i calcinacci atterravano sul tetto
come pioggia solida.

"Merda", pensai, quando la consapevolezza di ciò che stava accadendo mi colpì come una pugnalata. "Merda! Stanno facendo forcella". La forcella è una tattica militare usata dai reparti di artiglieria per far sì che i loro proiettili vadano a segno. Il pezzo d'artiglieria spara, e un osservatore verifica dove cade la granata o il razzo. L'informazione viene poi trasmessa ai mitraglieri che aggiustano il tiro e sparano di nuovo. In questo modo le batterie di artiglieria possono colpire il bersaglio con sempre maggior precisione. Era il mio lavoro quando ero nell'esercito. Lo avevo fatto decine di volte, quindi conoscevo le modalità e le tempistiche di quella tattica. Nel caso specifico, l'unico modo che avevano le forze di terra di Assad per fare forcella su di noi era sfruttando i droni che sorvolavano Homs a mo' di osservatori.

"Porca troia", pensai. Quella gente sapeva esattamente cosa stava facendo. Non si trattava di ordigni sparati alla cieca. Quello successivo ci avrebbe presi in pieno. Ci avrei scommesso la vita.

Un razzo colpì il retro dell'edificio con un'esplosione devastante e assordante che parve sradicarlo. La stanza si riempì di fumo, polvere di cemento e dell'odore nauseante dell'esplosivo RDX contenuto nella testata dei missili. Nel trambusto che seguì udii qualcuno urlare in inglese: «Scappate! Scappate!». Il caos era totale, nessuno sapeva cosa fare e alcuni obbedirono all'ordine mentre altri continuavano a raccogliere le loro cose.

Io avevo bisogno della macchina fotografica, che era rimasta nella stanza sul retro. Attraversai correndo la cortina di fumo mentre i detriti continuavano a cadere in quella che, pochi minuti prima, era stata la nostra camera da letto. La deflagrazione l'aveva completamente distrutta. Frugai tra le macerie in cerca della mia borsa, la afferrai e corsi di nuovo verso la stanza principale. Un'altra enorme esplosione colpì il muro laterale, scaraventando detriti e schegge all'interno della casa. Sentivo ancora gridare: «Uscite! Andate dall'altra parte della strada!».

Nella penombra scorsi Rémi, il fotografo francese, accucciato sul pavimento. Era riuscito a mettersi il casco e il giubbotto anti-proiettile, ma non aveva avuto il tempo di infilarsi una maglietta. Se ne stava disteso a terra, lanciando occhiate a destra e a sinistra nel tentativo di capirci qualcosa. Sembrava sotto shock. Era a Baba Amr da sole sette ore ed era arrivato nel cuore della notte, quando i bombardamenti si erano diradati. Era il suo primo giorno sotto il fuoco siriano. Poi, accanto alle porte scorrevoli, scorsi Marie estrarre qualcosa dalla borsa. Aveva un'espressione tranquilla, ma i suoi movimenti, insolitamente rapidi e lievemente frenetici, indicavano che sapeva che stava per accadere il peggio.

Cercai di riflettere. I continui incitamenti a scappare mi risuonavano nella testa, mentre il mio cervello cercava di escogitare un piano. "Deciditi, cazzo", mi dissi. "Resto qui", pensai, "non mi muovo". Almeno i muri di cemento del media centre offrivano un minimo di protezione, mentre fuori, sulla strada asfaltata, con bombardamenti così vicini e così intensi, la morte era assicurata.

«Non uscite!», urlai nella penombra. «Non ve ne andate, non uscite!». Un altro missile colpì la casa, spargendo altro fumo acre e altra polvere.

Ero in piedi davanti a una porta di legno che non veniva mai usata. Era un punto debole nel solido muro di cemento che separava la stanza principale dalla tromba delle scale e dall'uscita sulla strada. Vidi William accucciato a destra della porta, mentre Wa'el, Edith e io eravamo vicini al centro della stanza. Non vedevo né Marie né Javier, e di Rémi nessuna traccia. Pregai che non avessero tentato di correre fuori. Poi udii Abu Hanin gridare: «Non uscite! Non uscite!».

"Dev'essere finita", mi dissi. "Ci hanno lanciato contro tre missili. Non ce ne saranno altri". Tre erano più che sufficienti. "Devo fare delle foto", pensai poi. "È questo che la gente di Baba Amr ha subìto per mesi". Mi sporsi per prendere la macchina che

avevo lasciato cadere sui cuscini alla mia sinistra al momento
dell'ultima esplosione.

In quel preciso istante, un razzo atterrò proprio davanti alla
casa e, in quella frazione di secondo, il mio mondo cambiò. Fu
come venire investito da una metropolitana in un tunnel buio.
Quando l'esplosione devastò la stanza, ebbi l'impressione che i
miei sensi, la vista, l'udito, il tatto, andassero in tilt. Una scheggia incandescente mi si conficcò nella parte interna della coscia,
recidendo i tendini e i muscoli. Sentii una pressione improvvisa e
fortissima quando il frammento di razzo mi lacerò la carne e un
altro si infilò, senza che me ne accorgessi, nell'addome. Nessun
dolore, tuttavia, solo urla stridule che mi ferivano le orecchie,
l'odore acre dell'esplosivo e la polvere di cemento che invase la
stanza, accecandomi.

Sapevo che avevo solo pochi minuti per arginare l'emorragia alla coscia sinistra. Senza pensare, infilai la mano dentro la
ferita delle dimensioni di un pugno e, con mio sommo orrore,
la vidi spuntare dall'altra parte. La fissai atterrito, mentre nella
mia mente scorrevano immagini di cibo ospedaliero. Roast beef,
patate lesse, crema, tutto freddo e congelato. "Non c'è da preoccuparsi", mi dissi. "Mi porteranno del cibo da fuori". Rimasi lì
come un idiota con la mano che attraversava la gamba da parte
a parte, finché la realtà di ciò che stava accadendo intorno a me
non mi riportò bruscamente in azione.

Sapevo che dovevo trovare l'arteria per verificare che non fosse
stata recisa, così frugai tra i muscoli lacerati finché non la strinsi, pulsante, nella mano destra. A quanto pareva, era intatta. Poi
controllai il femore, scoprendo, con grande sollievo, che non si
era rotto. Sebbene l'arteria sembrasse in buone condizioni, dovevo bloccare subito la ferita con un laccio emostatico per non
morire dissanguato su quel freddo pavimento di cemento, nel
caso in cui la scheggia l'avesse intaccata.

Urlai nel buio della stanza: «Mi hanno colpito! Mi hanno colpito, cazzo!». Nessuna risposta. Mi parve di sentire Edith urlare dietro di me, ma non vedevo praticamente nulla in quella spessa coltre di polvere e fumo. Barcollando, trovai i resti di un muro distrutto. Mi ci appoggiai e mi accinsi a occuparmi della mia gamba. Strappai la kefiah che avevo intorno al collo e la legai più stretta possibile intorno alla parte alta della coscia ma, malgrado i miei sforzi, il sangue continuava a sgorgare, inzuppando i pantaloni cargo ormai a brandelli.

Oltre ad aver colpito me, l'esplosione aveva anche fatto saltare in aria la porta di legno in disuso, che aveva spezzato la gamba di Edith e il braccio di Wa'el. Non li avevo ancora visti, ma sentivo i lamenti di Edith. Non sentivo altro, in effetti.

Dovevo trovare Marie, Rémi e Javier. "Devono essere riusciti a uscire", pensai, così mi diressi zoppicando nel punto in cui un tempo c'erano la porta principale e l'ingresso, ma dopo due o tre metri la gamba mi cedette, lasciandomi senza fiato sul pavimento.

Diedi un'altra occhiata. Continuavo a perdere sangue dalla ferita aperta. Sbattei le palpebre, accecato dalla luce del giorno, e scorsi un cavo ethernet giallo che era saltato in aria insieme a tutto il resto ed era coperto da uno spesso strato di polvere. Lo afferrai e ne feci un altro laccio emostatico, fissandolo con un pezzo di legno in modo da bloccare l'emorragia. A un tratto, due proiettili in rapida successione esplosero a una decina di metri da dove mi trovavo. La strada era sotto attacco e i missili facevano volare macerie e frammenti di acciaio in tutte le direzioni. Rimasi accucciato a terra e strinsi il secondo laccio emostatico fin quasi a svenire dal dolore.

Poi udii una voce. «Abu Falafel, Abu Falafel». Alzai lo sguardo e vidi Abu Hanin spuntare da dietro un muro all'interno dell'edificio. Le esplosioni avevano distrutto la parte anteriore della casa e io mi trovavo praticamente in mezzo alla strada. Abu Hanin tentò di raggiungermi per portarmi in salvo, ma io gli feci cenno di stare indietro mentre un altro proiettile atterrava non lontano da me. «Aspetta!», urlai, esortandolo a restare dov'era. «Aspetta che finiscano i bombardamenti».

Lui obbedì, osservandomi terrorizzato mentre me ne stavo disteso tra le macerie, completamente indifeso. Mi girai supino, in modo da appiattirmi il più possibile ed essere meno visibile.

Fu così che trovai Marie e Rémi. Là, in quello che un tempo era l'ingresso della casa, giacevano i corpi dei miei due amici. Per fortuna non riuscivo a vedere il volto di Marie. Aveva la testa e le gambe ricoperte da macerie e la riconobbi dal maglione blu e dalla cintura. Di Rémi vidi solo la schiena sotto lo spesso strato di polvere e detriti. Erano distesi l'uno accanto all'altra, uniti nel loro silenzio. Non sapevo se erano morti nel tentativo di uscire di casa o di rientrarci perché non erano riusciti ad attraversare la strada e a raggiungere l'apparente sicurezza di un altro edificio. Ma tanto non aveva importanza: erano tutti e due morti davanti a me, semisepolti dalle macerie di Baba Amr.

L'adorabile Rémi, sempre sorridente: insieme avevamo schivato proiettili e bombe attraversando città e deserti libici. E Marie, con cui avevo condiviso mille avventure; Marie la marinaia; Marie, che aveva dato un volto e una voce a milioni di persone le cui vite erano state distrutte dalla guerra. Marie, la Martha Gellhorn della nostra generazione, che ora se ne stava lì, immobile tra le rovine di Baba Amr. Le appoggiai dolcemente la mano sul petto per verificare la sua morte. Addio, regina cecena.

11
POSSO FUMARE?

22 febbraio 2012, Baba Amr, Siria

Rimasi disteso tra la polvere e le macerie accanto ai corpi di Marie e Rémi. La paura e il caos dell'attacco erano svaniti, ma non provavo nessun dolore, né fisico né psicologico. Com'era possibile? Per un attimo, mi chiesi se non stessi morendo, ma scacciai subito quel pensiero. Poi mi resi conto di ciò che era successo e mi sentii invadere da uno schiacciante senso di colpa che mi pietrificò. I miei amici erano morti e non provavo nulla. Avrei voluto piangere, ma le lacrime non scendevano.

Marie e Rémi erano morti sul colpo. Il proiettile era atterrato a meno di due metri di distanza da loro. Non avevano udito l'esplosione e non avevano sofferto, su quello non c'era dubbio. Nella loro determinazione di raccontare al mondo la brutalità inflitta alla popolazione siriana, avevano pagato il prezzo più alto. I loro nomi e il loro ricordo sarebbero stati aggiunti alla lunga lista di vittime assassinate in un anno di rivolte sanguinose e feroce repressione.

A un tratto, udii un'altra micidiale salva di razzi e colpi di mortaio esplodere con il suo boato inconfondibile e terrificante nella strada costellata di crateri fuori dal media centre. Era evidente che le forze di Assad non avevano ancora finito con noi. Il controllore del drone che sorvolava la zona aveva rilevato del movimento e stava trasmettendo immagini in tempo reale della devastazione che l'artiglieria aveva lasciato dietro di sé.

Cercai di ripararmi rannicchiandomi ancora di più tra le macerie. Le schegge dei continui colpi di mortaio erano talmente vicine che mi facevano cadere addosso pezzi di cemento della casa semidistrutta. Mi domandai quanto sarebbe durata ancora la mia fortuna. Di sicuro era questione di tempo prima che un proiettile con il mio nome sopra mi trovasse sanguinante in mezzo alle rovine.

A un tratto, dalla mia posizione supina mi sentii trascinare all'indietro. Mi tirai su e vidi Abu Bakr che, dopo essermi corso incontro e avermi afferrato per il giaccone, mi stava riportando dentro casa. Una volta al riparo, lui e Abu Hanin mi trasportarono nel bagno, che era il posto più sicuro perché aveva più muri di cemento di tutte le altre stanze. Mi sedetti con la schiena appoggiata a una parete e, con mano tremante, accesi una sigaretta. I gas esplosivi e la polvere formavano una cortina impenetrabile alla luce, quindi ci sedemmo insieme nel buio mentre le deflagrazioni in strada continuavano a scuotere quel che restava dell'edificio.

Mi avevano sparato decine di volte e mi ero trovato vicino a molte esplosioni, ma quella fu la prima volta in cui mi sentii davvero un bersaglio. Quei superstiti feriti e disperati che si aggrappavano alla vita nell'oscurità di un bagno erano diventati le prede.

Improvvisamente, provai dolore per la prima volta da quando la scheggia mi si era conficcata nella gamba. Era una fitta acuta e lacerante, che partiva dal piede e arrivava alle orbite. Mi tastai la gamba nel buio. "Merda", pensai, rendendomi conto che avevo anche il polpaccio sinistro maciullato. Non me ne ero accorto prima, ma avevo due buchi nella gamba. L'effetto degli antidolorifici naturali che il mio corpo aveva prodotto stava gradualmente svanendo. Un'altra scheggia di dieci centimetri di un razzo Katyusha di fabbricazione russa mi si era conficcata nel fianco e, anche se all'epoca non potevo saperlo, era in una posizione molto precaria, a pochi millimetri dal rene destro.

Mentre valutavo la gravità delle mie ferite, cercai di capire chi altro ci fosse in quel bagno buio e puzzolente. Sicuramente Edith Bouvier, la giornalista francese: la sentivo gemere. E c'era anche Wa'el, che volle sapere come stavo. Borbottai: «Bene» e gli chiesi delle sue ferite. Lui rispose, con una certa nonchalance: «Mi sono fatto male al braccio». Non vedevo il suo viso, ma colsi la sofferenza nella sua voce. Stava minimizzando: non voleva farmi preoccupare. William Daniels, il fotografo francese, disse di essere illeso, come pure il suo collega spagnolo Javier Espinosa. Io, però, non riuscivo a vedere nessuno dei due. Uno degli attivisti aveva una scheggia nella schiena, ma ci assicurò ridendo che stava bene.

Abu Hanin fece un bilancio dei feriti e ci tranquillizzò, dicendo che saremmo andati all'ospedale da campo non appena fossero cessati i bombardamenti. "Ironia del destino", pensai. "Alla fine ci torneremo in quel cazzo di ospedale". Per il momento, non potevamo fare altro che restare nascosti e sperare che nessun altro ordigno colpisse l'edificio. Dopo dieci minuti, i bombardamenti si fecero meno intensi, lasciando il posto a gemiti d'agonia che si levavano nell'aria man mano che le ossa rotte e la carne lacerata si ricollegavano al nostro sistema nervoso anestetizzato dal trauma. A poco a poco, la situazione ci si parò davanti in tutta la sua drammaticità: il bilancio era di due feriti gravi e impossibilitati a muoversi che avrebbero gravato ulteriormente sulla già oberata équipe medica dell'ospedale.

All'improvviso, si udì in strada il rombo di un motore, uno stridio di freni e uno scricchiolio di vetro sotto le ruote che annunciarono l'arrivo di aiuti. Sentii voci lontane sbraitare ordini e, pochi istanti dopo, un combattente dell'ESL fece capolino nel nostro mondo buio e angusto. Scambiò alcune parole concitate con Abu Hanin, dopo di che due attivisti mi sollevarono dal pavimento e mi sostennero mentre saltellavo sulla gamba buona e trascinavo quella ferita, facendomi strada tra i resti del media centre. La polvere di cemento e quella nera e sottile degli esplosivi chimici ricoprivano tutto ciò che c'era nella stanza, che non somigliava affatto a quella che, venti minuti prima, risuonava delle risa di Marie.

Aggirando i corpi di Marie e Rémi ai piedi delle scale, mi ritrovai all'esterno e venni sistemato nella berlina parcheggiata. Dissi addio con un breve cenno del capo ai due amici che giacevano immobili tra le macerie alle mie spalle. Seduto sul sedile posteriore, diedi un'altra occhiata alla ferita alla coscia. La tappezzeria beige dell'auto era già zuppa del sangue che continuava a sgorgare copioso: sapevo che dovevo raggiungere al più presto l'ospedale. I bombardamenti erano sporadici ma ancora vicini: la corsa in ospedale sarebbe stata pericolosa. Con un drone sopra la testa, qualsiasi cosa si muovesse rappresentava un potenziale bersaglio per i pezzi d'artiglieria posizionati ai margini del quartiere.

Osservai la devastazione che mi circondava e riflettei sulle possibilità che avevamo di arrivare a destinazione. Era fuor di dubbio che l'attacco al media centre fosse stato deliberato. Gli artiglieri avevano fatto un ottimo lavoro: erano stati accurati e professionali. Il centro era quasi irriconoscibile: sembrava un'enorme grotta scavata nell'edificio. Ci diedi una probabilità del cinquanta percento di arrivare all'ospedale senza essere colpiti. Mentre valutavo i rischi, vidi qualcosa muoversi alla mia destra. William Daniels si stava facendo strada tra i detriti e la polvere con in braccio Edith, che era una maschera di sofferenza. Anche il minimo movimento causava lo sfregamento delle due estremità del femore rotto, causandole un dolore che non riuscivo a immaginare.

Quando l'ebbe sistemata sul sedile, l'auto partì a tutta velocità e fece una brusca inversione a U sollevando ghiaia, schegge di vetro e polvere, per poi dirigersi verso il primo incrocio. Subito fummo investiti da una pioggia di proiettili esplosivi che ci inseguirono, conficcandosi qua e là nel cemento, fino al riparo di un edificio a un centinaio di metri di distanza. Dei colpi di mortaio esplosero di fronte a noi. L'autista accelerava agli incroci, dove i cecchini continuavano a bersagliarci. Edith taceva, una smorfia di dolore sul viso. Ogni cratere, ogni pezzo di cemento, ogni brusca sterzata le provocava una sofferenza indicibile. Però strinse i denti e non emise un gemito.

Continuammo a schivare il fuoco per i cinque minuti successivi in cui l'auto sfrecciò nel labirinto di stradine secondarie. A un certo punto l'autista fece una curva a gomito e imboccò una strada sotto l'attacco dell'artiglieria. Noi ci ritrovammo ammucchiati su un lato del sedile posteriore e fummo accolti da una cortina di fumo nero e polvere. Le esplosioni scaraventavano i detriti dei palazzi circostanti sul tettuccio della macchina, facendoci trasalire. Ma l'autista proseguì la sua folle corsa attraverso pezzi di cemento, acciaio contorto e vetro infranto per raggiungere l'ospedale.

Quando inchiodò davanti all'edificio, accadde tutto molto in fretta. Le portiere si spalancarono prima che fossimo completamente fermi e un mare di braccia sollevò Edith e me. L'auto aveva accostato a pochi metri dall'ospedale, ma l'odore pungente degli esplosivi ad alto potenziale, dell'RDX e della cordite che invadeva la strada mi bruciava gli occhi e la gola. Le porte dell'ospedale si aprirono, e io e Edith passammo di mano in mano prima di venire finalmente depositati all'interno. Udimmo lo stridio dell'auto che ripartiva a tutta birra per caricare nuove vittime e il boato di altre esplosioni: non finivano mai.

So che è assurdo, ma, mentre entravo in ospedale, mi venne in mente il vecchio detto: "Dalla padella alla brace". I medici che curavano i manifestanti e i combattenti dell'ESL erano una categoria di persone che il regime avrebbe voluto cancellare dalla faccia della terra e venivano quindi presi costantemente di mira. Eravamo passati da una zona bersagliata a un'altra.

Le urla dei feriti riecheggiavano tra i muri di cemento e le mattonelle di pietra. Il personale volontario visitava freneticamente le vittime man mano che arrivavano, mentre i medici e gli infermieri, oberati di lavoro, correvano di stanza in stanza per occuparsi di coloro che avevano qualche possibilità di sopravvivenza. Gli altri morivano dove si trovavano. Persi subito di vista Edith, che fu spedita in un'altra ala dell'edificio. Io, invece, venni portato nella stessa stanza e sistemato sulla stessa barella dove solo pochi giorni prima avevo fotografato morti e moribondi. "Merda", pensai, "alla faccia del déjà vu".

I volti allarmati del personale incombevano su di me mentre venivo ripreso da telecamere e cellulari. Mi venne da ridere: "Chi la fa l'aspetti", mi dissi. Per anni avevo fatto agli altri la stessa identica cosa. Lamentarsi allora sarebbe sembrato fuori luogo.

A un certo punto vidi due visi familiari. «Ciao, Paul», disse il dottor Mohamed, che avevo filmato mentre curava feriti e moribondi.

Il dottor Ali mi sorrise gentilmente, sebbene leggessi chiaramente sul suo volto stanco la preoccupazione e lo shock di vedermi sul suo tavolo operatorio.

Io ero molto imbarazzato. L'ultima cosa di cui avevano bisogno era che sottraessimo loro risorse vitali.

«Ehi, Mohamed. Mi dispiace, amico», dissi.

Lui mi guardò con occhi profondamente tristi. «Paul, Miss Marie è morta».

Mi limitai ad annuire e lui mi fissò per un lungo momento.

«Okay, adesso pensiamo a rimetterti in sesto», aggiunse, scuotendosi, e tre persone si misero al lavoro su di me.

Tolsero subito di mezzo i miei lacci emostatici improvvisati: tagliarono la kefiah e il cavo ethernet che avevo stretto intorno alla gamba e poi i miei pantaloni zuppi di sangue. Solo allora mi resi conto dell'entità del danno.

«Porca troia», esclamai, gli occhi fissi sul buco insanguinato delle dimensioni di un pugno che avevo nella coscia. Vedevo chiaramente la ferita d'entrata, ma, oltre a quella, c'era anche un grosso avvallamento là dove il muscolo si era staccato per finire spiaccicato sulle pareti del media centre. "Brutta notizia", pensai mentre mi giravano su un fianco per esaminare la ferita d'uscita sulla parte esterna della coscia.

Fu allora che vidi un'altra cosa che mi lasciò sconvolto: un buco enorme di circa venti centimetri da cui sporgeva quello che sembrava un grosso pezzo di carne da hamburger. «Oh, cazzo», mormorai. Era molto peggio di quanto immaginassi.

Il dottor Mohamed mi guardò e disse, in tono calmo: «Paul, dobbiamo tagliare il muscolo danneggiato. Ti farà male».

«Okay», feci io. «Posso fumare?»

«Puoi fare quello che vuoi».

Un'infermiera mi infilò una sigaretta in bocca prima che l'équipe medica si mettesse all'opera. Estrassero un paio di forbici e cominciarono a tagliare lentamente il muscolo che pendeva dalla mia coscia. Cercando di non guardare, continuai a fumare e decisi di concentrarmi su qualcosa di meno inquietante del suono e della sensazione delle forbici sulla carne viva. Accesi un'altra sigaretta.

Quando ebbero finito, annunciarono che dovevano pulire la ferita. "Okay", mi dissi, "non potrà essere più doloroso". È strano quanto si possa sbagliare in certe situazioni.

Tirarono fuori un flacone di iodio e mi inserirono nella gamba un attrezzo che somigliava in modo allarmante a uno spazzolino da denti. Era un male necessario. Lì dentro doveva esserci un'accozzaglia di roba infetta: forse delle schegge, sicuramente della stoffa dei pantaloni, e poi polvere di cemento, avanzi di cibo del media centre e chissà, magari anche della cacca di cane. Aveva bisogno di una bella pulita, visto che una qualsiasi infezione sarebbe quasi certamente sfociata in un'amputazione con seghetto nel giro di pochi giorni. Non c'era anestetico. Mi accesi la terza sigaretta.

I medici furono rapidi e scrupolosi. Il dolore era talmente intenso che dovetti convincermi che non poteva trattarsi davvero di dolore e che quindi l'operazione non era così terribile. Ancora non mi spiego come, ma all'epoca quella strategia mi fu d'aiuto.

Oltre a non disporre delle forniture mediche più elementari e a temere costantemente di essere colpiti, i medici avevano anche un altro problema mentre mi pulivano la ferita: ogni volta che stavano per finire, un'esplosione sul tetto di un edificio vicino la riempiva nuovamente di polvere di cemento. Era alquanto irritante e, mentre aspiravo la mia sigaretta antidolorifica, qualche bastardo lanciava un altro proiettile a pochi metri di distanza, prolungando la tortura.

Finalmente giungemmo alla fase della medicazione. Il dottor Mohamed mi informò che la prassi per quel tipo di ferita consisteva nel lasciare aperto un buco per consentire il drenaggio ed evitare infezioni e nel richiudere l'altro. Nel caso specifico, però, visto che a un certo punto sarei dovuto scappare, avrebbe richiuso entrambe le ferite. Poiché non morivo dalla voglia di assistere a quell'operazione, fissai lo sguardo sul soffitto mentre loro ricucivano.

A un certo punto Javier Espinosa entrò nella stanza. Confermò che Marie e Rémi erano morti e che lui e Abu Hanin si sarebbero occupati dei corpi. Ricaddi rovinosamente sulla Terra. Nel caos e nel dolore, la mia mente aveva eretto una barriera, consentendomi di esistere solo nel momento presente. Ma bastò un semplice riferimento al recente passato e il muro mi crollò addosso. Marie e Rémi, morti.

La cruda realtà degli eventi di quella mattina si levò dalle macerie del mio muro crollato. Mi girava la testa. Le esplosioni e gli spari si fusero insieme a immagini estremamente realistiche di quella mattina, in un attacco caleidoscopico ai miei sensi. Avevo inserito l'ultima tessera di un puzzle da incubo e il mondo era improvvisamente diventato un posto più cupo.

I dottori, nel frattempo, avevano cominciato a ripulire e a medicare la ferita al polpaccio, dopo aver rimesso a posto il muscolo lacerato. Mentre lavoravano, Edith venne portata nella stanza su una sedia a rotelle e sistemata su una barella accanto alla mia. Mi chiese come stessi e ci stringemmo la mano mentre i medici mi fasciavano la gamba. La sua pelle era morbida e fredda, ma quel contatto umano e l'empatia derivante da un'esperienza condivisa fu molto confortante. Chiusi gli occhi un istante e sognai tempi migliori.

Anche la gamba di Edith era abbondantemente fasciata e bloccata in un sistema di trazione di fortuna. Era sollevata e sostenuta da una tavola e dei cuscini; alla caviglia erano legate cinque sacche di siero sospese sopra il letto a mo' di contrappeso. La forza creata dai pesi teneva separate le due estremità del femore, di modo che non sfregassero l'una contro l'altra. Rozzo ma efficace, quel marchingegno non evidenziava solo la mancanza delle forniture mediche più elementari, ma anche l'ingegnosità dei medici che lavoravano in quelle condizioni incredibilmente stressanti. L'infermiera mi attaccò a un litro di sangue che era stato donato da un'altra delle infermiere dell'ospedale e mi assicurò, con una certa perfidia, che la mattina dopo al mio risveglio avrei parlato perfettamente arabo.

Mentre ce ne stavamo distesi mano nella mano sulle rispettive barelle, io e Edith ci confortammo dicendoci che sarebbe andato tutto bene. Certo, nessuno dei due poteva camminare, ma in fondo non dovevamo fare altro che fuggire da Baba Amr passando per il tunnel, attraversare la Siria, varcare il confine pattugliato e minato, evitare i checkpoint di Hezbollah in Libano e saremmo stati salvi.

Dalle barelle osservammo il flusso incessante di morti e feriti che venivano trasportati in ospedale. Prima di lasciarci per occuparsi degli altri pazienti, il dottor Mohamed ci consigliò di girare un video per far sapere che eravamo vivi e per spiegare che quella mattina il regime aveva attaccato attivisti e giornalisti stranieri. Io e Edith concordammo sul fatto che avrebbe potuto rivelarsi un'arma a doppio taglio: le nostre famiglie, gli amici e i redattori sarebbero stati rassicurati, ma il regime avrebbe saputo che eravamo scampati ai bombardamenti.

Il dottor Mohamed e il dottor Ali, che avevano un talento naturale per le riprese, fecero un ottimo lavoro. Descrissero l'attacco al media centre, annunciarono la morte di Marie e di Rémi e poi fecero i nostri nomi diramando un bollettino medico sulle nostre condizioni. Nel giro di un'ora il video fu postato su YouTube. Non poterono fare altro prima di tornare ai loro feriti.

William Daniels venne a trovare me e Edith. La barba incolta, i capelli scuri e ondulati ancora coperti di polvere di cemento e gli occhi inquieti e sfuggenti lo facevano sembrare più vecchio dei suoi trentacinque anni. Sembrava sconvolto ed esausto di fronte alla gravità della situazione. Wa'el aveva una brutta frattura al braccio, ci disse. Si sarebbe rimesso, ma doveva essere operato.

E lo stesso valeva per Edith: anche il suo femore aveva bisogno di un'operazione e a Baba Amr non esistevano strutture adatte. C'era un ospedale a un chilometro di distanza, ma per raggiungerlo Edith avrebbe dovuto consegnarsi alle forze di Assad. Inutile dire che declinò gentilmente l'offerta.

Dopo neanche un'ora, il dottor Mohamed tornò nella nostra stanza. Non c'era abbastanza spazio lì per i pazienti già trattati, quindi annunciò la sua intenzione di trasferirci in una casa sicura nelle vicinanze. Una prospettiva piuttosto allarmante. Da quando eravamo arrivati all'ospedale, la presenza di medici e infermieri mi aveva rassicurato, e il pensiero di venire spostato altrove mi preoccupava. Così insistei affinché io e Edith restassimo insieme. Separarci era fuori discussione. Avevamo bisogno l'uno dell'altra per darci conforto e sostegno morale.

Così ebbero inizio i preparativi per il nostro trasferimento. Edith fu sistemata su una lettiga con le ruote, io su una barella. William e Javier vennero a dare una mano e ci appostammo vicino all'uscita dell'ospedale nell'attesa che i bombardamenti si placassero. Quando giunse la tregua, ci disponemmo in fila indiana e alcuni medici e attivisti ci trasportarono rapidamente sull'altro lato della strada semidistrutta. Girando a sinistra, costeggiammo gli edifici per ripararci e percorremmo altri cinquanta metri. Entrammo in una piccola porta alla nostra destra e ci ritrovammo in uno stretto corridoio che conduceva a un cortiletto. Poi fu la volta di un altro corridoio, freddo e piastrellato, che riecheggiava del rumore degli scarponi e dei respiri affannosi dei barellieri stanchi. Persi completamente l'orientamento in quell'edificio che sembrava più un labirinto che un'abitazione. Finalmente, dopo aver attraversato un cortile interno con un soffitto di vetro, ci fermammo davanti a una porta che si aprì scricchiolando per mano di uno dei barellieri, ed ecco la nostra nuova casa.

La stanza era di circa sei metri per quattro, immersa nell'oscurità e con l'odore di muffa degli ambienti disabitati. Entrando, ebbi un tuffo al cuore: alla mia destra, in fondo alla stanza, c'era l'ultima cosa che avrei voluto vedere: un'enorme finestra che occupava quasi tutta la parete. "Porca troia", pensai, "basta che un proiettile atterri nelle vicinanze e ci ritroviamo nel frullatore più grande del mondo".

Mi sistemarono su un piccolo materasso nell'angolo davanti alla porta, mi porsero dei cuscini e mi misero addosso una pesante coperta. Edith fu invece adagiata su un divano dalla parte opposta della stanza, con le spalle alla finestra e in diagonale rispetto a me. Wa'el mi sedeva proprio di fronte, sull'altro lato della finestra rispetto a Edith, il cui sistema di trazione del femore venne regolato finché non si sentì a suo agio. Io non riuscivo a staccare gli occhi dalla finestra.

«William, Javier, fatemi un favore, amici. Prendete materassi, cuscini e tutto quello che vi pare e nascondete quella cazzo di finestra il più presto possibile. Mi rende molto nervoso», dissi.

Loro costruirono un meccanismo di difesa con tutto quello che riuscirono a trovare. Salah, uno dei medici che ci seguiva, accese la familiare stufa a gasolio nel mezzo della stanza e appese le flebo di soluzione salina a cui eravamo attaccati sia io sia Edith ad alcuni chiodi nella parete. Ed ecco che, dal nulla, saltarono fuori una teiera di tè dolce e fumante e un pacchetto di biscotti. "Che cosa terribilmente inglese", pensai. "Tè e biscotti: la panacea di tutti i mali".

«William», dissi, indicando la teiera, «mesci».

Lui rise nervosamente, versò il tè e distribuì le tazze. Poi tutti, dal primo all'ultimo, accendemmo una sigaretta e mi venne in mente quello che aveva detto una volta Marie: «Fidati: non morirò per colpa del fumo». Risi al ricordo e mi guardai intorno. La lampada a olio che era stata accesa per sopperire alla mancanza di elettricità gettava ombre danzanti sui muri e sull'alto soffitto. Così, fumando e sorseggiando il tè, gustammo quel momento di pace e normalità in un mondo impazzito.

Non durò molto.

12
SENZA VIA D'USCITA

22 febbraio 2012, Baba Amr, Siria

Giorno 1

Fasci di luce filtravano attraverso le fessure tra i materassi e i cuscini impilati contro la finestra, simili a laser azzurri nella cortina di fumo di sigaretta che aleggiava nell'aria fetida. Ma né la luce naturale né il fioco bagliore della lampada a olio raggiungevano gli angoli bui in cui giacevamo. La casa che ci ospitava, alta tre piani e circondata da altri edifici, era, così ci avevano assicurato, una delle più antiche e sicure di tutto Baba Amr perché fatta di basalto che, a differenza del cemento standard, non sarebbe in teoria dovuto crollare sotto i bombardamenti, o almeno così speravamo.

Per il momento, quella stanza fredda e buia era il nostro mondo. Riuscivo a malapena a distinguere Wa'el e Edith. I loro volti pallidi mi fissavano di rimando dalle ombre. Ripensai alla Edith che era arrivata al media centre meno di ventiquattro ore prima. Bella, alta e fiera, con una folta chioma scura e un sorriso luminoso e accattivante. Tutto ciò, unito alla grintosa determinazione di una vera corrispondente di guerra, faceva di lei una presenza carismatica. Il contrasto con la ragazza ferita, seppure coriacea, che se ne stava distesa davanti a me era piuttosto stridente. Ma ero certo che avrebbe avuto il coraggio di resistere fino alla fine. Edith era una superstite nata.

Il buio avvolgeva tutto, opprimendoci come un peso e acuendo la frustrazione che provavamo per il fatto di non poterci muovere quando eravamo così vicini alla prima linea, che si trovava a soli cinquecento metri di distanza. Al di là di quel fronte poco difeso c'era tutta la potenza di fuoco della Quarta divisione e della 104esima guardia repubblicana dell'esercito siriano, che, ne ero certo, moriva dalla voglia di fare due chiacchiere con noi. L'esercito di Assad era riuscito a isolare Baba Amr, circondandolo di truppe e carri armati.

Era impossibile prevedere quanto tempo ancora i ribelli dell'ESL sarebbero riusciti a respingere le ormai galvanizzate truppe del governo, i cui violenti raid nel quartiere diventavano sempre più aggressivi con il passare del tempo. La sola certezza che avevamo era che il tunnel sotto Baba Amr costituiva la nostra unica via di fuga. Se fosse stato scoperto e chiuso, allora saremmo stati nei guai. In parole povere, non esisteva un piano B.

Per Edith, tuttavia, non c'era neanche il piano A. L'incubo del tunnel era ancora vivido nella mia mente e, avendo assistito agli effetti nefasti del movimento su Edith, un attraversamento (sempre che ce ne fosse stata la possibilità) avrebbe rappresentato per lei un viaggio ai confini del dolore. Era semplicemente irrealizzabile.

Il bombardamento quotidiano di Baba Amr si placò verso le due del pomeriggio, quando i mitraglieri del governo sospesero il fuoco incessante per mangiare un boccone. Era quello il momento più sicuro per muoversi. Il nostro trasferimento dall'ospedale alla casa aveva infatti coinciso con quel breve attimo di tregua. Tuttavia, poco dopo lo scoccare delle tre, gli attacchi dell'artiglieria ripresero a pieno regime. Il primo proiettile della salva iniziale fece tremare tutto.

«Merde», imprecò Edith nella sua lingua madre mentre il fragore dello scoppio scemava.

«Si dice "merda"», ribattei io.

Erano passate poche ore da quando eravamo saltati in aria ed eccoci di nuovo nel mirino. Solo che stavolta non potevamo neanche scappare. Eravamo in trappola: non ci restava che aspettare. Dal cielo cadeva una pioggia implacabile di esplosivo ad alto potenziale sigillato in un involucro letale di acciaio rinforzato e frammentante concepito per distruggere, mutilare e uccidere qualsiasi cosa colpisse. Il bombardamento non era episodico: era una costante con cui dovevamo convivere. Se volevamo fuggire, dovevamo restare lucidi e resistere alla disperazione.

"Ma vaffanculo", dissi tra me accendendomi una sigaretta. "Se ci colpiscono direttamente, siamo morti, punto e basta. Altrimenti no. Se non altro, sarà una morte veloce. A ogni modo, preoccuparsi non servirà a fermare un colpo di mortaio da 240mm, quindi in realtà non abbiamo nulla di cui preoccuparci".

Quel pensiero mi fu d'aiuto. Non che non fossi continuamente allarmato, ma quella filosofia spiccola mi aiutò a non fare caso alla paura, e a liberare la mia mente in modo da potermi concentrare su questioni più immediate. Per esempio, come diavolo avremmo fatto a fuggire da Baba Amr.

I due volontari dell'ospedale che si occupavano di noi, Salah e Maher, avevano entrambi diciott'anni o giù di lì. Maher studiava farmacia, quindi a Baba Amr veniva considerato un medico a tutti gli effetti, tanto era grave la penuria di personale qualificato. Quei due erano fantastici e il primo giorno della nostra convalescenza soddisfecero ogni nostra esigenza con sorrisi e premure genuine. E poi non avevano paura di nulla. Se ne stavano lì a ridere di noi, sepolti sotto le coperte. Quei ragazzi erano là sin dall'inizio. Avevano curato ferite e visto scene di morte a cui nessuno dovrebbe assistere, eppure avevano mantenuto intatta la loro umanità e fungevano da fari di speranza nel nostro mondo buio.

Ci iniettavano allegramente quello che sostenevano fosse Tramadolo, ma che sembrava non avere quasi nessun effetto e non bastava mai. Ciononostante, era rassicurante farsi fare delle iniezioni, se non altro per l'effetto psicologico. Mi imbottivano anche di antibiotici attraverso una valvola attaccata al braccio sinistro. Il mio vero terrore erano le infezioni. Sapevo che, se la gamba fosse andata in cancrena, la mia unica opzione sarebbe stata l'amputazione, il che avrebbe reso la fuga ancora più pericolosa e problematica. Quello che non sapevo era che, ogni volta che mi rigiravo nel letto, anche la scheggia che avevo nell'addome si muoveva. Sarebbe bastato un graffio sul rene da parte di quell'appuntito frammento di metallo per scatenare un'infezione, seguita da una febbre che mi avrebbe condotto alla morte nel giro di pochi giorni.

Dopo i traumatici eventi della giornata, avevamo tutti molto tempo per pensare. Salah e Maher attizzavano la stufa e ci servivano tazze di tè caldo e dolce. Un silenzio assorto cadde tra me, Edith e Wa'el. William e Javier se n'erano andati con Abu Hanin per stabilire un collegamento con il mondo esterno, lasciandoci lì a riposare. Non c'era mai un silenzio totale nella stanza: i bombardamenti proseguivano implacabili, facendoci trasalire a ogni impatto. Non c'era nessun posto dove nascondersi, neanche la propria mente. Era impossibile ignorare il rumore dei missili, dei colpi di mortaio o delle granate che avrebbero potuto benissimo essere gli ultimi suoni che avremmo mai udito.

I raggi di luce erano scomparsi, ormai. "Saranno le undici", pensai, guardando l'orologio. Merda! Erano solo le sei e mezzo. Avevo fatto vacanze di due settimane che erano passate più in fretta delle ultime ore. Il tempo aveva iniziato a giocarci dei brutti tiri: privati della luce naturale, esistevamo in un vuoto sensoriale. Illuminati dal fioco bagliore della lampada a olio, il nostro unico punto di riferimento erano gli spari, le esplosioni dei missili e le violente scosse. Il tempo non voleva proprio passare.

Salah entrò nella stanza con in mano una busta di plastica di pane raffermo e un vassoio d'argento con olive, formaggini e una scatoletta di tonno. Wa'el assaggiò il cibo, io ebbi un conato di vomito quando lo vidi e Edith rifiutò anche solo di prendere in considerazione l'idea di mangiare. I ragazzi, Salah e Maher, provarono a convincerci, ma alla fine si arresero e spazzolarono via la nostra parte. Poi bevemmo del tè e fumammo. I bombardamenti stavano scemando e immaginai i soldati che si sedevano davanti a pasti non troppo diversi dal nostro.

Javier e William entrarono trafelati nella stanza. Ci spiegarono che, per spostarsi in città, avevano dovuto schivare i cecchini. Javier, uno spagnolo dai lineamenti marcati veterano di molte guerre, era riuscito a mantenere la calma fino ad allora. Malgrado la nostra situazione, emanava una tranquilla sicurezza. Ci disse che avevano visitato un altro media centre, più piccolo del nostro, che non sapevo nemmeno esistesse, e si erano messi in contatto via Skype e via email con i rispettivi giornali e con alcune fonti del governo francese. A quanto pareva, erano in corso trattative diplomatiche per assicurare il nostro rilascio, quindi non potevamo fare altro che aspettare.

"Se dobbiamo aspettare le trattative diplomatiche, stiamo freschi", pensai. Avevamo a che fare con un regime guidato da un uomo che assassinava sistematicamente i suoi sudditi da più di un anno a quella parte. Quella mattina le sue forze avevano ucciso i nostri colleghi. Buona fortuna ai negoziatori. Non sarebbe arrivata la cavalleria a salvarci, né ci sarebbero state operazioni clandestine o interventi delle forze speciali per tirarci fuori dalle rovine della città. Eravamo completamente soli, e soltanto un ingenuo avrebbe nutrito speranze su un aiuto da parte del governo.

Scese la sera e i bombardamenti cessarono, finalmente, dissi-

pando la tensione nell'aria e permettendoci di rilassarci. Javier
e William si preparano due letti, la temperatura della stufa
venne alzata e ci accingemmo a passare la prima notte nella nostra nuova casa, assaporando il silenzio tanto atteso. Potemmo
parlare senza essere costantemente interrotti dalle esplosioni, e
questo ci diede speranza.

Insieme, tentammo di ricostruire gli eventi di quella mattina.
Quanti ordigni ci avevano colpito; l'ora esatta dell'attacco; chi
era dove e perché. Ma, soprattutto, parlammo di Marie e Rémi.
Cercammo di capire quali fossero stati i loro ultimi movimenti:
perché erano fuori? Non giungemmo a nessuna conclusione; non
avevamo risposte vere e proprie. Parlammo per ore e alla fine,
uno a uno, scivolammo nel caldo conforto del sonno.

23 febbraio 2012, Baba Amr, Siria

Giorno 2

Le prime luci dell'alba scacciarono le tenebre e, con esse, anche
la speranza. Occhi aperti. Ancora silenzio. Due ore di agognata
pace interrotta solo dallo sparo di un idiota. Guarda l'orologio
e aspetta. Non manca molto, ormai. Due minuti… un minuto…
si parte. Boom. Boom. Boom. Un colpo di timpano attutito e distante. Poi il silenzio. Conta: tre, due, uno. Via. Spiriti maligni
urlanti. Occhi chiusi mentre il lampo e il tuono squarciano l'alba.
Se solo… Tutto crolla: pietre, vetro, macerie, persone. Eppure
sono vivo. Così vanno le cose. Boom. Boom. Boom.

«Che cazzo», gridai, svegliandomi di soprassalto senza sapere
dove finisse il sogno e dove cominciasse la realtà. Il cuore mi
batteva all'impazzata e gli occhi non riuscivano a penetrare il
buio pesto della stanza. L'esplosione era stata violentissima, e
aveva scosso finestre e muri dell'edificio. «State bene?», chiesi.

Tutti borbottarono «Sì» tranne Salah, il medico, che continuò a dormire beato. Erano le sei e mezzo del mattino. L'inizio del fuoco d'artiglieria era puntuale come un orologio svizzero. Si trattava di puro terrorismo psicologico: gli abitanti di Baba Amr erano stati indotti a temere il tempo stesso.

Dal suo angolo buio Edith disse, nel suo inglese dal forte accento straniero: «Paul, secondo te cos'era quell'esplosione? Era più forte di tutte quelle che abbiamo sentito finora».

Riflettei sulla sua domanda. Sapevo benissimo di cosa si trattava e, per un attimo, considerai l'ipotesi di non dirle la verità. "Ma no", pensai poi, "più sa, meno ha da temere. Se impara a riconoscere il suono di ciò che non la ucciderà, non penserà di morire a ogni sibilo di proiettile che si dirige verso di noi. E così avremo anche qualcosa da fare in questa lunga giornata che ci attende". Edith stava per diventare un'esperta di artiglieria.

«Okay, visto che me lo chiedi, Edith, quello era un colpo di mortaio da 240mm. È il mortaio più grande che esista. È lungo circa un metro e mezzo, pesa 130 chili e ha una gittata di una decina di chilometri. Ah, e il proiettile può anche essere dotato di spoletta ritardata, che gli permette di penetrare in un edificio prima di esplodere. Se ci colpisse, non ce ne accorgeremmo neanche. Ora aspettiamo il prossimo e vedrai che riusciremo a capire quanto è vicino».

«Ah, okay», rispose Edith.

E tacemmo, in attesa. Anche gli altri, che avevano sentito quello che avevo appena detto, tesero ansiosamente l'orecchio all'ordigno successivo. Nel frattempo intorno a noi continuavano le esplosioni. Si trattava per lo più di razzi e di mortai e mitragliatrici da 152mm, tutti pericolosi, ma di un'altra categoria rispetto al mortaio da 240mm. Non dovemmo aspettare troppo. In lontananza udimmo tre tonfi sordi e profondi.

«Ci siamo», dissi. «Ascolta».

Ci fu una pausa di quattro secondi prima dello stridio degli enormi mortai. Il suono era prolungato e la distanza delle esplosioni, in confronto a quella che ci aveva svegliato bruscamente, era di gran lunga maggiore.

«Capito, Edith? Senti il boato del lancio, conti i secondi di silenzio e, quando senti uno stridio prolungato, vuol dire che va tutto bene. Più è breve lo stridio, più vicino è il proiettile. Adesso prova tu con il prossimo», le dissi.

Trascorsero dieci minuti prima della salva successiva. Tre tonfi consecutivi, tre stridii e tre esplosioni.

«Sono lontani», esclamò Edith. Sembrava felice.

«Esatto. Devono averne sei».

«Come fai a saperlo?», mi chiese lei, leggermente stupita.

«Ci vuole circa un minuto per caricare un proiettile nel mortaio», risposi. «Ieri ne lanciavano sei in un minuto. Li ho contati. Devono avere sei mortai, o non potrebbero sparare a quel ritmo».

Edith rise. Sembrava apprezzare quella distrazione. La capacità di prevedere dove sarebbero atterrati quei grossi proiettili la confortava.

Poi tra noi cadde di nuovo il silenzio mentre ascoltavamo i bombardamenti nella nostra stanza buia e senza tempo. In mancanza di caffè, mi venne voglia di bere un po' d'acqua, così cercai di raggiungere il punto in cui ricordavo di aver visto una bottiglia. Ma non riuscivo a muovermi. Riprovai, e mi resi conto che ero incollato al materasso.

«Ti prego, fa' che non mi sia cagato addosso», borbottai tra me prendendo la piccola torcia a led. Non sarebbe stato giusto. Quando sollevai le coperte e sbirciai sotto, provai un immenso sollievo. «Dio ti ringrazio», sussurrai. La mia gamba aveva sanguinato per tutta la notte e il sangue aveva formato una grossa pozza che aveva iniziato a rapprendersi, per cui la fasciatura si era incollata al materasso. Staccai piano la gamba e appoggiai il piede su un cuscino in modo da tenerla lontana dal letto fradicio. Poi scoppiai a ridere, ripensando alle parole che mi diceva sempre mia madre quando ero piccolo.

«Devi sempre avere le mutande pulite, nel caso in cui ti investano e debba andare in ospedale», ripeteva. «Non vorrai mica che le infermiere vedano le tue mutande sporche, vero?».

Risi forte. I miei boxer coperti di sangue secco sembravano di cartone. Mi parve di ricordare che qualcuno mi aveva ripreso al media centre con quelli indosso: ormai centinaia di migliaia di persone dovevano averli visti su YouTube. Mi scusai mentalmente con la mia povera mamma, che aveva ragione. Poi mi venne di nuovo da ridere perché un altro pensiero assurdo mi attraversò la mente: J.-P. avrebbe sicuramente avuto le mutande pulite se fosse stato lì. Mi riscossi e dissi fra me: non impazzire.

«Paul, che ore sono?», chiese Edith.

Io guardai l'orologio ed ebbi davvero l'impressone di essere diventato matto.

«Sono le otto e mezzo, Edith», risposi, sapendo l'effetto che la notizia avrebbe avuto su di lei.

Edith emise un gemito triste e profondo. Capivo la sua disperazione. Anch'io ero scosso e frastornato. Eravamo svegli da due ore, due lunghe ore buie e dolorose e le lancette dell'orologio avevano di nuovo smesso di muoversi. Era la sensazione più frustrante e demoralizzante che avessi mai sperimentato, ma sapevo che dovevamo mantenere i nervi saldi. Non avevamo idea di quanto tempo saremmo dovuti rimanere lì, e la prospettiva di altre dodici ore di pesanti bombardamenti avrebbe potuto fare uscire di senno chiunque.

La giornata arrancò lentamente. La lampada a olio dava l'illusione di una notte permanente, e cominciai a studiare i fasci di luce che costituivano un esile legame con il mondo esterno. Salah e Maher si occupavano delle medicazioni e ci portavano caffè, cibo e qualsiasi antidolorifico riuscissero a procurarsi. Ma il loro dono più prezioso era la speranza. Non vacillavano mai, non apparivano mai tristi e ci ripetevano sempre che andava tutto bene.

William e Javier si stavano preparando a un'altra incursione al media centre per scaricare la posta e vedere se le loro richieste d'aiuto avevano avuto seguito. Io suggerii di inviare email a tappeto e diedi loro una lista di indirizzi, ma non nutrivo molte speranze nella possibilità di azioni diplomatiche. Quando se ne andarono, io e Edith continuammo con le nostre lezioni di artiglieria. Nelle ultime ore avevamo sentito un tipo diverso di esplosione: non c'era alcun preavviso, solo un potente boato che faceva tremare i muri.

«Granate di carro armato, Edith», spiegai dopo un impatto pericolosamente vicino. «Non puoi contare su nessun avvertimento. La granata ti raggiunge prima del suono e il rumore del lancio si perde quando senti l'esplosione. Si chiama fuoco diretto, il che significa che vedono il bersaglio. I mortai, invece, sparano in un'alta curva parabolica che poi ti atterra sulla testa. Dovremmo essere abbastanza al sicuro dalle granate di carro armato, perché siamo circondati da altre case e, prima di arrivare a noi, dovrebbero distruggerle tutte. Abbiamo ancora qualche giorno di tempo».

«Quindi le granate di carro armato sono pericolose, ma non come i mortai pesanti», osservò Edith.

«Esatto», dissi ridendo. Sarebbe stata un'ottima artigliera.

Dopo altre lunghe ore che parvero giorni, William e Javier tornarono dal media centre. William entrò come una furia, sbattendo tutto e imprecando in francese. La sua rabbia incontrollata mi allarmò.

«Non è successo un cazzo!», esclamò. «Nessuno che ci dica come cazzo fuggire da qui». E si mise a fare su e giù per la stanza, fumando nervosamente.

«William, vieni un attimo qui. Siediti», gli dissi in tono gentile.

Lui mi si sedette accanto, strofinandosi la fronte con la mano. Sembrava più vecchio dei suoi trentacinque anni, con la barba incolta e gli occhi stanchi che tradivano il suo stress.

«Ascolta, amico mio», cominciai, «so che sei sotto pressione perché non sei ferito e ti senti responsabile per noi. Ti capisco. Ma devi mantenere il controllo. Non ti esaltare troppo quando le cose sembrano andare bene, perché più sei ottimista, più rimani deluso quando va tutto a puttane. E credimi: le cose vanno a puttane spesso e volentieri. Quindi trova un equilibrio e non andare né su né giù. Starai meglio. Scegliti una quota di crociera e restaci».

William parve leggermente confortato. «Scusami. È tutto nuovo per me. Sono stato in Libia, a Bengasi, ma non era affatto così», disse lui scuotendo tristemente la testa.

«Ma vaffanculo, William non devi scusarti, davvero. Ti stai comportando benissimo. Ricorda solo questo: trovati una quota e restaci. Né alti, né bassi: vai avanti per la tua strada e basta. Ora, posso avere una delle tue fantastiche sigarette?».

Quel pomeriggio venne a trovarci anche il dottor Mohamed. Mi visitò, medicò le ferite e dichiarò, con un certo ottimismo a mio avviso, che stavo meglio. Volle che girassimo un altro video per spiegare che non eravamo ostaggi dell'ESL e per chiedere aiuto. Ero d'accordo con il suo primo suggerimento, ma non ero a mio agio all'idea di supplicare il mondo di venire in nostro soccorso. Ritenevo che fossimo noi i responsabili della situazione in cui ci trovavamo e che quindi dovessimo tirarcene fuori da soli. Ciononostante, acconsentimmo a girare il video.

Edith fu la prima a parlare, e mi parve molto convincente. Non capii una parola di quello che disse, ma pensai che il suo discorso avrebbe bucato il video. Poi fu la volta di William, che fu altrettanto incisivo, tutto pieno di passione gallica. Durante il suo appello, poi, si udì un'enorme esplosione. "Fantastico", mi dissi, "ci sarà utile".

Infine giunse il mio turno, ma la mia performance non fu brillante come quella dei francesi. Riuscii a dire chi ero e cosa mi era successo ma, quando fu il momento di chiedere aiuto, non fui abbastanza efficace. Anzi, fui patetico, perché farfugliai qualcosa di vago, del tipo: «L'assistenza delle agenzie di governo sarebbe gradita». Punto. Se si fosse trattato del concorso canoro Eurovision, mi avrebbero dato nul points.

Quella sera ricevemmo la visita di un tale di nome Abu Laila, il cugino di Wa'el. Erano cresciuti insieme e il suo arrivo contribuì a risollevare notevolmente l'umore di Wa'el, che soffriva molto per la sua ferita. Vederlo illuminarsi alla comparsa del cugino ci fece sorridere. Abu Laila portava una kefiah intorno alla testa e, quando si tolse il lungo cappotto nero, vedemmo che aveva in spalla un Kalashnikov a calcio corto e un missile anticarro law.

«È un poeta beduino che parla arabo classico», spiegò tutto orgoglioso Wa'el dal suo angolino buio.

«Lui invece è un imbecille con il corpo di un uomo e la testa di un bambino di tre anni. Il corpo continua a crescere, ma il cervello è grande quanto un pisello», ribatté Abu Laila con un gran sorriso. «Vedete quanto è alto da seduto? Ecco, il suo cervello è grande così».

Io risi così tanto che mi fece male la gamba. La presenza carismatica di quell'uomo alleggerì immediatamente l'atmosfera.

«Abu Falafel», mi disse guardandomi, «lo sai cos'è un echinocactus?».

Scossi la testa, chiedendomi dove volesse andare a parare.

Lui continuò a fissarmi. «E-chi-no-cac-tus», sillabò. «Sss, sss», ripeté facendo un gesto con le mani. «Sss come serpente», aggiunse, sorridendo sornione e sostenendo il mio sguardo.

«Che cazzo dici?», ribattei ridendo fino alle lacrime mentre Abu Laila mi guardava nel bagliore danzante della lampada.

Lui rispose, serio: «Non parli arabo classico? Ti insegno io. Cominciamo con i suoni fondamentali».

Andammo avanti per un'ora o forse più. Tra una crisi di riso e l'altra, riuscii a imparare un suono: non una parola, un suono arabo che proveniva dal fondo della gola. Abu Laila emanava una sicurezza che ci risollevò il morale e portò un soffio di buonumore, quanto mai necessario nel nostro mondo cupo.

«Ora bisogna che vada a sparare a qualche carro armato», dichiarò a un certo punto. «Vi serve qualcosa?»

«Sigarette», rispondemmo tutti all'unisono.

Lui infilò la mano nella tasca del cappotto e lanciò un pacchetto a ciascuno di noi prima di rimettersi in spalla l'AK47 e il missile anticarro law e salutarci.

«Ci vediamo domani, cervello di pisello», disse a Wa'el, e se ne andò.

«Che tipo», osservai.

Wa'el rise. «E si era appena scaldato».

Lentamente e dolorosamente, giungemmo alla fine del secondo giorno. Parlammo fino alle prime ore del mattino mentre la tensione abbandonava i nostri corpi feriti. Bevemmo tè, discutemmo della giornata appena trascorsa e delle possibilità dell'indomani. Poi la stanchezza nervosa ebbe la meglio, e così si concluse uno dei giorni più lunghi della mia vita.

24 febbraio 2012, Baba Amr, Siria

Giorno 3

Non ho la più pallida idea di quanto dormii, o se dormii. Non molto, comunque. La gamba aveva ripreso a sanguinare e vedevo le stelle. Avevo deciso di non guardare l'orologio perché non volevo deprimermi subito di prima mattina, così mi basai sulla preziosa luce che filtrava dalle finestre per calcolare l'ora. A un tratto, un unico sparo riecheggiò nel quartiere condannato a morte. Le esplosioni non erano ancora iniziate, quindi immaginai non fossero ancora le sei e mezzo. Non sapevo chi altro fosse sveglio, ma ero certo che il russare provenisse da Salah o Maher, due dormiglioni professionisti in grado di far impallidire persino Marie.

Poi si scatenò l'inferno. Tre colpi diretti sul nostro edificio lo fecero tremare dalle fondamenta, spaccando alcuni vetri. Per fortuna i materassi che coprivano le finestre bloccarono le schegge, che caddero a terra senza causare danni. Fuori i detriti di pietra e cemento continuarono a cadere per una decina di secondi.

«Paul, che cazzo erano?», chiese Edith.

«Mortai», risposi. «Relativamente piccoli, probabilmente da 82mm. Hanno una gittata compresa fra i tre e i quattro chilometri».

«Quindi non erano i bastardoni».

«No. Non staremmo qui a parlarne, sennò», le dissi, tentando di sembrare rassicurante.

Il giorno proseguì con la sua monotona e terrificante routine. Sapevamo di avere davanti almeno altre dodici, se non quattordici, ore di bombardamenti, con un'unica pausa di un'ora verso le due, quando i soldati andavano a mangiare. A un certo punto arrivò Abu Hanin. Avendo rinunciato a guardare l'orologio, i nostri ritmi erano scanditi dagli eventi.

Abu Hanin portò via William e Javier per vedere se riuscivano a collegarsi e a scoprire se c'erano stati progressi sul fronte diplomatico. Io rifiutavo categoricamente di farmi influenzare, nel bene o nel male, da quella faccenda. Se la cavalleria fosse venuta a salvarci, bene; altrimenti avrei continuato a fumare e a escogitare vie d'uscita nel caso in cui fosse accaduto il peggio e le forze di Assad avessero invaso il quartiere a piedi e lanciato un'operazione porta-a-porta per stanare i ribelli.

Avevo già preso in considerazione talmente tanti progetti di fuga che ero ormai arrivato al piano F. Grazie alla luce che penetrava dalle finestre, ero finalmente riuscito a capire dove si trovasse il Sud. Il Sud significava il Libano e il Libano era in un certo senso la nostra salvezza. Nel mio marsupio c'era una barretta energetica al cioccolato e l'acqua era ancora disponibile, quindi le provviste erano pronte. Avevo anche cominciato a mettere da parte una sigaretta ogni tanto nel caso in cui giungesse il momento tanto temuto e finissero. Il mio piano era abbastanza semplice: viaggiare solo di notte usando una stampella che avrei fabbricato a partire dai tanti rottami disseminati nel quartiere. Di giorno mi sarei nascosto per dormire e avrei continuato a muovermi di notte dirigendomi verso sud, sempre verso sud. Quando però pensavo agli altri, venivo bruscamente riportato alla realtà: non avrei lasciato sola Edith e non avrei abbandonato il corpo di Marie a Baba Amr. Okay, potevo passare al piano G. Se non altro, mi tenevo impegnato.

«Paul, Paul, sei sveglio?», mi sussurrò Edith in tono concitato.

«Sì. Stai bene?», le chiesi.

«Sì, Paul, ma devo fare pipì».

«Ah, giusto, anch'io. Da quando siamo arrivati, non l'abbiamo ancora fatta. Chiediamo a Salah di portarci dei vasi da notte».

Salah andò all'ospedale e tornò con un vaso per me e con un'infermiera munita di padella per Edith. Wa'el, profondamente sofferente, si tirò su dal suo angolino e uscì dalla stanza mentre l'infermiera preparava Edith alla sua prima pipì. Tra crisi di riso e gemiti di dolore di Edith, l'infermiera posizionò la padella. Poi ci fu un lungo silenzio. Sia io sia Edith cercavamo di liberarci, ma non succedeva nulla: continuavamo a ridere e a distrarci a vicenda. Non è facile concentrarsi quando piovono proiettili e sei in competizione con qualcuno a pochi metri di distanza. Alla fine, dopo quella che sembrò un'eternità, Edith annunciò tutta trionfante la sua vittoria.

«Com'è stato?», mi chiese poi scherzosamente.

«Non lo so. Non ci riesco», ribattei, un po' frustrato.

E ridacchiammo entrambi, consapevoli dell'assurdità della situazione. Fu un raggio di sole in quella giornata triste. Trascorsi l'ora seguente a spiegare a Edith come l'artiglieria venisse guidata verso il bersaglio; le parlai della sorveglianza dei droni, di come gli aerei spia trasmettessero le coordinate dei bersagli a un centro di controllo e di come queste venissero poi inviate a una batteria di cannoni, che correggeva il tiro in modo da colpire i bersagli segnalati. Il processo le parve un po' più chiaro, dopo. In quel vuoto di informazioni, qualsiasi conoscenza ci dava una sensazione di potere.

A un certo punto Maher ci portò del cibo. Notai che le razioni stavano diventando più piccole, il pane più vecchio e le visite leggermente meno frequenti. La situazione stava degenerando. Per averne la prova, bastava lanciare un'occhiata al vassoio d'argento vuoto abbandonato nel buio. Maher ci aggiornò su come andavano le cose all'ospedale. Quel giorno erano morte quindici persone, donne e bambini, vecchi e ragazzini. Per la prima volta vidi qualcosa di diverso dalla speranza sul suo viso giovane e indurito dalla guerra.

Ci lasciò il cibo e tornò in ospedale. Lui e Salah non restavano più solo per farci compagnia: c'era bisogno di loro altrove. Erano tutti segni infausti e l'atmosfera nel nostro rifugio buio si fece più pesante. Anche Wa'el era in difficoltà: il braccio rotto gli causava dolori lancinanti e si stava isolando.

«Wa'el. Ti prego, vai. Conosci la città e i suoi abitanti e puoi camminare. Vai al tunnel e lasciaci qui. Non c'è niente che tu possa fare adesso. Anzi, sei tu ad avere bisogno di aiuto», lo supplicai. «Non ha senso restare qui. Ti prego, vai».

Wa'el mi sorrise malgrado il dolore. «Neanche per sogno. Vi ho portato qui e starò con voi finché non vi farò uscire. Non chiedermi di nuovo di andarmene. Me ne andrò quando ve ne andrete voi», ribatté in un tono che non ammetteva repliche.

«Grazie», dissi, ammirato dal suo coraggio.

Il tempo scorreva con una lentezza esasperante. E anche le mie facoltà mentali sembravano più rallentate. Ma nella nebbia della mia mente cominciò a farsi strada un pensiero e, con trepidazione, guardai l'orologio: le lancette segnavano le 15:30. Non dissi nulla per dieci minuti, poi mi rivolsi agli altri.

«Edith, Wa'el, siete svegli?», chiesi nel buio. Entrambi risposero di sì. «Quand'è l'ultima volta che avete sentito un'esplosione?», continuai, sperando di avere ragione e di non essermi lasciato prendere da un ottimismo infondato.

Loro tacquero per un lungo momento, poi Edith disse: «È la pausa pranzo, Paul».

«No, è finita mezz'ora fa. Sentite».

La stanza era immersa in un silenzio totale, senza esplosioni e senza spari. Era la prima volta da settimane a quella parte. Nessuno parlò, nel timore di spezzare l'incantesimo e scatenare di nuovo l'inferno. La tensione tra noi era palpabile, quasi come nei momenti in cui i bombardamenti erano più intensi. Ci eravamo abituati alle esplosioni e la loro scomparsa ci colse alla sprovvista.

A un tratto, si udirono delle voci e dei passi di corsa nella casa. Ebbi una scarica di adrenalina. "Ci siamo", mi dissi. "Sono arrivati. I soldati del governo hanno invaso il quartiere. Non vogliono colpire i loro stessi uomini: ecco perché i bombardamenti sono cessati". Ero stato uno stupido a immaginare un altro motivo. Negli ultimi giorni l'esercito di Assad aveva cerca-

to di fiaccare la resistenza di Baba Amr con l'incessante fuoco
dell'artiglieria ed era giunto il momento dello sgombero porta a
porta. Era finita. Ecco come finisce. Mi preparai all'inevitabile.
Avrei venduto cara la pelle, però. "Che si fottano", pensai, "non
rimarrò incollato a un materasso in una pozza di sangue secco
e puzzolente". Estrassi il coltello che avevo a portata di mano.

La porta si spalancò. "Eccoci", mi dissi, tentando di alzarmi in
piedi. Non riuscendoci, rimasi bloccato in una strana posizione, e
dovetti contorcermi per guardare la porta. Cazzo. Erano William,
Javier e Abu Hanin.

«Cristo santo», esclamai. «Che cazzo succede?».

I ragazzi erano trafelati e cercavano di riprendere fiato. Il cuore mi batteva all'impazzata. Avevo bisogno di risposte, subito.

«C'è un cessate il fuoco», annunciò William. Il suo viso, coperto da barba e capelli incolti, era raggiante.

Abu Hanin aggiunse: «Paul, Hala Jaber del "Sunday Times" è
a Damasco. È riuscita, insieme a una squadra a Beirut, a negoziare un cessate il fuoco tra il governo e i ribelli. Manderanno
la Croce rossa internazionale insieme ad alcuni rappresentanti
diplomatici. Vi tireranno fuori».

«Come?», esclamai sbalordito. La notizia fu come un ceffone
in pieno viso e mi lasciò incredulo e frastornato. «Che cazzo
dite?».

Abu Hanin ripeté l'informazione. «Potete partire tutti stasera
con la Croce rossa. Senti? Non stanno bombardando e ho un messaggio da parte di Hala che ci è stato trasmesso dalla squadra di
Beirut. Dice di salire sull'ambulanza appena arriva».

«Allora per favore portate qui il corpo di Marie. Non me ne
vado senza di lei. Portate lei e Rémi qui, così sono pronti».

«La porterò qui quando arrivano le ambulanze. Voi intanto fate
le valigie e tenetevi pronti».

Ignorai la regola che mi ero dato e mi abbandonai alla speranza, consentendomi di assaporare l'idea della fuga. Non sapevo come avesse fatto Hala a strappare un cessate il fuoco, ma il silenzio che c'era fuori dimostrava che ci era riuscita. L'atmosfera nella stanza era cambiata di colpo all'annuncio di Abu Hanin. Sebbene fosse ancora buio intorno a noi, la cortina di tenebre sembrava essersi dissipata. Tanto che ebbi l'urgenza improvvisa di fare pipì, non essendoci ancora riuscito. Così, mentre tutti discutevano animatamente della nostra imminente fuga, feci scivolare il vaso da notte sotto le coperte e, continuando a chiacchierare, mi liberai. Fu una sensazione bellissima. Ero un uomo nuovo quando porsi il vaso a William, che lo guardò un attimo senza capire per poi sbiancare in volto.

Continuammo a fare congetture sul piano di evacuazione. Speravamo che la Croce rossa ci avrebbe portati subito al confine con il Libano per poi affidarci a un'altra ambulanza o addirittura proseguire per Beirut. A ogni modo, saremmo tornati a casa, e si trattava solo di aspettare ormai. Poi, quando l'eccitazione scemò, scesi piano piano sulla Terra. "Ricordati le regole", mi dissi, "non dire gatto se non ce l'hai nel sacco". Comunque continuai a chiacchierare con gli altri, bevendo tè e persino mangiando un po' del cibo che ci avevano portato.

Edith era particolarmente felice. Javier e William avevano ricevuto pessime notizie a proposito della sua ferita. A quanto pareva, lo sfregamento delle due ossa rischiava di produrre una sostanza simile a grasso che avrebbe potuto essere assorbita dal sangue e comportarsi a mo' di trombo, causando un infarto che l'avrebbe uccisa sul colpo. Edith conviveva con quella consapevolezza da due giorni. Non ne parlava quasi mai, ma le sue condizioni rendevano ancora più improbabile l'eventualità di fuggire attraverso il tunnel.

Con il passare del tempo, le nostre aspettative crebbero e la tensione si acuì. Presto avremmo avuto accesso a veri antidolorifici. Ci saremmo trovati nell'ambiente sicuro di un'ambulanza che ci avrebbe portati lontano da quella stanza in cui il tempo e il senso del nostro lavoro erano morti. La luce si attenuò per poi scomparire. Noi, sapendo di dover partire a breve, gettammo alle ortiche ogni proposito di razionare le scorte e fumammo una sigaretta dietro l'altra. Fu allora che udimmo un rumore di motori e, subito dopo, un vociare di gente che salutava l'arrivo delle ambulanze, portatrici di libertà.

William, Javier e Abu Hanin uscirono per accogliere i nostri salvatori, lasciando me, Edith e Wa'el ad aspettare l'evacuazione. Per quanto ci provassi, non riuscivo a contenere l'euforia che mi montava dentro. Edith sorrideva radiosa e Wa'el raggiunse gli altri in strada per vedere cosa stava succedendo. Io e Edith restammo in attesa. Dopo una decina di minuti i ragazzi tornarono e, dal linguaggio del corpo, capii subito che qualcosa non andava.

«Che succede?», chiesi ansiosamente.

Abu Hanin ci spiegò la situazione in tono incolore. Tanto per cominciare, non era arrivato il CIRC, il Comitato internazionale della Croce rossa, bensì la SARC, Mezzaluna rossa siriana. La SARC aveva l'ordine di caricare, oltre a noi, anche i feriti civili dell'ospedale da campo e di portarci all'ospedale di Homs, situato fuori da Baba Amr, in una zona controllata dal governo. Una volta lì, noi saremmo stati affidati alle ambulanze del CIRC.

William ci confermò di aver parlato, attraverso la radio della Mezzaluna rossa, con una delegata francese del CIRC che gli aveva spiegato che le loro ambulanze li attendevano all'ospedale perché il governo siriano aveva negato loro il permesso di entrare a Baba Amr. Lei era in contatto con alcuni funzionari del governo a Damasco e stava cercando disperatamente di convincerli a lasciar passare le ambulanze attraverso il checkpoint. Inoltre non c'erano rappresentanti diplomatici con la SARC.

Poi Abu Hanin ci spiegò che la Shabia, un gruppo paramilitare filogovernativo noto per i suoi atti di violenza, aveva utilizzato più volte le ambulanze della SARC per penetrare nelle aree dei ribelli e lanciare attacchi. Ci disse anche che l'ultima volta che la SARC aveva evacuato dei feriti da Baba Amr, questi erano semplicemente scomparsi dalle ambulanze. Gli abitanti del quartiere sospettavano che il regime usasse la Mezzaluna come strumento di oppressione.

Quelle notizie ci gettarono nello sconforto. Eravamo costretti a prendere una decisione che avrebbe potuto condurci a guai ancora più grossi. Edith si rifiutò di partire. «Non salgo su una cazzo di ambulanza del regime». Io ero tendenzialmente d'accordo con lei. Javier era disposto a rischiare e William era indeciso.

«William», dissi, «esci e mettiti di nuovo in contatto via radio con la delegata della Croce rossa. Abbiamo bisogno di tempo per decidere. Falla parlare. Spiegale in che situazione ci troviamo e dille di continuare a trattare con Damasco».

In quel momento, si udirono voci concitate provenire dal cortiletto. La discussione si fece sempre più accesa con il passare dei minuti. Poi alcuni combattenti dell'ESL entrarono nella stanza e si rivolsero a Wa'el dicendogli che, secondo l'ESL, si trattava di una trappola e che i membri della SARC erano agli ordini di Assad. Ci consigliarono di non salire a bordo delle ambulanze, aggiungendo che temevano per la nostra vita. Intanto, la discussione in corso nel cortile stava degenerando. Non capivamo chi urlasse contro chi, ma sembrava che stesse per scoppiare una rissa. Dovevamo prendere in mano la situazione.

Abu Hanin uscì e tornò con un ometto sorridente con gli occhiali che si presentò come delegato della SARC e disse che voleva parlare con noi.

Wa'el e Abu Hanin fecero da interpreti, ma nel frattempo la stanza era stata invasa da membri della SARC e da soldati dell'ESL armati fino ai denti che parlavano tutti insieme, rendendo impossibile la comunicazione. C'era elettricità nell'aria e il rischio concreto di oltrepassare il confine tra discussione e violenza. Dovevamo fare qualcosa. William, che era tornato, si mise a sbraitare in modo minaccioso contro il medico della SARC, tanto che questi a un certo punto girò i tacchi e fece per andarsene prima ancora che riuscissimo a parlarci. Io lo pregai di restare, ordinando a William di chiudere la bocca e piantarla di urlargli contro.

«Abu Hanin, dobbiamo assolutamente sgombrare la stanza», dissi. «Devono uscire tutti, tranne noi cinque che dobbiamo parlare con il dottore e capire come stanno le cose. Wa'el può tradurre, se c'è bisogno, quindi manda via tutti e cerca di tenerli a bada quando sono fuori».

Finalmente, dopo urla e spintoni, la stanza si svuotò e restammo soli con il medico della SARC. Gli chiedemmo di spiegarci cosa sarebbe successo se avessimo lasciato Baba Amr a bordo delle sue ambulanze.

«Sono una brava persona. Sono un medico e la gente qui mi conosce e ha fiducia in me», cominciò lui. «Vi affideremo alla Croce rossa, ma prima dovrete incontrare i servizi di sicurezza, perché non avete il visto. Sono questi gli ordini del mio governo».

Nella stanza cadde un silenzio di tomba. Quell'informazione cruciale cambiava tutto.

«Può confermare quello che ha appena detto, e cioè che prima di salire sulle ambulanze del CIRC dovremo parlare con quelli della sicurezza?», gli chiesi.

«È la prassi. Non avete il visto, quindi devono prima parlare con voi», rispose lui.

Mi consultai brevemente con gli altri e gli chiedemmo un po' di tempo per discuterne tra noi. Lui ce lo concesse, ma ci disse anche che sarebbe dovuto ripartire non appena avessero caricato sulle ambulanze l'ultimo dei feriti dell'ospedale da campo.

Dovevamo prendere una decisione il più presto possibile. Dopo essersi fermato per giorni, il tempo ci sfuggiva tra le dita. Io e Edith eravamo contrari a salire sulle ambulanze. Edith disse che lo avrebbe fatto solo se ci avessero garantito un passaggio sicuro per il Libano. Mai e poi mai sarebbe andata a Damasco. Javier osservò giustamente che evitare un viaggio a Damasco sarebbe stato impossibile se fossimo partiti con la SARC: il governo avrebbe voluto la sua parte di pubbliche relazioni e noi saremmo stati sicuramente mostrati alle telecamere di tutto il mondo per far vedere che Assad era un uomo gentile, magnanimo e incompreso. William era indeciso. Quell'improvviso cambiamento di programma e quell'alternarsi di alti e bassi lo avevano sconvolto. E anche la sua decisione, come le sue emozioni, oscillava tra le due opzioni. Mi dispiaceva profondamente per lui.

Richiamammo il medico nella stanza per fargli qualche altra domanda. Quando gli chiesi se avrebbero potuto portarci subito a Beirut, la sua risposta fu un empatico no. Ribadì che avremmo dovuto parlare con gli uomini della sicurezza. Poi aggiunse un'altra informazione.

«Il mio governo vuole anche che giriate un video in cui affermate di non voler lasciare Baba Amr, se sarà questa la vostra decisione finale».

Noi rifiutammo categoricamente di girare un video pro Assad. Allora, malgrado ci fossimo solo noi cinque nella stanza, il dottore abbassò la voce e, lanciando rapide occhiate alla porta per accertarsi che non ci fosse nessuno fuori in grado di sentirlo, disse in un sussurro furtivo: «Amici, capisco la vostra situazione: quando si è in mare e si sta per annegare ci si aggrappa a tutto pur di salvarsi. Il mio consiglio è: non salite sulle nostre ambulanze. Aspettate la Croce rossa e fate in modo che ci siano dei rappresentanti diplomatici. Se avete bisogno di me, mi trovate fuori. Buona fortuna».

Quando se ne fu andato, nella stanza scese un silenzio assordante. Il medico aveva appena rischiato la vita dandoci informazioni per cui avrebbe potuto essere sbattuto in galera. Ci sentimmo mancare la terra sotto i piedi. Solo un'ora prima avevamo respirato il profumo della libertà, ma il sogno svanì in un attimo e il risveglio fu traumatico. Avevamo infranto le regole concedendoci una dolce illusione. Il ritorno alla realtà fu brusco e doloroso.

Due membri dell'ESL entrarono nella stanza e si sedettero accanto a Wa'el. Erano con un medico della SARC con una tuta rossa. Wa'el mi fece cenno di avvicinarmi e mi trascinai fino al suo angolo buio. Il medico si rivolse a Wa'el in un arabo rapido e concitato. Wa'el rimase a bocca aperta alle sue parole. Poi si girò verso di me e mi attirò a sé.

«Paul, questo è un uomo di cui l'ESL si fida. Lo conoscono da un sacco di tempo, è un loro informatore. Un amico, insomma», sussurrò in tono urgente. «Mi ha confidato il vero piano. E non va bene. Al checkpoint di Baba Amr c'è una troupe della televisione di Stato. Vogliono riprenderci mentre ci caricano sulle ambulanze della Croce rossa, ma poi, appena usciremo da Homs…». Wa'el si interruppe un istante, poi concluse: «Ci giustizieranno. Lasceranno i corpi in mezzo alla strada e il governo annuncerà che l'ESL ha teso un'imboscata all'ambulanza, uccidendoci».

Ebbi un conato di vomito. Mi girava la testa e non trovavo le parole. Mi limitai ad accendere una sigaretta e a fissare lo sguardo sulla parete. Non riuscivo a riflettere, non riuscivo a muovermi. Ero in una specie di trance. «Oh, cazzo», mormorai infine mentre un brivido mi correva lungo la schiena. "Siamo nella merda", pensai. Uno di quelli della SARC poteva avere con sé un gps. Non doveva fare altro che spingere un pulsante e l'esercito avrebbe saputo dove ci nascondevamo. Le nostre possibilità di uscire vivi di lì si erano notevolmente ridotte. L'incubo era entrato in un territorio inesplorato.

Restammo seduti in silenzio: eravamo tutti senza parole. Ognuno cercava di assimilare gli eventi di quella serata. Poi udimmo le ambulanze allontanarsi e il rumore dei motori perdersi nella notte.

«Porca troia», saltò su Edith alla fine. «Non potrebbe andare peggio di così. È una catastrofe».

Noi annuimmo, eppure avevamo ancora qualche dubbio. C'era una possibilità, seppure minima, che avessimo appena fatto un grosso errore, una scelta sbagliata che ci sarebbe costata la vita. Ma ci aggrappammo a quanto ci avevano detto: che nel giro di poche ore i nostri cadaveri insanguinati sarebbero stati gettati in mezzo a una strada buia alla periferia di Homs.

«Be', gente, bisogna ammettere che siamo fortunati a essere ancora vivi. Abbiamo fatto bene a non andare: è stata la scelta migliore», dissi, con la speranza di risollevare il morale della truppa.

A un tratto si udì qualcuno bussare alla porta e, un attimo dopo, comparve un ribelle barbuto armato di AK47. Disse qualcosa a Wa'el e se ne andò com'era venuto. Noi ci voltammo verso Wa'el, che ci fissò in silenzio. Si vedeva che non riusciva a trovare le parole. Alla fine si riscosse e disse: «Ragazzi, il tunnel è stato bombardato ed è inagibile. Siamo bloccati a Baba Amr».

13
FUGA DA HOMS

24 febbraio 2012, Baba Amr, Siria

Giorno 3

Ci attendeva un'altra lunga notte. Il ribelle dell'ESL che ci aveva informato dell'attacco al tunnel aveva soffocato ogni speranza di riuscire a fuggire. Sedevamo in silenzio, lo sguardo fisso sulla lampada a olio. Non c'erano parole di conforto. Sembrava davvero finita. Ad aggravare la nostra disperazione, la lampada, la cui luce si era affievolita con il passare delle ore, si spense. Salah si alzò per riempirla, ma si rese conto che il recipiente d'olio era vuoto. La lampada era morta, ma a nessuno importava, tanto eravamo annichiliti dalla notizia dell'attacco al tunnel. Ciononostante, o forse proprio per via dell'atmosfera cupa, Salah andò all'ospedale da campo in cerca di candele.

Tornò mezz'ora dopo con le candele e altre brutte notizie. I combattimenti avevano ucciso più di venti persone quel giorno. L'ospedale traboccava di feriti. E, come se la razione quotidiana di morte e disastri non fosse sufficiente, un proiettile aveva distrutto la nostra fonte principale di acqua: una cisterna sul tetto. Da allora in poi avremmo dovuto razionarla. Salah accese una delle candele, che illuminò la stanza ancora più fiocamente della lampada a olio. Quel bagliore tremolante era fiacco come il nostro morale.

L'unico momento spensierato della serata giunse insieme a Abu Laila, che ci portò in dono delle caramelle dure e delle sigarette americane. Si sedette nella stessa posizione della sua prima visita e cominciò a insultare affettuosamente Wa'el prima di parlarci del piano che aveva escogitato. Era possibile fare uscire Edith da Baba Amr vestendola come una donna del luogo e coprendole il viso con un velo. Ci disse che aveva corrotto le guardie di un particolare checkpoint di Baba Amr ed era certo di poter portare via Edith passando di lì. Il suo piano fu un barlume di speranza in un mondo buio. Se c'era una persona in grado di fare una cosa del genere, era proprio l'indomito Abu Laila. La fuga era prevista per l'indomani, disse, prima di aggiungere che avrebbe potuto portare con sé solo una donna: Javier, William, Wa'el e io saremmo dovuti restare lì. La notizia fu un duro colpo per William che, sempre più demoralizzato, dovette mettere da parte il proprio interesse a favore di Edith, gravemente ferita e bisognosa di cure urgenti. Noialtri capimmo di aver perso l'unica vera possibilità di fuga con la distruzione del tunnel. Come se non bastasse, anche il gasolio per il riscaldamento finì.

Trascorsi alcune ore in compagnia di Abu Laila, che mi diede un'altra lezione di arabo classico. Risolvemmo il problema della posizione della lingua, che mi impediva di pronunciare correttamente il suono «hwhah» e, per un attimo, il mio umore si risollevò. Alla fine, però, il dolore e la stanchezza nervosa ebbero la meglio e scivolai lentamente nell'oblio.

25 febbraio 2012, Baba Amr, Siria

Giorno 4

La mia convinzione che la visita della SARC non avesse fatto altro che dare alle forze del governo un'idea più precisa di dove ci trovassimo si rivelò, purtroppo, esatta: quella mattina gli artiglieri del regime cominciarono i bombardamenti con un assalto feroce e senza precedenti al nostro edificio. Subimmo una lunga serie di colpi diretti: dal soffitto cadevano pezzi di intonaco, ricoprendoci di un sottile strato di polvere, mentre schegge, detriti volanti e onde d'urto spaccarono altri vetri. Pensai che fosse davvero giunta la fine: l'edificio era già stato danneggiato negli ultimi tre giorni e ormai il regime aveva le nostre coordinate esatte. Anche se era fatto di basalto, non avrebbe resistito ancora a lungo: sarebbe bastato un colpo di mortaio da 240mm per raderlo al suolo.

Quella mattina evitammo di accendere la candela. E dall'ospedale non giunse cibo. Salah e Maher si fermavano solo per assolvere le incombenze urgenti prima di precipitarsi nuovamente all'ospedale da campo, dove c'era più bisogno delle loro competenze. Noi rimanemmo sdraiati nel buio e nello sconforto più totali.

Abu Hanin arrivò nel primo pomeriggio, durante la tregua nei bombardamenti. Percepì il nostro umore nero e ci promise solennemente che ci avrebbe tirati fuori di lì, a costo di trasportarci in spalla. I soldati dell'ESL lavoravano giorno e notte per liberare il tunnel bloccato. Una volta ultimate le riparazioni, saremmo fuggiti. Abu Hanin mi disse anche che Kate, mia moglie, lo aveva contattato su Skype per trasmettermi l'affetto di tutta la famiglia. Gli chiesi di ricambiare e scrissi un bigliettino a Bonnie, la mia compagna, dicendole di non preoccuparsi per il nuovo lavello della cucina: lo avrei sistemato una volta uscito di lì. Quando lo porsi a Abu Hanin, lui disse sorridendo: «Paul, ho anche un messaggio da parte del tuo capo al "Sunday Times". Dice: entra in quel cazzo di tunnel e levati dai coglioni».

«Senti un po', ti ricordi il nome del capo?», gli chiesi.

«Sì. Il signor Miles. È in Libano», rispose lui.

Scoppiai a ridere. Miles era il giornalista con cui avevo lavorato in Libia, quello a cui avevano sparato in testa. Sapere che un amico stava seguendo il mio caso mi risollevò istantaneamente il morale. Il giornale doveva averlo mandato in Libano da Kabul per vedere se poteva dare una mano. Era già stato in Siria insieme a me e avrebbe capito la situazione meglio di chiunque altro. Sorrisi, accesi una sigaretta e mi sentii subito meglio. Era il secondo messaggio diretto che ricevevo dall'esterno. Non ero al corrente di altri piani per tirarci fuori. Quando fosse arrivato il momento, avrei attraversato il tunnel.

Edith trascorse il pomeriggio nella speranza che Abu Laila arrivasse in macchina per portarla via da Baba Amr. Poiché sarebbe fuggita da sola, ci accordammo per ritrovarci nella relativa sicurezza di Al Buwaida. Sempre che io e gli altri fossimo riusciti a metterci in salvo. William aveva tenuto duro fino ad allora, ma sapeva che non sarebbe potuto andare con Edith ed era preoccupatissimo al pensiero che dovesse viaggiare da sola. Era comprensibilmente agitato e faceva su e giù per la stanza cercando di escogitare un modo per accompagnarla. Era teso come una corda di violino e aveva bisogno di andarsene da quel posto maledetto.

Abu Laila, però, non si presentò, infrangendo le speranze di Edith e gettandola in uno stato di frustrazione. Nel frattempo, i bombardamenti intorno a noi si intensificarono sempre più. Come se non bastasse, udimmo per la prima volta il rumore di passi di corsa e di armi leggere per le strade, a poche centinaia di metri da casa nostra. A un tratto, udii un suono profondo e gutturale. Era debole all'inizio, ma capii subito di cosa si trattava: era un carro armato in avvicinamento. Non lo dissi agli altri: li avrei solo allarmati ancora di più. Sentivo anche il rumore familiare delle granate a razzo, l'unica arma dell'arsenale dell'ESL in grado di respingere i carri armati. La guerriglia si stava avvicinando inesorabilmente.

«Paul, devo fare la cacca», disse Edith di punto in bianco, distraendomi per un attimo dal pensiero del carro armato.

«Non è esattamente il mio campo», risposi, dispiaciuto per lei. «William, puoi fare un salto in ospedale a chiamare l'infermiera? Edith ha bisogno della padella».

Un quarto d'ora dopo me ne stavo sdraiato faccia al muro fischiettando per fare rumore mentre Edith assolveva le sue funzioni. Finalmente l'infermiera se ne andò. Ci fu un breve silenzio, poi Edith osservò, ridendo: «Paul, adesso che ho fatto la cacca davanti a te, siamo davvero amici per la pelle». Scoppiai a ridere: Edith era la regina delle battute fulminanti.

La giornata volgeva al termine così come era iniziata: buia, fredda e triste, e senza alcun progresso sul fronte di una eventuale fuga. Accendemmo la candela per alcune ore per alleggerire l'atmosfera. Per un po' funzionò.

Salah arrivò con una bottiglia d'acqua da due litri, la poggiò sul tavolo e annunciò con voce sommessa che era l'ultima. William la prese e bevve un lungo sorso finché non gli ricordai gentilmente che era per tutti e doveva durare il più possibile.

Con sommo orrore, ci accorgemmo che ci erano rimaste solo tre sigarette. Le dividemmo: mezza a testa. Fu un duro colpo per il nostro morale. Restammo in silenzio per alcune ore, finché non decisi che i miei compagni avevano sofferto abbastanza. Allungai la mano verso i pacchetti che avevo nascosto sotto il materasso e ne estrassi uno di Alhamra, le peggiori sigarette che avessi mai fumato, offrendole a tutti. I loro volti si illuminarono di gioia.

Il bombardamento scemò insieme alla conversazione e, uno dopo l'altro, ci abbandonammo alla breve tregua del sonno. Era il nostro quarto giorno nella stanza e non vedevamo la fine.

26 febbraio 2012, Baba Amr, Siria

Giorno 5

Ero sveglio e aspettavo che iniziasse la tortura dei bombardamenti. Con la prima salva fummo investiti da quattro colpi diretti, consecutivi e in rapida successione. La casa ci aveva protetto fino ad allora, ma le forze del governo sapevano dove ci trovavamo, ormai. I proiettili stavano lentamente demolendo il nostro rifugio, pezzo per pezzo, e, presto o tardi, un colpo particolarmente fortunato sarebbe riuscito a penetrare in qualche crepa dell'edificio.

Abu Laila ci fece visita in mattinata e assicurò a Edith che il suo autista le avrebbe fatto attraversare il checkpoint il giorno stesso. Non poteva fermarsi perché impegnato a organizzare altre fughe, ma sarebbe tornato a metà pomeriggio per portarla via. Il morale di Edith si risollevò e quello di William crollò.

William e Javier uscirono insieme a uno degli attivisti per andare a recuperare le attrezzature scampate all'attacco al media centre, e tornarono con una borsa piena di tesori. Il mio portatile e una delle macchine fotografiche erano miracolosamente indenni. Trovai persino un pacchetto di biscotti al cioccolato che mi ero portato dal Libano e che ci offrì un piacevole banchetto e un po' di consolazione. C'era anche la macchina fotografica di Rémi, gravemente danneggiata e quasi irriconoscibile. Suggerii di non restituirla alla famiglia o alla fidanzata: avrebbe solo evocato immagini tristi e sarebbe stato meglio lasciarla a Baba Amr.

La stanchezza ci assalì alle spalle. Non solo eravamo fisicamente stremati, poiché i nostri corpi consumavano tutte le energie vitali per riparare i gravi danni subiti, ma eravamo anche mentalmente esausti. Ero in Siria da quasi due settimane ormai, la maggior parte delle quali trascorse sotto i bombardamenti dell'artiglieria pesante. Rabbrividii al pensiero di ciò che avevano passato gli abitanti di Homs. Quello che stavamo vivendo noi era solo un assaggio della loro sofferenza. Per loro era la realtà quotidiana, in seguito alla violenta repressione da parte di Assad di quella che era iniziata come una protesta pacifica contro il suo regime.

La tregua dell'ora di pranzo passò senza che Salah e Maher si facessero vivi. Sapevamo che la situazione all'ospedale da campo era disperata. La chiusura del tunnel significava che i pazienti non venivano evacuati da giorni. Pochi edifici rimanevano intatti e non c'era posto per il numero sempre crescente di persone ferite e gravemente malate.

Lo sconforto di Edith aumentava con il passare delle ore. La sua fuga avrebbe dovuto aver luogo nel pomeriggio, ma non accadde nulla e anche le sue ultime speranze svanirono. Non capivamo cosa fosse andato storto. Forse l'autista di Abu Laila era stato catturato mentre tornava a Baba Amr dalla precedente missione.

L'orologio ticchettava lentamente, il giorno lasciò il posto alla notte e scivolammo nel buco nero della depressione. Avvolti nelle coperte per scaldarci, avevamo parlato fino allo stremo, per poi rassegnarci all'inevitabile. La fortuna ci aveva voltato le spalle e non c'era niente da fare.

Avevamo imparato a dormire anche durante gli implacabili bombardamenti. Il sonno era diventato l'unica arma contro il nostro peggior nemico: il tempo. Mi stavo abbandonando alle braccia di Morfeo, quando udii la porta esterna spalancarsi e poi delle grida e dei passi di corsa. Ebbi una scarica di adrenalina e cercai subito il coltello.

La porta della nostra stanza si aprì e apparve un ribelle dell'ESL che si rivolse a Wa'el urlando in un arabo concitato. Eravamo tutti svegli ormai, e aspettammo ansiosamente che Wa'el traducesse. Temevamo il peggio. Doveva essere iniziata l'invasione di terra. Wa'el sgranò gli occhi, scioccato. Poi il soldato tacque, girò i tacchi e corse fuori dalla stanza.

Wa'el si voltò verso di noi. Sembrava esterrefatto e fece un profondo respiro prima di parlare. Io avevo il cuore in gola. Stava sicuramente per dirci che le forze di Assad erano entrate nel quartiere e presto ci avrebbero stanati.

«Dobbiamo prepararci a partire tra poco. Hanno riparato il tunnel. Fuggiremo stanotte», annunciò con aria incredula.

Noi lo tempestammo di domande, ma il povero Wa'el non aveva risposte da darci: sapeva solo quello che gli aveva detto il ribelle, e cioè che dovevamo essere pronti a partire il prima possibile. L'apatia e la stanchezza svanirono in un baleno e un nuovo senso dello scopo attraversò la stanza con la potenza di un fulmine. Dovevamo definire subito le priorità.

Edith sarebbe dovuta passare attraverso il tunnel. Per farlo, avrebbe dovuto essere legata a una tavola che tenesse immobilizzate lei e la gamba. William uscì immediatamente in cerca di un pezzo di legno adatto, mentre Abu Hanin e Abu Laila, che era tornato appena aveva appreso la notizia, ci aiutarono a prepararci alla fuga. Io non avevo pantaloni né scarpe e non potevo certo fuggire da Baba Amr con indosso solo dei boxer incrostati di sangue. Pensai di improvvisare un paio di scarpe con delle buste di plastica legate sopra le infradito, ma Abu Laila, capendo il mio dilemma, mi propose di fare cambio con le sue. Qualcuno mi portò un paio di pantaloni da tuta dell'Adidas e mi contorsi per entrarvi malgrado il dolore lancinante alla gamba. Non mi alzavo dal letto da quando ero arrivato in quella casa. L'idea dell'imminente viaggio nel tunnel buio e della marcia che sarebbe inevitabilmente seguita mi allarmava, ma decisi che ci avrei pensato quando fosse giunto il momento.

«Abu Hanin», chiamai quando mi passò accanto. «E Marie e Rémi? Dove sono? Possiamo portarli con noi?».

Lui scosse tristemente la testa. «Tu te ne andrai presto e loro sono in un posto sicuro. Li laviamo tutti i giorni. Ti prometto che avremo cura di loro. Fidati di noi», disse, la voce venata da una sincera malinconia.

«Amico, mio, mi fido ciecamente di voi. So che farete del vostro meglio per loro e ti ringrazio».

Raccolsi le mie cose: qualche pacchetto di sigarette, il coltello, la macchina fotografica e il portatile. Misi la macchina e il computer in una borsa che mi diede Edith e il coltello e le sigarette in tasca. Ero pronto. Intorno a me c'era un'attività frenetica, e il dottor Mohamed e Salah stavano preparando Edith per il trasporto. Uno dei volontari legò il braccio di Wa'el stretto contro il fianco. Mentre Maher mi sfilava accanto, lo fermai.

«Hai qualcosa da iniettarmi?», gli chiesi. «Mi va bene tutto: non sono schizzinoso».

Maher scoppiò a ridere e mi promise di provare a procurarsi qualcosa prima della partenza. Considerato che avevo visto le stelle infilandomi un paio di pantaloni, immaginavo che il viaggio sarebbe stato abbastanza doloroso. Maher poteva anche iniettarmi dell'acqua: sarei stato contento lo stesso. Mi tirai su a sedere sul letto e accesi quella che speravo sarebbe stata la mia ultima sigaretta in quella stanza. Malgrado la mia eccitazione, mi domandai come pensassero di tirarci fuori passando per il tunnel. Io non potevo camminare e non c'erano barelle in giro. "Vaffanculo", pensai, "me ne andrò con un deambulatore, se necessario".

A un tratto, si udì un rumore di motori su di giri seguito da voci. Il cuore prese a battermi più forte e temetti che i ribelli potessero annullare la fuga. Trattenni il fiato e rimasi in attesa.

Pochi istanti dopo entrò un soldato dell'ESL, che diede una rapida occhiata alla stanza e poi urlò a Wa'el che dovevamo uscire immediatamente. Due uomini, non ricordo chi, mi sollevarono. Mi appoggiai alle loro spalle e feci il primo esitante passo della mia fuga da Homs. Il pavimento era cosparso di macerie e schegge di vetro che non c'erano quando eravamo arrivati. Avanzai saltellando e inciampando finché non raggiungemmo, lentamente e dolorosamente, l'ingresso della casa. Sentii il vento soffiarmi sul viso. Respirai l'aria fresca a pieni polmoni mentre costeggiavamo i muri pieni di schegge, per poi uscire nel buio della strada.

Per un attimo, rimasi immobile, sbattendo le palpebre di fronte alla vista che mi si parò davanti. La realtà di ciò che stava accadendo mi colpì con tutta la sua violenza e non potei fare altro che fissare sbalordito la scena. Mi aspettavo di vedere un camion, e invece c'erano sei o sette veicoli con i motori e i fari accesi. Questi ultimi illuminavano i gas di scarico, gettando un bagliore innaturale nella strada. Contro la luce si stagliavano i barellieri che trasportavano i feriti dell'ospedale da campo. Chi riusciva a camminare stringeva flebo di soluzione salina, le donne arrancavano con in braccio bambini urlanti e i soldati dell'ESL, armati fino ai denti, pattugliavano la strada. Quella non era una fuga: era un'evacuazione completa di tutti i feriti e i moribondi di Baba Amr.

Ciò che vidi al di là dei veicoli mi lasciò ancora più sconcertato. Quando ero arrivato in quella casa cinque giorni prima, c'era una strada, ma ormai non restava quasi nulla. Gli alberi sradicati giacevano sui lati e ovunque si levavano cumuli di cemento, macerie e rottami. Nei cinque giorni che avevamo trascorso nel rifugio, le forze siriane avevano scatenato sul quartiere un uragano di distruzione. Non c'era più niente di intatto.

Mi sentii improvvisamente debole e chiesi ai due uomini che mi aiutavano di appoggiarmi contro il muro dell'edificio. Loro si rifiutarono e mi portarono verso un pickup in attesa, sistemandomi sul sedile davanti. Appena se ne andarono, una salva di mortaio esplose in fondo alla strada, illuminando gli edifici circostanti con un lampo sinistro. "Vaffanculo", pensai, uscendo dal veicolo e saltellando verso la relativa sicurezza di un portone di fronte a me. Cercai di ripararmi come potevo mentre un'altra sfilza di colpi di mortaio atterrò all'estremità opposta della strada. Provai ad accendere una sigaretta, ma mi tremavano talmente tanto le mani che impiegai un'eternità. Quando alla fine ci riuscii, tirai una profonda boccata e mi guardai intorno.

Era evidente che una fuga discreta era impensabile: le forze di Assad avanzavano inesorabili e ormai si trattava solo di evacuare quanti più feriti possibile prima che le truppe del governo penetrassero nella piccola enclave. Non aveva importanza se i ribelli dovevano coordinare la rischiosa evacuazione sotto il fuoco del regime. Non erano stati loro a decidere. Non avevano scelta.

Rimasi a guardare mentre medici, infermieri e volontari svuotavano l'ospedale dai feriti e intanto cercavo, allarmato, i miei compagni. Alla fine scorsi Wa'el e lo chiamai. Lui mi si avvicinò e mi spiegò che stavamo aspettando che i medici finissero di legare Edith e la sua gamba.

«Sei pronto a tornare a casa, Paul?», mi chiese.

«Eccome, amico mio», risposi.

Fumammo una sigaretta mentre altri colpi di mortaio esplodevano non lontano da noi. Ma ormai non battevamo più ciglio. I nostri corpi dovevano aver deciso che agitarsi era inutile. A un tratto si udirono delle grida provenienti dall'interno della casa mentre Edith, accompagnata da Javier e William, veniva trasportata fuori su una barella. Quando la caricarono su uno dei veicoli in attesa, pensai: "Cazzo, niente deambulatore per me". L'autista saltò sul nostro camion. Wa'el mi aiutò a sistemarmi sul sedile davanti prima che i ribelli lo issassero sul retro del pickup. L'autista suonò il clacson e sgasò per poi inserire la marcia e partire lentamente. Era iniziato il nostro disperato tentativo di fuga dalla distruzione di Baba Amr.

Avevamo percorso sì e no cinquanta metri quando altri colpi

di mortaio esplosero dietro il convoglio, il che indusse gli autisti ad accelerare verso un incrocio. Con mio grande orrore, una raffica di proiettili esplosivi crivellò il muro dell'edificio d'angolo davanti a noi, ma l'autista si limitò a imboccare la curva in accelerata. Il rombo del motore v8 e lo stridio delle ruote coprì il rumore della salva successiva. I boati risuonavano nella notte mentre sfrecciavamo tra i vicoli bui, attraversando nubi di fumo sollevate da colpi di mortaio esplosi pochi secondi prima del nostro passaggio. A un certo punto ci fermammo in una viuzza. Sul ciglio della strada c'era una fila di barelle con altre persone ferite che vennero rapidamente caricate sui veicoli già strapieni. Poi ripartimmo a tutta velocità.

Correvamo nella notte, inseguiti dal sibilo dei proiettili. Il nostro autista, sigaretta in bocca, occhi fissi sulla strada, non diceva una parola. Il suo unico scopo era farci arrivare vivi al tunnel. Altre esplosioni scossero il pickup. Era evidente che le forze del governo ci vedevano e gli artiglieri di Assad erano decisi a colpire il nostro convoglio. Mi aggrappai al bracciolo, imprecando a ogni svolta e a ogni buca: anche il minimo movimento mi causava fitte lancinanti alla gamba che si propagavano fino ai recettori del dolore del mio cervello.

Ci stavamo avvicinando alla prima linea e il mio corpo si irrigidì per la tensione. L'autista spinse l'acceleratore a tavoletta borbottando: «*Allahu Akbar, Allahu Akbar*». Un'altra raffica di mitragliatrice pesante squarciò l'aria, e il sibilo sinistro delle granate a razzo passò accanto ai nostri veicoli mentre attraversavamo lo spazio aperto di campagne e frutteti al di là dell'oleodotto, che ancora bruciava, e verso l'entrata del tunnel.

Il fuoco contro il convoglio era implacabile. Mi chiedevo come avessimo fatto ad arrivare fin lì. Il regime era perfettamente al corrente del tentativo di fuga in corso sotto il suo naso e ci stava lanciando contro qualsiasi cosa. Passammo sotto un ponte, poi ci inerpicammo su una collinetta e su un terrapieno rialzato dove si udì il sibilo inconfondibile dei proiettili ad alta velocità dei cecchini. A un certo punto cominciai ad assopirmi e a risvegliarmi improvvisamente e dolorosamente ogni volta che il pickup prendeva una buca. Cercai di accendermi una sigaretta. L'autista, vedendomi in difficoltà, l'accese al posto mio.

«*Shukran*», riuscii a dire.

«*Afwan*», rispose lui sorridendo. "Non ti preoccupare".

Il contatto era importante per me. Ero appeso allo stato di coscienza con un filo così sottile che qualsiasi cosa mi distraesse dall'assalto in corso o dal dolore che provavo era benvenuta.

A un certo punto il nostro autista e il resto del convoglio, pur continuando a procedere a velocità folle, spensero i fari e la strada piombò nell'oscurità. Era il segno che ci stavamo avvicinando al tunnel. Evidentemente l'ESL riteneva che la sua ubicazione fosse ancora segreta. "Non per molto", pensai cupamente. Presto la zona sarebbe stata invasa da truppe di fanteria in cerca della via di fuga. Una volta scoperto il tunnel, l'ultimo collegamento con il mondo esterno sarebbe stato reciso, lasciando coloro che erano ancora imprigionati a Baba Amr ad affrontare il terrore dei soldati di Assad, che sarebbero stati ben contenti di scatenare la loro vendetta su una popolazione debole e indifesa.

Ci fermammo di colpo accanto a un buio edificio di vetro. Sembrava un ufficio a un piano, ma non ricordavo di averlo visto durante le precedenti trasferte. I soldati dell'ESL scaricarono i feriti dai camion. Wa'el mi aprì la portiera e mi aiutò a scendere con il braccio funzionante. Javier e Abu Bakr, il ribelle che mi aveva trascinato via dalle macerie quando eravamo stati attaccati, mi sostennero e ci unimmo al flusso di feriti che procedevano in fila indiana verso l'entrata del tunnel.

A un certo punto inciampai e caddi in avanti, e la fasciatura mi si impigliò da qualche parte, disfacendosi e strisciando nello

spesso strato di fango. Mi sedetti sulla sponda posteriore di uno
dei pickup e mi tirai giù i pantaloni. La ferita era aperta, ma non
c'era tempo da perdere. Riavvolsi la benda sporca di fango intorno alla gamba e qualcuno estrasse, da chissà dove, un rotolo
di scotch con cui la fissai. Poi mi ritirai su i pantaloni e proseguii
lungo un sentiero che sembrava condurre a una specie di han-
gar. Avevo perso tutti gli altri. Javier e Abu Bakr erano andati
ad aiutare Edith e io mi misi a cercare disperatamente qualcuno
che conoscevo. Trovai Wa'el.

«Wa'el, dove cazzo sono gli altri?», chiesi, visibilmente agitato.

«Non preoccuparti, stanno bene. Tu andrai per primo, e loro
aspetteranno qui. Edith sarà al sicuro. Vogliono che tu vada con
il primo gruppo. Abu Bakr resterà con te per tutto il viaggio e
farà in modo che tu stia bene. Non ti preoccupare. Andrà tutto
liscio. Ora vai con loro», rispose lui sorridendo.

«Vieni con me, Wa'el».

«Ci vediamo dall'altra parte, Paul», disse lui voltandosi e tornando dagli altri.

«Vedi di farcela, Wa'el», gridai mentre lui scompariva nel buio.
«Vedi di farcela, cazzo». Fu l'ultima volta che lo vidi.

Un attimo dopo, Abu Bakr e un ribelle mi sollevarono e mi
condussero verso il tunnel. Giungemmo alla piccola anticamera
che portava all'interno. Dentro c'erano tre ribelli dell'ESL, sudati
ed esausti, che si davano da fare alla luce fioca di una lampada
a LED. Mi fecero cenno di avvicinarmi e prepararono una corda
con cui calarmi dentro il tunnel. Facendomela scivolare sopra
la testa e sotto le ascelle, mi guidarono fino alla scala d'acciaio
incassata nel muro. Io poggiai la gamba buona sulla scala e mi
aggrappai ai bordi di cemento liscio dell'apertura. Poi i due ribelli mi sollevarono e Abu Bakr mi ordinò di mollare la presa.

La corda mi affondò nelle ascelle e il peso della gamba penzo-

loni mi provocò un dolore lancinante. Loro mi calarono lentamente e delicatamente attraverso il pozzo e poi nel tunnel, dove
due mani mi afferrarono per la vita e mi appoggiarono a terra.
I ribelli staccarono la corda e mi fecero sedere su una vecchia
carriola rovesciata. Ero stremato. Solo il dolore mi teneva sveglio, impedendomi di raggomitolarmi sul pavimento bagnato e
addormentarmi. Qualcuno mi mise una sigaretta accesa in bocca
e io aspirai profondamente.

Altri feriti vennero calati attraverso il pozzo finché l'entrata
del tunnel non fu piena. La tensione si tagliava con il coltello.
Quelli che riuscivano a camminare furono spediti nel buco nero
ad affrontare, piegati in due, il viaggio più importante della loro
vita. Per gli altri, invece, il tempo si fermò. Le persone sedute
intorno a me nella sporcizia e nella penombra stringevano bottiglie di fluidi collegati ai loro corpi da tubi. Altri se ne stavano
straiati a terra, gemendo, le gambe e le braccia steccate, le teste
fasciate, alcuni senza mani e piedi.

Mentre osservavo quell'umanità spezzata, udii il rombo della
motocicletta che si avvicinava. Ormai sapevo, per esperienza,
che sembrava più vicina di quanto non fosse; infatti dovemmo
aspettare un altro quarto d'ora prima di vederla comparire. Poi i
ribelli la spostarono in quello spazio angusto pieno di corpi feriti
di modo che fosse di nuovo rivolta verso il tunnel, pronta per
l'ennesima corsa misericordiosa.

«Abu Falafel, forza, sali sulla moto», mi urlò Abu Bakr.

«No», ribattei fermamente. «Per favore, alcuni di questi ragazzi stanno morendo. Fate passare prima loro». Ero imbarazzato
dall'ordine di evacuazione.

«Abu Falafel, sali. Devi andare adesso», ripeté lui, tirandomi
su e guardandomi dritto negli occhi. «Ti vogliamo vivo per raccontare la nostra storia. Per favore, vai».

Gli altri feriti mi fecero cenno di andare. Sorridevano. In quel

tunnel buio e puzzolente, con le loro vite appese a un filo, trovavano ancora il tempo di sorridere. Anch'io abbozzai un sorriso.

Il motociclista saltò di nuovo in sella e mandò su di giri il motore, che continuava a spegnersi in modo piuttosto preoccupante.
Poi mi sistemarono sopra la moto e il centauro si piegò in avanti
con il mento sul fanale. Un ribelle mi spinse giù la testa appog-
giandola sulla sua schiena e mi diede un colpetto sulla spalla facendomi cenno di tenerla giù per non sbatterla sul soffitto basso
del tunnel. Io alzai i pollici, poi il motociclista sgasò ed entrò
lentamente nel buco nero. Mi aggrappai a quella moto con tutte
le mie forze, ed ebbe inizio quello che speravo davvero fosse il
mio ultimo viaggio attraverso un tunnel che stavo cominciando
ad amare.

Avanzavamo a bassa velocità. Il tunnel era ovoidale, quindi
la moto aveva la tendenza a salire leggermente su un lato della
parete per poi ricadere al centro e risalire dall'altra parte. Era
impossibile procedere in linea retta. Dovevo fare presa con le
gambe per rimanere stabile e non avevo più fitte, ma un dolore
costante che mi bombardava il cervello. Però dovevo tenere duro
e cercare di non svenire. Il tempo perse ogni significato: vivevo
solo per il secondo successivo. Il rumore, l'odore e il fatto che
fossimo cinque metri sottoterra su una moto in fuga da un branco
di assassini senza scrupoli rendevano tutto molto surreale e, non
fosse stato per il dolore, avrei potuto liquidare tutta la faccenda
come uno strano sogno. Purtroppo, però, non era così e, proprio
quando pensavo di averle viste tutte, c'era altro ad attendermi.

La motocicletta rallentò fino a fermarsi. Guardai avanti, nella
pallida luce del fanale. Malgrado tutto il tempo trascorso in prima
linea e negli ospedali a guardare i feriti morire, non avevo mai
visto niente di più disperato della scena che avevo davanti. Un
uomo di mezza età, piegato in due, sudato e sfinito, se ne stava
lì, stordito, nel cono di luce della moto. Portava in braccio un

bambino che avrà avuto dieci anni, con le gambe maciullate. La pelle e i muscoli dei polpacci erano saltati via, svelando lo scheletro. Mi sentii svenire. Laggiù, nelle viscere puzzolenti della Terra, avevo davvero visto troppo. Provai a scendere dalla moto per far salire il bambino. Era semplicemente impossibile per me proseguire e vivere il resto della mia vita sapendo che li avevo lasciati in quel posto buio. Mentre cercavo di alzarmi, sentii due mani bloccarmi. Mi voltai e vidi un ribelle armato e Abu Bakr, che avevano corso dietro la moto. Presero il bambino dalle braccia del padre e lo sistemarono delicatamente sul sedile dietro di me. Io mi voltai e incontrai il suo viso bagnato di pianto a pochi centimetri dal mio. Era in stato di shock e fissava impassibile i miei occhi, pieni di lacrime come i suoi.

Il padre ringraziò i ribelli e, mentre ripartivamo, si mise a correre insieme a loro dietro la moto, in modo da restare vicino al figlio ferito. Non c'erano poggiapiedi o maniglie sulla moto, quindi il bambino doveva stringersi a me per non cadere. Sfortunatamente, mi afferrò la coscia nel punto esatto in cui era uscita la scheggia, affondando le dita nella mia ferita. Il dolore mi offuscò la vista. Era sempre più difficile trovare un senso a quella situazione.

Proprio quando stavo per perdere conoscenza, la moto si fermò e guardai in su. Attraverso le lacrime e alla luce del fanale vidi solo un muro marrone: era la terra crollata nel tunnel quando era stato colpito dal fuoco dell'artiglieria. Quel muro sbarrava la nostra strada per la libertà. Mi morsi il labbro per non svenire. Mi girava la testa e il bambino continuava a stringere la ferita. Fu allora che vidi il buco.

«Neanche per sogno», dissi, scuotendo la testa. «Per favore, non esiste, cazzo», ripetei, sentendomi sopraffare dalla disperazione.

In cima al cumulo di terra c'era un piccolo buco buio scavato dai ribelli. Sarà stato alto trenta centimetri e largo il doppio, abbastanza da consentire il passaggio a un uomo. Edith non sarebbe mai riuscita ad attraversarlo attaccata alla tavola. Se fosse arrivata fin lì, sarebbe dovuta tornare indietro.

Abu Bakr e il ribelle mi aiutarono a scendere dalla moto e mi portarono ai piedi del muro fangoso e scivoloso, indicando il buco. Spingendo sulla gamba buona, trovai un appiglio precario con le mani e mi misi in posizione. Puntai i gomiti dentro l'entrata e feci leva sulla gamba finché la testa e il busto non furono dentro il buco fangoso. Poi allungai le mani e afferrai una sbarra d'acciaio che sporgeva, in modo da aiutarmi ad avanzare.

Mentre strisciavo tra le pozze d'acqua che si erano raccolte sul fondo del buco, ebbi uno spaventoso attacco di claustrofobia. Era completamente buio, non vedevo luci davanti a me e non avevo idea di quanto avrei dovuto trascinarmi lì dentro. Provai ad alzare la testa, ma sbattei contro il soffitto. Avevo il mento nel fango e le spalle sfregavano i bordi esterni mentre avanzavo un centimetro dopo l'altro. A un tratto, qualcosa penetrò nella ferita d'uscita della gamba, bloccandomi e impedendomi di proseguire. Emisi un gemito di dolore.

Il panico che mi invase rischiò di sopraffarmi. "Calmati", mi dissi. "Rifletti e tieni a bada la paura". Me ne stavo faccia in giù nel fango, impalato, almeno così immaginavo, sulla sbarra di acciaio che avevo usato per infilarmi nel buco. Lo spazio era talmente angusto che non riuscivo neanche a portare una mano alla gamba, così provai a scuoterla per liberarmi dalla sbarra, che però era penetrata in profondità. Lentamente, strinsi la gamba sinistra contro la destra e provai a muovermi. Niente: ero ancora arpionato allo spuntone. "Ma vaffanculo", pensai, e diedi un energico strattone alla gamba. Sentii qualcosa cedere e immaginai non si trattasse della sbarra d'acciaio. Mentre il sangue mi scaldava la coscia, mi resi conto che avevo strappato via i punti che chiudevano la ferita. Se non altro, però, ero riuscito a liberarmi.

Completamente coperto di fango, ripresi ad avanzare nel buio, centimetro dopo centimetro. Proprio quando stavo cominciando a chiedermi se sarei mai arrivato in fondo, udii delle voci attutite davanti a me che mi spronarono a proseguire. Sempre alla cieca ma con rinnovato ottimismo, continuai a strisciare finché le voci non si fecero più forti. A un tratto, una luce mi illuminò il viso, accecandomi, e due braccia si infilarono nel buio trascinandomi fuori, nei confini relativamente ampi del tunnel.

Due ribelli mi misero su una barella di fortuna e si incamminarono. Mi toccai la gamba sinistra: la sbarra d'acciaio aveva davvero riaperto la ferita e sanguinavo copiosamente. Non c'era molto da fare, però. Avanzammo per altri dieci minuti, con i miei due soccorritori che sbuffavano e ansimavano nel tunnel povero di ossigeno, finché non sentii un refolo d'aria fresca e capii che dovevamo essere quasi arrivati. I ribelli appoggiarono la barella sul fondo a una decina di metri dall'uscita e io, investito da una raffica di vento, respirai profondamente. Poi mi voltai indietro. Di Abu Bakr nessuna traccia ma, mentre giacevo immobile a terra, un flusso costante di persone mi passò accanto, scavalcandomi.

Seguì una lunga e difficile attesa. Sapevo che le forze di Assad avrebbero scoperto il tunnel molto presto ed ero ansioso di uscire di lì. Ero sdraiato in una pozza d'acqua fredda e rancida e cominciai a rabbrividire. Tentai di arginare l'emorragia alla gamba tamponando la ferita con la mano coperta di fango, aspettando in silenzio il mio turno.

I barellieri tornarono e indicarono davanti a loro. Per uscire dal tunnel dovevo strisciare attraverso un buco nella fogna, danneggiata dai bombardamenti e invasa da diversi centimetri d'acqua. Non avevo scelta. Sentii l'acqua entrare nella ferita. Poi un paio di mani mi trascinarono fuori dal tunnel depositandomi nell'apertura fangosa che conduceva al mondo esterno. Emisi un gemito di dolore. Avevo l'impressione che la gamba stesse per esplodermi. Ciononostante, l'aria fresca era piacevole e riempii i polmoni, ansimando.

Ero circondato da sei ribelli armati che se ne stavano accucciati in silenzio nel fango in fondo al pozzo d'entrata; erano lì per aiutare la gente a calarsi nel tunnel e a uscirne nel modo più discreto ed efficiente possibile. Abu Bakr mi si avvicinò.

«Paul», sussurrò, «adesso ti fanno uscire. Quando sei fuori, devi strisciare fino all'angolo dove hai aspettato l'ultima volta che sei entrato. Hai capito? Non fare rumore. I soldati siriani sono nel campo accanto. Stanno cercando il tunnel».

Annuii. "Merda", pensai, "c'è un bel pezzo di strada da fare". L'ultima volta lo avevo percorso correndo, ma la prospettiva di strisciare sulla pancia per una distanza così lunga era sconfortante.

«Ora vai. Aspetta all'angolo e ti verranno a prendere», aggiunse Abu Bakr.

Un attimo dopo, tre paia di mani mi afferrarono per la vita e per la gamba buona e mi sollevarono, per poi darmi una spinta finale sopra il bordo. Io tastai il terreno, trovai un appiglio, mi tirai su e rimasi sdraiato a faccia in giù nella terra bagnata, ansimando per la stanchezza e il dolore. Poi, però, mi ricordai dei soldati siriani nel campo vicino e mi riscossi, cominciando a strisciare nello spazio aperto: non c'era la luna, ma neanche un albero che offrisse un po' di riparo.

Procedevo sui gomiti, che, affondando nel terreno umido e fangoso, mi fornivano un buon appoggio, ma ero comunque troppo lento. Non riuscivo ad avanzare più di venti centimetri alla volta. Il sudore misto a fango mi bruciava gli occhi e sentivo le energie abbandonarmi a ogni movimento. Evitavo di guardare avanti:

non volevo sapere quanto mancasse e, nel mio stato delirante, cominciai a empatizzare con le lumache. Se quello era tutto ciò che la vita aveva da offrire loro, chissà di cosa si nutrivano. Mi ripromisi di non mangiarne mai più una. Quel pensiero ridicolo mi aiutò a ingannare il tempo mentre strisciavo, e, quando alzai di nuovo la testa, vidi due figure accucciate che attendevano in silenzio all'angolo di un muro. Ce l'avevo fatta. Quando i due mi si avvicinarono per portarmi in salvo, risi sollevato.

Non ci furono molti convenevoli. I ribelli mi sollevarono da terra e si allontanarono di gran carriera. Conoscevo bene la strada, ma non sapevo come si sarebbero comportati dovendo trasportare un ferito. Attraversammo una zona circondata da muri e alberi che ci fornirono riparo dai cecchini. A un certo punto ci fermammo e uno dei ribelli mi fece cenno di salire a cavalcioni su di lui. Non appena il suo amico mi tirò su, capii che non era stata una buona idea: il ribelle mi afferrò la coscia e il palmo della sua mano affondò nella ferita. Solo che era troppo tardi: ci stavamo già muovendo. Strinsi i denti, ma non servì. Il dolore era insopportabile, così gli diedi un colpetto sulla spalla perché mi mettesse giù. Lui, però, interpretò il mio gesto come un'esortazione ad andare più veloce e si mise a correre. "Merda", pensai, "non ce la faccio". Battei di nuovo la mano sulla sua spalla, e lui accelerò ancora di più. Un po' ridendo e un po' piangendo, chiesi aiuto al suo amico, che finalmente capì cosa volevo dire e fece segno all'altro di mettermi giù. Poggiai le braccia sulle loro spalle e riprendemmo a camminare nel modo più ortodosso.

L'aria della notte risuonava ancora dei rumori della guerra, ma ormai sembrava tutto così distante. Non ci feci molto caso, eppure era così: il cerchio si stava stringendo intorno a Baba Amr. Le raffiche di AK47 erano vicine, però. Eravamo riusciti a fuggire dal quartiere assediato, ma non eravamo ancora al sicuro.

I ribelli accelerarono. Gli spari erano abbastanza vicini da spro-
narli. Giunti ai piedi di un muro di tre metri, si fermarono e fecero un fischio. Pochi istanti dopo, in cima al muro apparvero
due combattenti, pronti a tirarmi su. I ribelli a terra mi presero
per la vita e mi passarono agli altri due che, senza tanti complimenti, mi fecero scavalcare il muro poggiandomi a terra il più
delicatamente possibile. Mi toccai la gamba, che sembrava aver
perso altri punti.

Continuammo a camminare, costeggiando un filare di alberi
che conduceva a un altro muro che conoscevo bene. Si udirono
altre raffiche di mitragliatrice, ancora più vicine, e i due ribelli
che mi sostenevano accelerarono di nuovo il passo. Non riuscivo
più a saltellare, quindi dovevano trascinarmi attraverso il fango.
Ero stremato e stavo perdendo troppo sangue. Non mi rendevo
quasi più conto di cosa succedesse intorno a me e cominciai a
perdere la cognizione del tempo. Attraversammo fossi e terreni
accidentati disseminati di massi. Scavalcammo altri muri. Ormai
mi faceva male tutto. Non importava più cosa stesse accadendo:
il dolore era costante, ma sapevo che sarebbe dovuto finire.

Avevamo percorso più di tre chilometri quando, attraverso il
sudore e il fango che mi si erano seccati sul viso, riconobbi un
edificio. "Porca troia, ce l'abbiamo fatta", pensai. Ma, quando
superammo la casa, il mio morale crollò di nuovo. Avremmo
dovuto fermarci lì, continuavo a ripetermi. Perché cazzo non
ci siamo fermati? Stavo per perdere la pazienza, oltre che la
speranza di raggiungere una qualsiasi destinazione. "Vi prego,
fermatevi", pensai. "Vi prego".

Ero ormai in uno stato di semincoscienza. "Portatemi in Libano
se volete", mi dissi. "Se non altro, non sono io a dover trasportare
un peso quasi morto". A un certo punto, qualcosa si fece strada
nella mia mente delirante: il rumore di un motore, non troppo
lontano. Potevano essere gli uomini di Assad, ma anche i soc-

corsi. Lasciai cadere la testa in avanti. Non me ne importava più niente. "Chiunque siano", mi dissi, "sono fortunati, i bastardi. Almeno hanno la macchina. La prossima volta mi porto la Land Rover. Col cavolo che faccio di nuovo tutto questo casino senza. Probabilmente qui non esistono neanche i tagliandi e i pedaggi. Non hanno nemmeno strade decenti". Erano questi i pensieri che si affastellavano nella mia testa.

A un tratto, rimasi accecato da una luce bianca che mi costrinse a chiudere gli occhi. Forse ero svenuto, o morto, ma secondo me era la prima ipotesi quella giusta, perché sentivo ancora un dolore lancinante alla gamba.

«Ahah, è Abu Falafel», disse una voce in inglese.

Aprii gli occhi, certo di essere vivo: quel soprannome non poteva avermi seguito anche nella tomba. Era Abu Hassan, che aveva ospitato me e Marie a casa sua a Al Buwaida prima di andare a Homs. Accese una sigaretta e me la mise in bocca.

«Vieni», disse sorridendo, «hai bisogno di un falafel».

Mi portarono sul retro di un furgone bianco dotato di serranda avvolgibile. A bordo c'erano un mucchio di altre persone, che mi sorrisero mentre mi aiutavano a salire. Riconobbi subito uno degli attivisti che erano rimasti feriti nell'attacco al media centre. Non riuscii a fare altro che annuire e sorridere a mia volta. Gli altri feriti mi prepararono un cuscino con dei sacchi di modo che potessi appoggiare la testa.

Nel giro di pochi minuti la serranda si chiuse e ci avviammo lungo la strada sterrata piena di buche. Una fioca lampadina illuminava il retro del furgone, dandomi la possibilità di riprendere i miei compagni di viaggio. Alcuni avevano una gamba rotta, altri ferite da arma da fuoco o da schegge. Ci accomunava il sollievo che provavamo: eravamo arrivati fin lì vivi.

Procedemmo, per un'ora o forse più, in mezzo alle invisibili campagne intorno a Homs, accompagnati da una inquietante co-

lonna sonora di gemiti. Io continuavo ad assopirmi e a risvegliarmi ogni volta che il furgone prendeva una buca particolarmente
profonda, per poi scivolare di nuovo nel sonno. Il mio corpo
aveva ormai raggiunto la soglia massima di dolore e stanchezza
e non vedeva l'ora di staccare la spina. Sapevo che dovevo cercare di restare sveglio, ma era una lotta impari.

A un certo punto il furgone imboccò una strada asfaltata e, dopo
pochi minuti, si fermò. Fummo accolti da voci e passi di corsa
e, quando la serranda si alzò, ci trovammo davanti una folla di
persone dall'aria allarmata, alcune delle quali saltarono sul veicolo. Io ero stato l'ultimo a salire, quindi fui il primo a scendere.
Ero frastornato dall'improvvisa comparsa di tutta quella gente
e cercai di capire dove fossi. Quando mi fecero scendere, capii
che mi trovavo in un luogo familiare, ma non riuscivo a dargli
un nome. Ero certo di esserci già stato, però. Due volontari con
dei camici da chirurgo mi portarono in una stanza con una luce
brillante. Avevo vissuto al buio per cinque giorni e quelle lampadine mi accecarono.

Mi sistemarono su un materasso in un angolo e mi guardai
intorno. La solita stufa a gasolio emanava un calore fortissimo.
C'erano cuscini appoggiati alle pareti, e gli scaffali di legno e
le librerie erano carichi di bende e flaconi di medicinali. Oltre
a me, c'erano altri sei feriti. Annuivano e mi sorridevano con
aria rassicurante, come a volermi dire che ero sano e salvo.
Mi passarono una sigaretta e uno mi versò una tazza di tè dolce, avvicinandomela alle labbra perché potessi bere. Il liquido
caldo sapeva di nettare e la sigaretta, lo giuro, era la più buona
che avessi mai fumato. Chiusi gli occhi, non per la stanchezza,
ma per il desiderio di assaporare il momento. Sarei rimasto lì
per sempre.

Mentre me ne stavo sdraiato sul materasso a occhi chiusi, sen-
tendo il calore penetrarmi nelle ossa, la porta si aprì e qualcuno

chiamò il mio nome. «Abu Falafel, che ci fai qui?», chiese una voce gentile e sommessa.

Aprii gli occhi e mi tirai su di scatto. "Non è possibile", pensai, prima di mettere a fuoco quel volto radioso chino su di me. Era il dottor Hakim. Lo avevo conosciuto a gennaio, durante il mio primo viaggio in Siria. Era il medico che dirigeva un ospedale da campo in una minuscola tenda ad Al-Qusayr. Eravamo stati ospiti a casa sua ed era stato lui a fare uscire me e Miles Amoore dalla Siria quando le forze di Assad ci davano la caccia. Lo consideravo un vero e caro amico ed era lì davanti a me. Lo fissai, sorridendo come un idiota, e lui rise di fronte alla mia espressione ebete.

«Stavo venendo a prenderti a Baba Amr», disse. «Ma mi fa piacere che tu mi abbia risparmiato la fatica. Eri in un posto veramente merdoso e odio i tunnel. Il tuo governo mi ha chiesto di provare a portarti via. Io ho detto di no, ma sono venuto a prenderti lo stesso perché sei mio amico. Immagino tu voglia tornare a casa, giusto?».

Scoppiai a ridere e Hakim si chinò per darmi un bacio e poi mi guardò dritto negli occhi. «Paul, perché te ne vuoi andare dal nostro magnifico Paese? Sei matto?», mi chiese con un sorriso enorme, bellissimo e gli occhi scintillanti. «Ora non dobbiamo fare altro che metterti a posto e farti uscire dalla Siria».

"Merda", pensai, "me ne ero dimenticato".

14
NOME IN CODICE: LIVERPOOL

27 febbraio 2012, Al Buwaida, Siria

La priorità del dottor Hakim fu pulire la ferita e medicarla. La fuga da Baba Amr aveva lasciato il segno e la mia gamba aveva un pessimo aspetto, oltre a farmi malissimo. Ci volle un'ora di dolorose pulizie e suture per rimediare al danno subito nel tunnel, poi il dottor Hakim mi attaccò a una flebo per reintegrare parte dei liquidi persi. Dopo una dose di antibiotici, un po' di cibo e una quantità industriale di caffè e sigarette, mi sentii pronto a conquistare il mondo.

Chiesi a Hakim se potevo mandare un messaggio con il suo telefono satellitare. Dovevo avvertire Miles Amoore, che si trovava in Libano, che ero fuggito da Baba Amr. Non potevo divulgare troppe informazioni per questioni di sicurezza, ma era importante far sapere a Miles che, dopo essermi rimesso in forze, mi sarei diretto al confine con il Libano. Scrivere sms su un telefono satellitare è un'impresa piuttosto ardua, e impiegai venti minuti. Speravo che Miles fosse abbastanza acuto da decifrare il messaggio in codice. Quando ebbi finito, Hakim uscì per spedirlo. Diceva:

Ciao amico, ho iniziato il viaggio della speranza. Ho incontrato il nostro amico della tenda, anche se non sono ancora in quel posto. Ho un dolore pazzesco. Informa Bon, Kate e papà. E fai lavorare quelli in giacca e cravatta. Il nemico deve pensare che siamo ancora dentro e non cercarci fuori. Sono diretto in quel posto dove hai mangiato quel pasto succulento ma un po' grasso. Forse domani. Grazie di tutto, amico. Ora vado a lamentarmi con chiunque voglia ascoltarmi. Un abbraccio. P.

"Dovrebbe confondere le eventuali spie all'ascolto", mi dissi, sperando che non avrebbe confuso troppo anche Miles. A quel punto non dovevo fare altro che aspettare che arrivassero Edith, Wa'el e gli altri.

Mi sentivo un po' in colpa perché ero l'unico che era riuscito a scappare, almeno per il momento. La fuga non era completa senza gli altri. Avrei voluto festeggiare con loro. Ma il pensiero di quel muro di terra in mezzo al tunnel continuava a tormentarmi. Temevo che Edith, legata a una tavola di legno con una gamba rotta, non ce l'avrebbe mai fatta a passare da un buco così stretto. Passarono tre ore di grande tensione, ma dei miei compagni nessuna traccia. La paura che fosse successo qualcosa di terribile cominciò a diffondersi nell'ospedale da campo. Sapevamo tutti che ormai avrebbero dovuto essere usciti dal tunnel. Se non altro, avremmo dovuto avere qualche notizia.

Udendo un rumore di veicoli all'esterno, i medici balzarono in piedi e si precipitarono verso la porta. "Grazie, cazzo, grazie", pensai. Perché ci avevano messo così tanto? Il sollievo fu enorme. Aspettai di vederli entrare, tutti sorridenti. Ora sì che potevamo festeggiare.

La porta si spalancò ed entrarono due medici che trasportavano un ribelle sporco di fango e coperto di sangue. Era stato colpito al volto e il proiettile era uscito dalla tempia. La sua vita era appesa a un filo. Dietro di lui c'era una quantità di feriti. Uno di loro, un civile, era stato colpito all'addome, uno dei posti peggiori, e si contorceva sul pavimento, urlando e tenendosi lo stomaco squarciato con le mani, il volto una maschera di dolore. Nel giro di po-

chi minuti la stanza si riempì di combattenti e civili gravemente
feriti. Era un inferno: il pavimento dell'ospedale era coperto di
sangue. Hakim, il veterinario che avevamo incontrato quando
eravamo arrivati a Al Buwaida e tutto il personale disponibile si
diedero da fare per stabilizzare i feriti. Io rimasi a guardare im-
pietrito, mentre nella mia mente si formava una domanda: "Dove
cazzo sono gli altri?".

Mentre lavorava, Hakim mi spiegò cos'era successo. «Paul,
venti minuti dopo la tua uscita dal tunnel l'esercito lo ha trovato
e lo ha attaccato. Hanno lanciato granate e sparato con gli AK47
nell'apertura. Javier è stato colpito, Wa'el catturato e Edith e
William sono dovuti tornare a Baba Amr», disse, mentre cercava
di estrarre un proiettile dall'inguine di un ribelle perfettamente
cosciente.

«Hakim, hai per caso visto un bambino di circa dieci anni con
le gambe mezze maciullate?», gli chiesi.

Hakim ci pensò su per un attimo, poi scosse la testa. Il mio
mondo implose. Dopo tutto quello che avevamo passato, i bombardamenti, la tragica morte di Marie e Rémi, la disperazione
di Baba Amr, la folle corsa verso il tunnel, tutto mi parve vano.

Ero certo che i servizi di sicurezza siriani avrebbero torturato
e giustiziato Wa'el. William e Edith sarebbero dovuti tornare a
Baba Amr. Anche se ci fossero riusciti, chissà come avrebbero
affrontato lo stress psicologico. E, da qualche parte lì fuori, c'era
Javier ferito. Ebbi un conato di vomito. Gli audaci sforzi degli
attivisti e della brigata Farouk dell'ESL, che avevano combattu-
to per difendere Homs e avevano rischiato così tanto per farci
arrivare fin lì, erano sfociati in morte e distruzione. Dovevo la
vita a quegli uomini coraggiosi, eppure me ne stavo lì a guardare
il risultato della loro temerarietà in una stanza piena di sangue.
Chiusi gli occhi nel tentativo di scacciare l'inferno che mi si
apriva davanti.

Hakim stabilizzò i feriti e poi venne a sedersi accanto a me. Mi strinse la mano e disse, con voce dolce e sommessa: «Paul, devo mandarti via da qui. Non è più sicuro e la tua ferita è molto grave, peggio di quanto pensi. Dobbiamo farti arrivare in Libano il prima possibile e sai cosa significa, vero? La situazione è cambiata mentre eri a Baba Amr. Ormai è guerra totale e il viaggio verso il confine non è più facile come prima».

Io annuii in silenzio. Non avevo bisogno che mi ricordasse l'ardua impresa che mi attendeva.

«Tra poco arriverà una macchina. Voglio che tu vada con l'ESL. Ti porteranno in Libano. Ti puoi fidare di loro. Io resterò qui in attesa di notizie dei tuoi amici», disse tristemente.

«Hakim, grazie. Sei stato un buon amico e non dimenticherò quello che hai fatto per me, lo sai», risposi. «Saluta Abu Sallah e i ragazzi da parte mia e digli che andrò a trovarli quando mi sarò ripreso».

Lui mi sorrise.

Passarono venti minuti, poi arrivò un'altra macchina. Erano le quattro di mattina ed ero stremato, ma era tempo di muoversi. Hakim e il veterinario mi sollevarono e mi portarono verso l'auto in attesa. L'autista e una guardia seduta davanti mi salutarono mentre Hakim mi sistemava sul sedile posteriore. Quando abbracciai lui e il veterinario, mi sentii invadere da un'ondata di tristezza. Speravo che sarebbero sopravvissuti a quella guerra schifosa, ma non potevo fare a meno di temere il peggio: in quel momento in Siria non c'erano garanzie. Osservai i miei amici salutare l'auto che si allontanava fino a scomparire nel buio. La guardia si voltò a guardarmi, sorrise e disse: «Abu Falafel», prima di offrirmi una sigaretta, che accettai con un debole sorriso.

Procedemmo lentamente per un'ora, attraverso prati e boschi, lungo sentieri fangosi e su terreni agricoli arati mentre una consapevolezza mi cresceva dentro come un cancro. Ero ancora in territorio nemico e stavo per attraversare un campo di battaglia importante. Avevo assistito all'uccisione di Rémi e Marie e avevo perso il contatto con le persone che mi avevano aiutato a sopravvivere negli ultimi cinque giorni. "Cazzo", pensai inorridito, "mi sto piangendo addosso". Per scacciare la malinconia, immaginai gli alti comandanti del regime di Assad che venivano processati dalla Corte internazionale di giustizia dell'Aia e tornai subito in me.

A un certo punto giungemmo a una vecchia fattoria e l'autista suonò il clacson. Sulla soglia comparvero subito tre ribelli dell'ESL, che mi fecero scendere dal pickup e mi trasportarono sul terreno pietroso fin dentro l'edificio. Mi ritrovai in una stanza identica a tutte le altre: cuscini appoggiati alle pareti, stufa a gasolio che emanava aria calda e televisore a tutto volume che trasmetteva immagini di distruzione molto familiari.

I tre ribelli, in tuta mimetica, mi prepararono un letto su uno dei cuscini, mi tolsero il giubbotto e i pantaloni bagnati e mi misero addosso una coperta. Nessuno di loro parlava inglese, quindi comunicavamo a gesti o in un arabo molto elementare. Mi offrirono un caffè, delle arance e una tazza di miele, che divorai come un bambino affamato.

A un tratto, i tre si misero a urlare. Io trasalii, temendo un attacco, ma poi mi resi conto che stavano indicando il televisore. «Abu Falafel, Abu Falafel», gridarono finché non guardai lo schermo e vidi la mia faccia. Loro ridevano e ogni tanto si voltavano a sorridermi. Sembravano felicissimi di avere Abu Falafel sui loro cuscini. Era quasi l'alba e ne approfittai per dormire. Fisicamente e mentalmente esausto, avvolto dal calore della stufa e con la pancia piena di arance e miele, scivolai in un sonno senza sogni.

Uno dei ribelli mi svegliò verso le dieci della mattina seguente.

Aveva una tazza di caffè fumante in una mano e un pacchetto di Marlboro nell'altra. "Colazione inglese", pensai. Dopo vari caffè e sigarette, cominciai a svegliarmi. Mi toccai la gamba: faceva male. Provai a muoverla, ma il dolore era lancinante. Mi chiesi quale sarebbe stata la mossa successiva. Sarei potuto restare lì per dei giorni, o forse mi avrebbero voluto fuori dai piedi prima possibile. Era probabile che mi stessero dando la caccia e la mia presenza avrebbe potuto causare guai.

La risposta non tardò ad arrivare. Udii una motocicletta fermarsi fuori e delle grida di saluto. Due degli uomini della sera prima entrarono nella stanza e mi aiutarono a vestirmi, sorridendo e mimando una moto. Ricambiai il sorriso, ma mi sentii morire. Cazzo, un altro viaggio in moto. Proprio quello di cui non avevo bisogno. Ma chi ero per oppormi? Mi sedetti con fatica e dolore sul sellino di una Yamaha 250cc, dietro a un giovane ribelle tutto allegro, mentre gli uomini che si erano occupati di me salutavano con la mano, sorridendo.

All'inizio, il viaggio fu abbastanza confortevole. Poi, però, abbandonammo la strada asfaltata. Imprecando tra i denti, mi dissi che sarebbe finita presto, purché mi tenessi ben stretto. E così procedemmo, tra sentieri e campi, fattorie e boschi. Non fosse stato per il dolore insopportabile, sarebbe stata una gran bella avventura. Ma poi qualcuno rovinò tutto.

Stavamo attraversando un campo, costeggiando un filare di alberi per ripararci, quando qualcuno sparò una raffica di mitragliatrice pesante che sollevò schizzi di fango intorno alla moto. Io guardai in direzione degli spari e, su un rilievo a circa trecento metri da noi, vidi una pattuglia dell'esercito siriano. Ero furibondo: erano settimane ormai che mi sparavano o mi bombardavano tutti i santi giorni. Ci fu un'altra raffica, ma quella volta reagii. Mi girai verso la pattuglia e mostrai i due medi.

«Beccatevi questi, bastardi di merda!», strillai come un pazzo.

Quello sfogo mi fece meglio di un'ora di yoga e mi risistemai sul sellino, lieto di aver dato un contributo alla causa. I soldati risposero con dei colpi di mortaio. Fortunatamente, avevano una pessima mira e riuscirono solo a far cagare sotto alcune capre al pascolo. Sentii il centauro ridere.

«Abu Falafel, sei matto», disse.

«Lo spero proprio», risposi.

Il nostro viaggio proseguì più serenamente, tra sporadici proiettili che ci passavano sopra la testa. Sentivo il sangue colare caldo dalla ferita alla gamba e pregai che ci fermassimo presto. Dieci minuti dopo il mio desiderio fu esaudito, perché ci addentrammo tra le strade di una cittadina polverosa in cui risuonava distante il suono dell'artiglieria. "Chi se ne frega", pensai. "A meno che un proiettile non mi atterri a dieci metri di distanza, non voglio preoccuparmi". Dopo Baba Amr, quelle esplosioni sembravano lontane anni luce.

Entrammo in una stanza buia e piena di fumo. Lungo le pareti sedevano dieci combattenti dell'ESL in varie tenute da guerra che fumavano e ridevano tra loro mentre pulivano le armi. Il ragazzo mi presentò come Abu Falafel, suscitando ilarità e sorrisi. Mi diedero un cuscino e mi offrirono un caffè arabo super forte, una Fanta e abbastanza sigarette da far contento un tabagista incallito. Solo uno di loro parlava inglese. Mi spiegò che i combattimenti lungo il confine erano troppo serrati per tentare un attraversamento e che avremmo dovuto aspettare un po'. Io annuii.

Mentre mi sedevo sui cuscini per riposare, un uomo alto uscì dalla cucina adiacente ed entrò nella stanza. Stringeva un Kalashnikov a calcio corto e aveva un giubbotto mimetico, pantaloni bianchi e larghi, una kefiah intorno al collo e una lunga barba grigia. Mi guardò dritto negli occhi, sorrise e si passò un dito sulla gola, da una parte all'altra. Poi sorrise di nuovo e se ne andò. "Porca troia", dissi fra me, "è Osama bin-Laden". Dopo dieci minuti, Osama rientrò nella stanza, fece lo stesso gesto da tagliagole e sparì di nuovo.

Mi voltai verso il ribelle che parlava inglese. «Chi cavolo è quello?».

Lui parve allarmato. «È stato la guardia del corpo dello sceicco per sette anni, a Tora Bora».

«Lo sceicco Osama?», chiesi.

Lui annuì e cambiò discorso.

Mezz'ora dopo, la guardia del corpo di bin-Laden rientrò e si mise a fare su e giù per la stanza, ripetendo il gesto. Allora dissi al ribelle di chiedergli se dovevo aver paura di lui. Lui obbedì, visibilmente nervoso. La guardia del corpo si fermò su due piedi e mi fissò. "Oh, cazzo", pensai. "Domanda sbagliata".

Mi si avvicinò, si chinò e mi guardò dritto negli occhi. «Ti amo», disse, dandomi un bacio in bocca e scoppiando a ridere. Poi aggiunse qualcosa in arabo rivolto all'interprete.

«Ehm, vuole sapere se puoi fargli avere un visto per l'Inghilterra. È ricercato dall'Interpol e fa fatica a viaggiare in questo periodo», mi spiegò l'amico anglofono.

«Digli che ci proverò», risposi, sperando che non mi chiedesse l'indirizzo email.

La guardia del corpo rise e se ne andò.

L'atmosfera nella stanza era abbastanza rilassata e sembravano tutti tranquilli, tranne un uomo che sedeva in un angolo ed era intento a studiare un foglio di carta. Il tizio accanto a lui lo stava rimproverando, colpendo ripetutamente il foglio con l'indice. Chiesi al ribelle quale fosse il problema e lui rispose: «È il tuo autista. Sta cercando di imparare la strada per portarti in Libano». "Cazzo", pensai, sentendomi già meno sicuro. "Perché non posso avere uno di quei bastardi con l'aria da duri?".

La sera lasciò il posto alla notte e mi dissero che era giunto il momento della partenza. Preparai le mie poche cose, poi l'autista e un ragazzo mi aiutarono ad alzarmi e mi condussero verso un pickup, sistemandomi sul sedile posteriore. Appena partiti, il veicolo cominciò a fare dei rumori strani. Il giovane autista cercò di raddrizzare il volante con tutte le sue forze ed evitò di un soffio un lampione. Dopo duecento metri il pickup si ruppe definitivamente e dovemmo tornare vergognosamente verso la casa, dove prendemmo un'altra auto, che sembrava essere a posto. Così ci avventurammo, a fari spenti, nella notte.

Mentre procedevamo, il rumore dell'artiglieria pesante si fece più vicino, finché, dopo circa un'ora, attraversammo la zona dei bombardamenti. I proiettili atterravano a poche centinaia di metri dal nostro veicolo, facendo tremare la terra ma senza causare danni. Era evidente che non erano diretti a noi. In lontananza si ergeva Al Qusayr, da cui eravamo passati sulla strada per Homs. Ero certo che i bersagli fossero la città e i suoi abitanti, non noi. Si trattava per lo più di proiettili a corto raggio e avremmo dovuto essere veramente sfortunati per venire colpiti.

Il viaggio si svolse, come sempre, tra vie secondarie e campi. Non restavamo mai sulla stessa strada per più di qualche minuto e nessuno parlava, perché né l'autista né la guardia conoscevano l'inglese. Dopo un po' mi assopii, svegliandomi solo quando prendemmo una grossa buca e sentii una fitta lancinante alla gamba. Proseguimmo nella notte per un paio d'ore, e alla fine ci fermammo di fronte a una casa illuminata. Al suono del clacson, comparvero subito un bambino e suo padre. L'autista mi salutò e i due mi aiutarono a entrare.

La casa era diversa da tutte le altre. L'arredo era sfarzoso e c'erano tappeti spessi e costosi, finiture dorate piuttosto kitsch alle pareti e un enorme televisore collegato a un grosso impianto stereo. Era evidente che l'abitazione apparteneva ai contrabbandieri, quindi dovevamo essere vicini al confine. Venni trattato come un'ospite d'onore. I padroni di casa mi offrirono enormi piatti di cibo accompagnati da caffè, spremuta d'arancia e un pacchetto di Marlboro rosse. Spazzolai via tutto. Poi, a poco a poco, la stanza si riempì di visitatori, curiosi di dare un'occhiata al forestiero ferito e malconcio.

A un certo punto entrò un omone dal viso tondo che venne identificato come il dottore. Era abbastanza simpatico e parlammo di Homs e di quello che stava succedendo laggiù. Alla fine mi chiese di fermarmi per la notte, così avrebbero avuto il tempo di cercare una videocamera in modo da potermi riprendere mentre dicevo qualcosa di gentile a proposito degli eroi che mi avevano salvato la vita. Ora, se la mia gamba non fosse stata mezza spappolata, se la videocamera fosse stata pronta e non fossi stato così ansioso di fuggire dalla Siria, avrei acconsentito volentieri. Invece ero gravemente ferito, mi sentivo malissimo e non avevo nessuna voglia di starmene lì tutta la sera a parlare di quello che era successo. Rifiutai educatamente sia l'offerta di un letto sia quella del filmino.

L'atmosfera, però, si incupì e fra loro scoppiò una discussione. Il dottore mi disse che dovevo fermarmi per la notte. Era troppo pericoloso attraversare subito il confine: avrei dovuto aspettare la mattina seguente. Non avevo scelta. Mi tirai giù i pantaloni, disfeci la benda e mostrai loro la gamba. Loro trasalirono per poi rimettersi a discutere animatamente.

Dieci minuti dopo sentii il rumore di una motocicletta che si fermava fuori. Il dottore, di nuovo sorridente, mi disse che era giunto il momento di partire. Alla fine, avrebbero potuto portarmi al confine quella sera. Emisi un sospiro di sollievo. L'atmosfera in quella casa era diversa da quella degli altri rifugi dell'ESL: si respirava ricchezza, non passione, e il mio disagio era andato aumentando con il passare delle ore.

Salutandoli educatamente, mi sistemai sul sellino, lieto di ripartire, sebbene a bordo dell'ennesima moto. Mentre attraversavamo dei campi aperti, capii che eravamo molto vicini al confine. Riuscivo persino a intravedere, in lontananza, le luci di una città libanese e immaginai che quella sarebbe stata l'ultima tappa del mio viaggio. E invece il motociclista mi lasciò in quello che sembrava un vecchio edificio scolastico, dicendomi che mi avrebbero portato in Libano da lì.

Mi aiutarono a entrare e mi fecero sedere in un vecchio ufficio. Poi mi portarono un caffè e guardammo il notiziario in arabo. I miei ospiti erano più gentili lì e mi sentii subito a mio agio. C'erano degli anziani che non facevano altro che offrirmi le loro sedie, scuotendo la testa quando rifiutavo. Mi riempirono di sigarette e bevande e alla fine, dopo un'ora, mi addormentai nella stanza surriscaldata.

Mi svegliai di soprassalto: un vecchietto dall'espressione gentile mi tirava delicatamente per la giacca, indicando un ragazzino in sella a una moto fuori dall'edificio. Il vecchietto fece un gran sorriso e disse: «Libano». Io mi misi subito in attività e, per la prima volta da quasi una settimana a quella parte, mi concessi un momento di vero ottimismo. "Ce la posso fare, davvero", mi dissi.

Due anziani dal viso raggrinzito mi aiutarono a uscire di casa e a salire sulla moto. Uno mi offrì un bastone da passeggio, che accettai con gratitudine.

«*Ma'a salama*, Abu Falafel», disse uno dei due mentre mi salutavano.

«*Ma'a salama*, Siria», ribattei scherzando, prima di addentrarmi di nuovo nella notte.

Il valico di confine si trovava in una zona agricola aperta, costellata di piccoli frutteti che offrivano scarso riparo. La moto correva veloce, costringendomi ad aggrapparmi con tutte le mie forze. Sapevo che il confine era massicciamente sorvegliato e che il viaggio non sarebbe stato facile. Avevo ragione: nel giro di pochi minuti udii il sibilo delle pallottole che ci sfrecciavano intorno. Le truppe di frontiera non ci vedevano, ma il rumore della moto era perfettamente udibile in quello spazio aperto, e i soldati sparavano anche alle ombre. A un certo punto, una granata a razzo passò dieci metri dietro di noi, abbastanza vicino da farci accucciare sulla moto. "Cazzo", pensai. Sarebbe stato davvero un crimine se fossi arrivato fin lì per essere stroncato da un proiettile vagante. Un'altra pallottola mi passò così vicina che avvertii lo spostamento d'aria sulla guancia. Mi meravigliai del coraggio del centauro. Stavamo attraversando le linee nemiche e lui, dopo avermi portato a destinazione, sarebbe dovuto tornare indietro.

A un certo punto il paesaggio cambiò ed entrammo in una zona con alte colline e una fitta copertura di alberi. Con nostro grande sollievo, gli spari cessarono. Poi imboccammo una strada asfaltata e priva di buche e il dolore alla gamba si attenuò. Il ragazzo si voltò per controllare che andasse tutto bene e io alzai i pollici. Pochi minuti dopo entrò nel cortile di un edificio che aveva tutte le luci accese, e parcheggiò abilmente la moto. Da una porta alla nostra sinistra uscì un ribelle dall'aria assonnata con una tazza di caffè in una mano e un AK47 nell'altra. Mi lanciò un'occhiata e sorrise.

«*Salam al-aykum*, Abu Falafel», disse.

«*Al-aykum salam*», risposi io, appoggiandomi al bastone donatomi dal vecchietto.

Mi fecero entrare in una stanza calda e accogliente dove c'erano tre uomini in tenuta da combattimento sdraiati sul pavimento. Guardavano i cartoni animati alla televisione, con i Kalashnikov a portata di mano. Li osservai, poi chiesi in arabo: «Sono in Siria o in Libano?».

I ribelli scoppiarono a ridere e risposero all'unisono: «Libano».

Ebbi un capogiro e mi sentii invadere dall'euforia. "Ce l'ho fatta, ce l'ho fatta, cazzo", mi dissi incredulo, cercando il sedile più vicino su cui accasciarmi. Tirai fuori una sigaretta e la accesi. I ribelli mi portarono un caffè e assaporai ogni sorso di quella fantastica tazza di Nescafè istantaneo. Avrei dovuto avvertire Miles che ero finalmente riuscito a fuggire dalla Siria. Frugai nella borsa alla ricerca del Blackberry e lo accesi. Con mia grande sorpresa, era ancora carico e il segnale era forte. Cercai il numero di Miles e lo chiamai. Lui rispose.

«Miles, sono Paul. Sono fuori! Ce l'ho fatta!», esclamai, tutto felice.

«Perché mi hai chiamato a questo numero?», replicò bruscamente lui.

«Ehm... perché è il tuo numero».

«Senti, usa solo gli sms e non parlare in inglese. D'ora in poi fingi di essere arabo», disse lui in tono concitato prima di riattaccare.

Cristo santo, che sciroccato. Fingermi arabo? Mi veniva da ridere. Le uniche cose che sapevo dire erano "ciao", "arrivederci", "grazie" e "si può allattare qui?", una domanda che io e Miles avevamo imparato per vedere la reazione dei ribelli. E poi venivo da un Paese dove tutti sembravano conoscermi. Ero Abu Falafel, il fotografo inglese. Secondo me, Miles e gli altri che erano a Beirut erano un po' paranoici. Ecco un assaggio dei nostri sms da quel momento in poi.

MILES Ambulanza da te fra 10 min. Dr da te tra 20. Fingi di essere arabo. Non parlare e non telefonare.

PAUL Roger.

PAUL Domanda. Parlo arabo anche con il dottore?

MILES Sì. Indica le ferite.

Un'ora dopo non era ancora arrivata nessuna ambulanza, quindi decisi di andare a Beirut con l'aiuto dell'ESL locale. Ero arrivato fin lì da solo ed ero stufo di aspettare i medici. Volevo allontanarmi dal confine, così scrissi di nuovo a Miles.

PAUL Ancora niente. Posso lasciare perdere l'ambulanza e venire in città da solo. Sei dove scorrono la birra e il whisky?

Quest'ultimo era il nome in codice per Beirut.

MILES Se possono portarti dal whisky e dalle donne adesso, sì. Fammi sapere.

PAUL Ok. Sto per partire.

MILES Roger, quando sei in macchina e in movimento di' all'autista di chiamare questo numero: 00961772941. Così saremo a posto. Conferma ricevuta.

PAUL Roger ricevuto. Parto ora.

A parte le comunicazioni in codice via SMS, organizzare il trasporto fu piuttosto facile. Mi limitai a chiedere ai ribelli un passaggio a Baalbek, una città sulla strada per Beirut. Loro sorrisero, annuirono, fecero una telefonata e mi offrirono un altro caffè. Nel giro di venti minuti udii il rumore familiare di una moto. Mi chiesi perché avrei dovuto spostarmi di nuovo in moto ora che eravamo in Libano. Controllai la fasciatura alla gamba, ingoiai una manciata di pillole di paracetamolo che mi avevano dato i ribelli e mi preparai per quello che speravo fosse il mio ultimo viaggio su due ruote. Mi avvicinai zoppicando alla moto, appoggiandomi sul bastone, montai in sella e salutai per l'ennesima volta i miei ospiti.

Il centauro annuì, mi mostrò i pollici e partimmo, dirigendoci di nuovo verso le montagne. Il dolore si risvegliò immediatamente, pulsando attraverso la gamba e arrivandomi fino al cervello. Ebbi un conato, ma non volevo vomitare su una moto in movimento. Dopo una decina di minuti il motociclista si fermò, indicò una cittadina con tante luci brillanti, sputò a terra e disse disgustato: «Hezbollah», riferendosi al gruppo politico libanese filo-Assad e alla sua ala militare. Poi ripartì.

Fino ad allora avevamo viaggiato su sentieri di capre o strade fangose ma poi, con la coda dell'occhio, vidi un campo pieno di massi sulla nostra destra. "Cazzo", dissi fra me, "cos'è, li coltivano, i sassi? Meno male che non dobbiamo attraversarlo". Il ribelle sembrò avermi letto nel pensiero, perché girò immediatamente a destra ed ebbe inizio la parte più dura e dolorosa di tutta la mia fuga. Non era possibile evitare i massi, e ogni volta che ne prendevamo uno sentivo una fitta atroce lungo tutto il corpo. Dopo un quarto d'ora, stavo per cedere.

Finalmente, abbandonammo il campo e ci immettemmo su una strada asfaltata. Dopo cinque minuti ci fermammo accanto a una Toyota Land Cruiser tirata a lucido. "Caspita, che lusso", pensai. L'ESL se la passava bene in Libano. Dall'auto scesero tre uomini: indossavano cappotti color cammello e sotto, erano in giacca e cravatta.

«Prego, salga. Dobbiamo andare subito», disse l'uomo che avevo identificato come il capo.

Obbedii senza protestare. Non sembravano ribelli dell'ESL. Non avevo idea di chi fossero, ma chi se ne fregava: avevano una bella macchina.

Appena mi sedetti, l'auto partì. Il potente motore rombava dolcemente mentre acceleravamo, e sembrava intensificare il silenzio che regnava all'interno. Nessuno disse una parola. Chiesi se potevo fumare. Qualcuno abbassò un finestrino, ma tutti continuarono a tacere. Mi guardai intorno e notai che le armi che stringevano non erano i Kalashnikov sovietici, così diffusi in quelle parti del mondo. No, loro avevano il meglio: credo si trattasse di mitragliatrici Heckler & Koch MP5 con mirini laser. Poi mi accorsi che avevano tutti e tre dei cavetti arricciati collegati a un auricolare. "Merda", dissi fra me, "devono essere agenti dell'intelligence libanese". Cominciai a preoccuparmi. Di fronte a noi spuntò dal nulla un'altra Land

Cruiser identica alla nostra, che ci fece strada. Poi, guardando nello specchietto retrovisore, vidi altri due fari unirsi a noi. "Alla faccia del passaggio", pensai, mentre il convoglio sfrecciava lungo la strada.

Dopo mezz'ora i tre veicoli accostarono su un lato della strada. Ad attenderci c'erano altre tre Land Cruiser identiche. In tutto erano sei, con a bordo uomini con giubbotti antiproiettile, tenute da combattimento nere, cuffie radio e armi sofisticate di ultima generazione. Mi fecero salire sul veicolo di mezzo e proseguimmo il nostro viaggio. Di tanto in tanto le auto cambiavano posizione, rallentando o accelerando per superarsi, di modo che non restassi mai troppo a lungo nello stesso punto del convoglio e fosse più difficile assassinarmi. Mi sembrava di essere Gheddafi o Tony Blair. Era alquanto lusinghiero.

Mandai un altro SMS a Miles:

Amico, mi sto muovendo e ho dei nuovi amici molto tosti.

Poi mi rivolsi al capo, seduto sul sedile davanti. «Può chiamare questo numero e dire dove mi state portando?», gli chiesi porgendogli il mio cellulare.

Lui ebbe una breve conversazione con l'uomo all'altro capo del filo, poi riattaccò e mi restituì il telefono. «Okay. È tutto organizzato».

"Un chiacchierone", pensai. «Mi scusi», azzardai il più educatamente possibile, «mi state facendo un gran favore. Posso sapere chi siete?».

Ci fu un lungo silenzio mentre lui rifletteva sulla risposta. «Siamo suoi amici», disse infine. Punto e basta.

Guardai fuori dal finestrino. A un tratto, di fronte a noi apparve un posto di blocco dell'esercito libanese. I soldati del checkpoint facevano accostare tutte le macchine per poi perquisirle, forse in cerca di ribelli dell'ESL feriti che avevano trovato rifugio in

Libano. Una giovane recluta ci fece cenno di fermarci. L'autista tirò giù il finestrino e disse qualcosa in arabo. Il soldato impallidì, si mise sull'attenti e ci fece passare. Chiunque fossero i miei nuovi amici, mi piacevano.

Stufo del continuo chiacchiericcio dei miei compagni di viaggio con agganci in alto loco, mi addormentai, sfinito, sul sedile posteriore della Land Cruiser. Dovetti dormire per un bel po', perché quando mi svegliai mi resi conto che avevo lasciato un rivolo di saliva sui rivestimenti in pelle. L'autista mi disse di scendere e fui immediatamente trasferito su una Mercedes classe s. Fui sollevato nel constatare che il livello non era sceso. Quando alzai di nuovo lo sguardo dal sedile posteriore, il convoglio misterioso era già scomparso. Eravamo a Beirut e capii che la mia destinazione era vicina. Poco dopo, l'autista entrò nel parcheggio di un hotel e mi disse che i miei amici mi stavano aspettando.

Un uomo e una donna uscirono dall'hotel e vennero dritti verso la nostra auto. Aprirono la portiera e si presentarono. Lei si chiamava Monica, lui Wissam. Li salutai educatamente anche se non li avevo mai visti, e Monica, intuendo la mia confusione, rise.

«Paul», disse, «sono Monica, la moglie di Javier. Ho dato una mano a Miles in questi giorni».

«Oh, cazzo, scusa. Non avevo collegato», farfugliai.

«Tieni d'occhio quella porta. Miles arriva tra un attimo», aggiunse lei sorridendo.

E così feci. Rimasi seduto ad aspettare. "Quel bastardo è sempre in ritardo", pensai, ridendo fra me. Finalmente comparve sulla porta, sbattendo le palpebre nella notte in cerca della nostra auto. Quando ci vide, si avvicinò. Io uscii dalla Mercedes appoggiandomi al bastone. Miles sorrise e disse semplicemente: «Ciao, amico mio». Ci abbracciammo in mezzo al parcheggio, pieni di emozione. Non ero mai stato

così felice di vedere qualcuno in tutta la mia vita. Ero anche
un po' imbarazzato: stavo stringendo un tizio dai capelli rossi
in un luogo pubblico.

«Dài, entriamo in macchina, cazzo», gli sussurrai all'orecchio.

Salimmo sull'auto di Monica e ci dirigemmo al suo appartamento. Io ero senza parole. Vedendo Miles mi ero davvero reso
conto di essere finalmente al sicuro. Il sollievo si manifestò in
modo strano: sotto forma di stupidità.

«Miles, diamoci una ripulita e andiamo da Danny a farci una
bevuta», dissi, riferendomi a uno dei locali più famosi della città.

Miles sbatté le palpebre e mi guardò come se fossi impazzito.

«Paul, c'è mezza Damasco che ti sta dando la caccia», ribatté.
«E quasi tutti vogliono farti fuori», aggiunse per riportarmi alla
realtà. «Non andiamo a farci nessuna bevuta. Dobbiamo portarti
da un medico stasera stessa».

«Se chiami un dottore stasera, non siamo più amici. Ho bisogno di una bottiglia di whisky e di un po' di antidolorifici. Mi
ha visitato un veterinario l'altro giorno, va tutto bene», risposi,
come se fosse la cosa più normale del mondo.

«Ho una bottiglia di Jameson che ho comprato in aeroporto per
te», disse Miles, un po' sconcertato.

«E io ho un sacco di Valium», aggiunse Monica.

«Ottimo! Che la festa abbia inizio», esclamai.

Quando arrivammo a casa di Monica, lei e Miles mi portarono
al piano di sopra e mi sistemarono sul divano più comodo su
cui fossi mai sprofondato. Poi Monica tirò fuori dei bicchieri da
whisky e Miles mi porse la bottiglia. La aprii lentamente, respi-
rando l'aroma. Di sicuro ero morto in qualche stanza puzzolente
di Baba Amr e quello era il paradiso: whisky e Valium. Ridevo
come uno scemo mentre riempivo i bicchieri, poi li distribuii e
brindammo allegramente. Mi portai il bicchiere alle labbra, ma
esitai un istante. Rividi Marie e Rémi nella polvere. Pensai a

Edith e William, Javier e Wa'el. Nessuno era lì a festeggiare con me. «A voi tutti», sussurrai, svuotando il bicchiere.

Monica disse che doveva andare a dormire. Aveva dei figli e la mattina dopo avrebbe dovuto alzarsi presto. Suo marito, Javier, era ancora disperso. Si temeva che gli avessero sparato. Mi porse una scatola di Valium, un morbido piumone e dei cuscini, poi mi abbracciò e mi augurò la buonanotte. Mi si strinse il cuore per lei. Doveva essere terribilmente difficile per lei vedermi libero mentre Javier era ancora bloccato in Siria.

Dopo una manciata di Valium e altro whisky, raccontai a Miles tutta la storia, dall'attacco al media centre che aveva ucciso Marie al momento in cui ci eravamo incontrati nel parcheggio. Lui rimase lì ad ascoltarmi a bocca aperta fino alla fine. «Cazzo», era la sua reazione alla maggior parte delle cose che dicevo.

«E qui cos'è successo?», gli chiesi poi.

«Non so da che parte cominciare», rispose lui.

«Prova dall'inizio», suggerii.

Miles era visibilmente stremato. Da quando era arrivato a Beirut era andato avanti dormendo meno di tre ore a notte, così come il resto della squadra che lo aveva aiutato a organizzare la mia fuga: Ray Wells, responsabile del pic desk del «Sunday Times», Monica, Wissam Tarif, capo della campagna per la Siria lanciata dall'organizzazione Avaaz, e un altro membro di Avaaz, Alex Renton. Con l'aiuto della faccendiera libanese Leena, la stessa che aveva fatto entrare me e Marie in Siria, avevano lavorato incessantemente per tirarmi fuori.

Avevano creato un centro operativo segreto a Beirut: una stanza che veniva ispezionata tutti i giorni in cerca di microspie dell'intelligence siriana. La loro priorità era quella di tenere il governo di Damasco all'oscuro delle nostre possibili vie di fuga. Temevano infatti che, se Assad fosse venuto a conoscenza del tentativo di evacuazione, avrebbe potuto schierare più forze di terra lungo il confine per impedirla. Da quella stanza, la squadra di Beirut contattava e incontrava chiunque potesse essere d'aiuto a risolvere la crisi: ribelli a Baba Amr, ambasciatori inglesi e francesi, funzionari della Difesa, delegati della Croce rossa.

Avevo ragione quando avevo dato per scontato che nessuno sarebbe venuto a liberarci. Alla squadra di Beirut era stato detto subito che un'operazione delle forze speciali era fuori discussione. La marina russa, ormeggiata al largo della costa occidentale siriana, avrebbe potuto facilmente intercettare un elicottero nemico nello spazio aereo siriano. E, anche se l'elicottero fosse riuscito a eludere la sorveglianza russa, sarebbe stato quasi sicuramente abbattuto dalle batterie antiaeree siriane che, a quanto pareva, erano armate da ex fornitori militari russi che sapevano fare il loro lavoro. Inviare in Siria forze speciali, agenti segreti o milizie libanesi, che avrebbero se non altro potuto attraversare il confine e mimetizzarsi con gli abitanti del luogo, era possibile: se fossero stati scoperti o catturati, i rapporti nella regione, già tesi a causa del conflitto siriano, avrebbero potuto degenerare. Gli americani e gli inglesi non potevano nemmeno inviare dei droni per valutare possibili vie di fuga: la difesa aerea siriana avrebbe impedito loro di volare abbastanza basso da risultare utili. Tuttavia, gli inglesi dissero alla squadra che avrebbero potuto aiutarci una volta varcato il confine con il Libano.

Nel frattempo, a Damasco, la corrispondente veterana del «Sunday Times» Hala Jaber e la corrispondente dello stesso giornale in Egitto, Sara Hashash, bussarono alla porta di ogni funzionario siriano che conoscevano, riuscendo infine a convincere il governo a concedere un cessate il fuoco: un'impresa davvero titanica. A quel punto la squadra a Beirut aveva persuaso i ribelli di Baba Amr a fare altrettanto. Ogni giorno, man mano che la data prevista per il cessate il fuoco si avvicinava, aveva luogo una conversazione telefonica a più interlocutori molto complessa e carica di tensione. Hala telefonava al sindaco di Homs, che telefonava al comandante dell'esercito siriano vicino a Baba Amr, che trasmetteva dei messaggi al sindaco, che li riferiva tramite Sara a Miles, che poi li comunicava al resto della squadra di Beirut, che li inoltrava ai ribelli di Baba Amr via telefono satellitare. I ribelli rispondevano e ricominciava il giro.

Durante questo processo ricevettero una cartina disegnata a mano con l'ubicazione dei cadaveri di Marie e Rémi. Inizialmente i ribelli avevano sistemato i corpi nei frigoriferi di un caseificio, alimentati da un generatore. Dopo l'escalation dell'assedio, il combustibile per il generatore era finito e i ribelli erano stati costretti a seppellire i corpi, indicando il punto esatto con una croce sulla cartina.

Per quattro giorni entrambe le squadre erano rimaste a guardare, mentre l'accordo sul cessate il fuoco che avevano strappato con le unghie e con i denti andava a rotoli. Miles mi disse che entrambe le squadre erano rimaste sconcertate dal mio rifiuto di salire sull'ambulanza della Mezzaluna rossa. Lui aveva capito il motivo solo qualche giorno dopo, quando gli era stato riferito che molti dei civili feriti che erano saliti sulle stesse ambulanze erano stati portati in un ospedale sotto guardia armata. Quell'informazione, insieme ad altre, riservate, sull'inizio del temuto attacco di terra all'enclave ribelle, li aveva fatti giungere alla conclusione che l'unica via di uscita fosse il tunnel. Di lì il messaggio urgente di Miles trasmesso da Abu Hanin quando ero nel mio ultimo rifugio a Baba Amr.

Mentre l'intelligence siriana cercava di penetrare nei computer della squadra di Beirut e, quasi sicuramente, ascoltava le loro conversazioni telefoniche, era stato deciso che Hala e Sara, a Damasco, non fossero messe al corrente del tentativo di fuga attraverso il tunnel. La squadra di Beirut aveva ritenuto che saremmo stati più protetti se loro due avessero continuato a negoziare un cessate il fuoco a Damasco, inducendo il governo a pensare che fossimo ancora intrappolati in Siria.

Quando ero partito da Baba Amr, la squadra di Beirut era stata subito informata e aveva cominciato a seguire ansiosamente i miei spostamenti. Miles e i ragazzi avevano trascorso ore di estrema tensione nell'attesa di sapere se ero riuscito ad attraversare il tunnel. Miles descrisse la loro gioia e il loro sollievo quando ero finalmente riemerso nella relativa sicurezza di Al Buwaida e, di nuovo, quando avevano ricevuto il mio sms che annunciava il mio arrivo al confine. Ma la loro esultanza era stata ovviamente offuscata dalla notizia che Javier era stato colpito ed era disperso, e che Edith e William non erano nemmeno riusciti a raggiungere il tunnel. Monica, che fino ad allora aveva mantenuto una calma olimpica, era crollata.

Era più importante che mai tenere segrete la notizia della mia evacuazione e la mia posizione, perché il governo siriano avrebbe potuto scoprire la via di fuga e mandare rinforzi a catturare gli altri che dovevano ancora uscire vivi dalla Siria. Il lavoro delle due squadre non era finito.

«Cristo santo. È andata quasi meglio a me», osservai, riflettendo su quello che mi aveva appena raccontato Miles.

Svuotammo la bottiglia e io ingoiai un'altra manciata di Valium. «Senti, provo a dormire un po'. Sono abbastanza stanco».

Miles mi coprì con il piumone e me lo rimboccò come una mammina. «È bello rivederti, amico mio», disse sorridendo, visibilmente brillo.

«Non come rivedere te», risposi, stordito dal whisky e dal Valium.

Il caldo del piumone, l'alcol e i farmaci mi trascinarono lentamente in un mondo libero dal dolore e dalla morte. Stavo scivolando nella notte in deltaplano, come diceva sempre mio fratello Neil e, nel giro di pochi minuti, mi ritrovai a volare in un nulla nero.

29 febbraio 2012 Beirut, Libano

Mi svegliai di soprassalto, stupito nel vedere il viso di Miles a pochi centimetri dal mio. Per un attimo, pensai a cosa fosse peggio: venire svegliato da colpi di mortaio da 80mm o da Miles. Non avevo idea di dove fossi né di come ci fossi arrivato e maledissi il Valium.

«Paul, mi ha chiamato l'ambasciatore inglese. È qui e vuole vederti», annunciò Miles mentre cercavo di raccapezzarmi.

«Oh, merda. Non puoi dirgli che sto bene e basta?», dissi intontito.

«No. Vuole vederti con i suoi occhi, per accertarsi che tu sia davvero sano e salvo».

«Okay, fallo entrare. Io però farò finta di dormire, così mi vedrà e basta. Okay?».

Miles acconsentì e uscì dalla stanza mentre io fingevo di dormire. Rientrò alcuni minuti dopo insieme a Tom Fletcher, l'ambasciatore inglese in Libano, e a una funzionaria dell'ambasciata. Miles sollevò il piumone affinché l'ambasciatore potesse guardarmi in faccia. «È proprio lui», spiegò Miles. «È in buone condizioni psicologiche, ma la gamba è messa male».

Alle parole "buone condizioni psicologiche", sghignazzai sotto le coperte. Detto da un corrispondente di guerra, suonava abbastanza buffo. Mi lasciarono solo per bere una tazza di tè in cucina, e udii Miles cercare di far capire loro l'importanza di tenere segreta la mia presenza.

Dopo aver origliato per mezz'ora, decisi che l'ambasciatore mi era simpatico: non sembrava il classico tipo del ministero degli Esteri.

«Miles, oh, Miles», chiamai debolmente, fingendo dolore. «Puoi darmi una mano, per favore?».

Lui entrò nella stanza e mi vide ridere. «Fallo entrare, dài. Sembra una brava persona», dissi.

Uno o due minuti dopo, mentre mi sedevo sul divano, entrarono tutti quanti nella stanza. Tom mi si avvicinò e mi strinse la mano, presentandosi. Il mio istinto si rivelò esatto. L'ambasciatore era davvero un tipo in gamba. Chiacchierammo per una mezz'ora e, più parlavamo, più mi piaceva e mi ispirava fiducia. Era schietto, concreto e aveva un senso dell'umorismo travolgente. Mi chiese che piani avessi e se mi sarebbe piaciuto alloggiare a casa sua, nella residenza diplomatica. Era più sicura, disse, e sarei stato ben protetto da alcune fazioni di Beirut che non sarebbero state molto liete di sapere che ero riuscito a fuggire dalla Siria.

«Okay», risposi, «a una condizione: che possa fumare».

Il console che Tom aveva portato con sé sembrò sul punto di svenire. «È vietato fumare in tutte le residenze ufficiali britanniche del mondo», sentenziò.

Tom scoppiò a ridere. «Paul, puoi fumare, non ti preoccupare».

«Allora siamo d'accordo», risposi.

Mi vestii e mi preparai a partire. Due uomini della scorta dell'ambasciatore con un rassicurante aspetto da duri entrarono nell'appartamento, muniti di armi altrettanto rassicuranti.

«Liverpool è pronto a muoversi», disse uno dei due alla radio.

"Fantastico, ho un nome in codice", pensai, mentre gli uomini della scorta mi circondavano e mi facevano entrare nell'ascensore dell'appartamento. Uscendo, vidi un omino intento a pulire il pavimento dell'atrio. Una delle guardie del corpo lo sollevò letteralmente da terra, aprì un armadietto delle scope e lo sbatté lì dentro, chiudendo l'anta mentre passavo. Poi mi caricarono sul sedile posteriore di una Land Rover nera e ci immettemmo subito nelle strade di Beirut, sfrecciando nel traffico con la sirena e la luce blu lampeggiante in funzione. Dopo mezz'ora giungemmo alla residenza dell'ambasciatore, situata in un grazioso sobborgo della città. Le guardie aprirono il cancello e l'auto scomparve all'interno, fermandosi accanto all'ingresso principale. Venni accolto dalla moglie dell'ambasciatore, Louise, e dalla madre Debbie ed entrai saltellando nell'edificio, appoggiandomi al bastone.

«Bel posticino», dissi a Tom, che sorrise.

Lui e sua moglie fecero gli onori di casa per poi accompagnarmi nella mia suite al piano di sopra. «La baronessa Amos ha alloggiato qui la settimana scorsa. C'è un balcone dove puoi fumare, ma se vuoi puoi farlo anche a letto».

Più parlavo con Tom, più mi piaceva.

Quel giorno telefonai in Inghilterra per dire ai miei cari che ero libero. Furono momenti molto emozionanti, ma dovetti raccomandare a tutti di mantenere il più stretto riserbo sulla faccenda. William, Edith, Javier e Wa'el erano ancora in Siria e qualsiasi fuga di notizie avrebbe potuto mettere a repentaglio la loro vita.

Nei due giorni seguenti Tom e la sua meravigliosa famiglia mi trattarono come un re. Louise e Debbie, due angeli, fecero il possibile per rendere il mio atterraggio il più morbido possibile. La deliziosa Louise mi strofinò i piedi con una saponetta: un'impresa audace, viste le condizioni in cui erano. È una delle persone più gentili che abbia mai incontrato in vita mia e la sua generosità mi ha davvero commosso. Mi aiutarono a uscire sul balcone per fumare e mi portarono una quantità industriale di caffè e biscotti. Il cuoco della residenza mi preparò pasti deliziosi su ordinazione, e quella sera Tom mi disse che l'ambasciatore precedente aveva lasciato un'incredibile riserva di whisky di malto e che sarebbe stato molto scortese da parte nostra non assaggiarne almeno un po'. Il whisky scorreva come nettare. Dire che mi viziarono sarebbe un eufemismo. Devo molto alla famiglia Fletcher, molto più di quanto potrò mai ripagare, anche se Tom mi promise che avrebbe accettato la mia offerta di un viaggio in barca, appena l'avessi rimessa in mare.

Ray Wells, il responsabile della fotografia del giornale, era sempre presente e Dio solo sa quanto aveva dovuto penare nell'ultima settimana. Aveva speso tutte le sue energie per aiutare a coordinare il mio rilascio, lavorando come un matto. Aveva subìto uno stress enorme e potevo solo immaginare cosa avessero dovuto passare lui e Miles. Quando era giunto il momento, avevano entrambi risposto alla chiamata e sarò loro eternamente grato per gli sforzi profusi. Il «Sunday Times» si impegnò indefessamente per la mia liberazione. Il direttore John Witherow e il redattore esteri Sean Ryan, che con la morte di Marie avevano perso non solo una collega ma anche una carissima amica, non lasciarono nulla di intentato per salvarmi. Annabelle Whitestone, una delle addette alla fotografia, si tenne in contatto con i miei amici e la mia famiglia, spesso ostacolata dal fatto che il flusso di informazioni tra Beirut e Londra veniva deliberatamente tenuto al minimo per questioni di sicurezza.

1° marzo 2012, Beirut, Libano

Il secondo giorno di libertà venni a sapere che era accaduto l'irreparabile. Poche ore dopo essere salito sull'auto dell'ambasciatore, la notizia della mia fuga in Libano fu fatta trapelare alla stampa. Miles e la squadra di Beirut erano distrutti. Avevano provato con tutte le loro forze a tenere segreta l'informazione, finché anche gli altri non si fossero messi in salvo. Poco dopo alla TV e alla radio non si parlava d'altro. Mi sentivo malissimo. In quella stanza a Baba Amr ci eravamo fatti la promessa solenne che non avremmo detto a nessuno della nostra liberazione finché non fossimo stati tutti al sicuro. Conoscevamo i rischi di una fuga di notizie quando gli altri erano ancora intrappolati in Siria.

Mentre me ne stavo a letto a guardare la tragedia dipanarsi sotto i miei occhi, la BBC trasmise un'intervista a Ricken Patel, un rappresentante del gruppo di attivisti chiamato Avaaz, ben vestito e dalla lingua sciolta. Quel bastardo senza vergogna sosteneva che era stata la sua organizzazione a coordinare la mia fuga dalla Siria. L'unica cosa che sapevo di Avaaz era che aveva fatto pagare a Rémi e a Edith l'esorbitante somma di 3000 dollari per il privilegio di farli entrare a Baba Amr. Patel aggiunse anche che tra i tredici e i ventitré attivisti erano morti nell'operazione di salvataggio di Paul Conroy.

Quello che non disse al mondo è che era stata la brigata Farouk dell'ESL, insieme agli attivisti di Baba Amr, a organizzare la mia fuga. Anche la stima delle ventitré vittime era falsa: Patel aveva semplicemente sommato le persone uccise in un paio di giorni attribuendo la loro morte a me. Da allora, Avaaz ha ammesso privatamente di aver diffuso cifre sbagliate e che nessun membro della loro organizzazione era stato direttamente coinvolto nella mia liberazione. Ma non ha ancora ritrattato in pubblico le affermazioni del suo rappresentante, e ancora oggi mi diverto a immaginare Patel che se ne va in giro zoppicando con una stampella su per il posteriore.

Ray e Tom avevano fatto in modo che un medico venisse a visitarmi. Sospettavo che mi fosse venuta un'infezione e avevo bisogno di altri antibiotici. Non potevamo andare in ospedale, perché avevamo scoperto, tramite un'intercettazione radio, che i siriani mi stavano ancora cercando a Beirut. Un amico medico fu convocato nella residenza dell'ambasciatore e, dopo un attento esame, confermò la presenza di un'infezione. Avevo due alternative: restare a Beirut e farmi operare, con tutti i problemi del caso, fra cui un lungo soggiorno in Libano, o tornare immediatamente in Gran Bretagna.

Tom mi disse che non poteva garantire la mia sicurezza se fossi rimasto in Libano. Sebbene la mia stanza fosse piantonata da guardie del corpo, l'edificio non era a prova di bomba. La decisione fu semplice: sarei tornato in Gran Bretagna la sera stessa. Bastò premere un pulsante e la macchina organizzativa si mise in moto.

Louise e Debbie mi viziarono, facendomi sentire amato e speciale, mentre Ray e Tom si occuparono dei preparativi per il viaggio di ritorno. Un doganiere libanese si presentò alla residenza e passai la dogana dal mio letto. Tom mi regalò una tuta, ma io gli dissi che ero di Liverpool e che mi sarei sentito a disagio vestito in quel modo. Lui rise del mio snobismo e convinse uno degli uomini della scorta a regalarmi una tenuta più appropriata. Accadde tutto in fretta, forse troppo in fretta. Stavo male al pensiero di partire quando William, Edith e Javier erano ancora dispersi ed ero ansioso di sapere cosa fosse successo a Wa'el. Sapevo anche che la morte di Marie sarebbe stata una notizia bomba in Inghilterra. Non mi sentivo pronto ad affrontare tutto, ma avevo fatto una scelta e sarei andato fino in fondo.

Nel cortile mi attendevano tre Land Rover nere con il motore acceso. Salutai e ringraziai con tutto il cuore Tom e la sua meravigliosa famiglia. Ray mi aiutò a salire su una delle auto, piena di guardie del corpo. Poi il cancello si aprì sulle strade trafficate di Beirut. Mentre ci allontanavamo, salutai con la mano la famiglia e lo staff dell'ambasciatore.

Gli uomini della scorta non corsero rischi: sfrecciammo a sirene spiegate nel traffico caotico della città, costringendo le altre auto a spostarsi. Entrammo in aeroporto passando da un'uscita posteriore e giungemmo a tutta velocità sulla pista, dove ci attendeva un jet medico, un velivolo di piccole dimensioni concepito per trasportare un unico paziente. Appena ci fermammo, le guardie del corpo saltarono giù dai veicoli e formarono un anello difensivo intorno al jet. Tom mi accompagnò fino alla scaletta e mi presentò il rappresentante dell'esercito britannico.

«Era un artigliere, vero, signore?», mi chiese.

Io annuii. Lui mi fece il saluto e disse: «Benvenuto a bordo, signore».

Mi voltai e salii la scaletta. Una volta a bordo, si presentarono un'infermiera particolarmente carina e un medico un po' meno carino. Il jet fece manovra sulla pista di rullaggio, preparandosi al decollo. Lanciai un'ultima occhiata a Beirut e venni assalito dal ricordo di Marie. Una lacrima mi scivolò sulla guancia. Addio, regina cecena.

Ci levammo agevolmente in volo e, raggiunta la quota di crociera, il medico si slacciò la cintura di sicurezza e venne a sedersi accanto a me. Mi guardò negli occhi con aria seria e mi disse: «Paul, vogliamo che questo viaggio sia il più confortevole possibile, capisci?». Io annuii. «Quindi, per quanto riguarda la terapia del dolore, abbiamo due opzioni. Opzione numero uno: paracetamolo e ibuprofene». Poi, dopo una breve pausa, aggiunse: «Opzione numero due: morfina e whisky».

Io mi liberai dalle cinghie della barella e gli porsi il braccio. «Fammi il pieno, dottore».

EPILOGO

Edith Bouvier e William Daniels furono costretti a tornare a Baba Amr dopo l'attacco al tunnel. Abu Laila li aiutò a fuggire dal quartiere e, dopo un viaggio lungo e pericoloso, giunsero in Libano. Edith si è ripresa perfettamente ed è tornata a lavorare nelle zone di guerra, come pure William Daniels.

Javier Espinosa, contrariamente alle voci, non era stato colpito. Riuscì a uscire dal tunnel e a fuggire nei frutteti circostanti, per poi contattare l'ESL e mettersi in salvo attraversando il confine con il Libano.

Wa'el, il nostro adorato interprete, non era stato catturato e alla fine riuscì a fuggire in Libano, dove ricevette le cure necessarie. Siamo in contatto via Skype e sorride ancora.

I corpi di Marie Colvin e Rémi Ochlik furono riconsegnati dalle autorità siriane e restituiti alle famiglie. Un rapporto autoptico siriano affermava che Marie era morta a causa di un rudimentale congegno esplosivo piazzato dai terroristi.

Sono rimasto in ospedale quattro mesi e il formidabile dottor Parri "OO7Foxy" Mohana, uno dei migliori chirurghi ricostruttivi del Paese, ha effettuato circa quattordici operazioni sulla mia gamba, rimettendo insieme i pezzi. Anna Williams, la mia fisio-terapista, e il fantastico personale del London Bridge Hospital si stanno ancora riprendendo dal trauma di avermi avuto come paziente. Auguro loro una pronta guarigione.

Sono rimasto a Londra per tutto il 2012. Bonnie Hardy si è sorbita un anno di pendolarismo dal Devon a Londra a bordo delle stimate ferrovie britanniche per starmi vicino durante la mia convalescenza.

Kate Conroy, malgrado le forti pressioni, è riuscita a badare ai miei splendidi figli, Max, Kim e Otto, mentre ero in ospedale.

Il 12 dicembre 2012 il professor Neil Greenberg, esperto di salute mentale della Difesa nonché mio psichiatra, ha dichiarato: «Quando si sarà ripreso fisicamente, Paul potrà tornare al lavoro ad alto rischio, possibilmente in modo graduale e non brusco».

La mia vita personale resta uno dei posti più pericolosi in cui possa operare un giornalista.

Il dottor Mohamed Al-Mohamed è stato colpito da una scheggia durante il bombardamento di un ospedale da campo che dirigeva. Ha subìto ferite alle gambe e alle braccia, ma è in condizioni stabili.

Al momento della stesura di questo libro, il presidente Bashar al-Assad resta al potere in Siria. Il suo esercito continua a seminare caos, morte e distruzione. Le immagini di uomini, donne e bambini massacrati sono ormai all'ordine del giorno sui nostri schermi. Nei due anni dall'inizio della carneficina, nessun Paese ha offerto protezione al popolo della Siria.

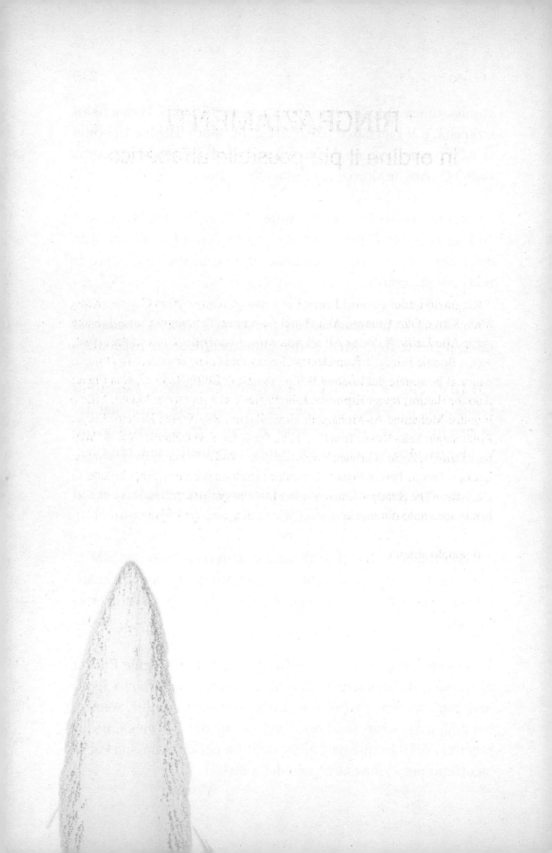

RINGRAZIAMENTI
in ordine il più possibile alfabetico

Ringrazio i miei genitori Joan e Les Conroy; Jenny e Alan Conroy; Kate, Max, Kim e Otto Conroy; Abu Hanin e i ragazzi del media centre di Baba Amr; Abu Laila; il dottor Ali a Baba Amr; Annabelle Whitestone; Arwa; Assif; Bonnie Hardy; Bryan Denton; i contrabbandieri sconosciuti; Dolores e tutto il personale del London Bridge Hospital; Edith Bouvier; Ella Flaye; il dottor Hakim; Javier Espinosa; John Whiterow; Joss Stone; Maher; Miles; il dottor Mohamed Al-Mohamed; Parri; Razan; Ray Wells; Richard Flaye; Rola; Salah; Sean Ryan; Tom Fletcher e famiglia; il Veterinario; Wa'el; William Daniels; Zara; la brigata Farouk dell'ESL; Neil e Tim della CNN; Annabel, Laura e Tim di Peters Fraser & Dunlop; Richard Milner e Josh Ireland di Quercus; «The Sunday Times», News International e tutti i colleghi che mi hanno sostenuto durante la mia convalescenza; tutti i miei amici di Twitter.

Il popolo siriano.

INDICE ANALITICO

Abu Bakr 227, 276-278, 280-283

Abu Hanin 128-131, 133, 136-138, 140, 143-145, 149, 153, 157-159, 161-162, 168, 193-194, 200, 219, 222, 224-225, 227-229, 234, 242, 252, 256-260, 266, 271

Abu Laila 250-251, 265, 267, 269-271, 318

Abu Sallah 82, 83, 85, 292

Abu Zaid 97, 136

Al Buwaida (Siria) 84-85, 88-91, 94, 167-168, 170, 179, 180, 201, 267, 286, 289, 291, 310

Al-Mohamed, dottor Mohamed 146-148, 231-236, 249, 272, 319

Al-Qaeda 94

Al-Qusayr 78, 97, 288, 297

Ali (tassista) 9-13, 18

Ali, dottor 148, 231, 235

Ammar, Um 147

Amoore, Miles 22, 28, 30, 38, 43-44, 54-55, 62-63, 65, 67, 195-197, 266, 288-290, 301-307, 309-311, 314

Andrea (fotografo) 178

al-Assad, presidente Bashar 16, 44, 57, 118, 123-124, 319

al-Assad, Maher 124

Avaaz 307, 315

Baalbek 57-58, 302

Bab al-Aziziya 38, 197

Balcani 25-26

Beirut (Libano) 39-40, 43-44, 50-55, 305, 311-316

Bengasi (Libia) 48-50, 175

Beqa', valle della 45, 55-57

bin-Laden, Osama 296

Bouvier, Edith 216, 222, 224, 228-231, 234-237, 239-240, 242-243, 245-249, 252-255, 257-259, 261, 263, 265, 267-274, 277, 281, 290, 318

Cecenia 198

Chivers, Chris 178

Comitato internazionale della Croce rossa (CIRC) 256-258

Conroy, Kate 23-24, 266, 319

Conroy, Neil 36-39

Cooper, Anderson 208
Crockett, Tim 129

Dafniya (Libia) 32-35, 79
Damasco (Siria) 18, 104, 256, 258-259
Damon, Arwa 129
Daniels, William 216, 222, 228-229, 235-237, 242-244, 248-249, 252, 256-261, 265, 267-269, 271, 274, 291, 318
Dar'a (Siria) 123
Denton, Bryan 51-52, 178

Espinosa, Javier 216, 228, 234, 236, 252, 259, 269, 291, 307, 318
Espinosa, Monica 305-307, 310

Fisher, Lucy 170, 201, 208
Flaye, Ella 35
Flaye, Richard 34-35
Fletcher, Louise 313, 316
Fletcher, Tom 311-313, 315-316
Fortia, dottor Mohamed 177-178

Gellhorn, Martha 28, 225
Germania 12, 24, 60
Gheddafi, colonnello Mu'ammar 19-20, 32-33, 35, 42, 69, 89-90
Greenberg, professor Neil 319
Groznyj 124

Hakim, dottor 288-289, 291-292
Hannon, Neil 129
Hardy, Bonnie 22-23, 198, 266, 319

Hashash, Sara 156, 308
Hassan, comandante 167, 170-173, 179, 180-181, 286
Hetherington, Tim 178
Hezbollah 57-58, 68, 235, 302
Hilsum, Lindsey 52
Hondros, Chris 178
Hotel Rotana (Beirut) 30, 39, 43
Hussein (autista) 54-56, 72-73

Iran 169
Iraq 7-18

Jaber, Hala 256-257, 308-309

Kahmishli (Siria) 7-20
Kosovo 25

Leena 43, 45-46, 50-53, 55, 307
Libano 43-48, 50-61, 62-69, 71-78, 292-301
London Bridge Hospital 319

Maher (volontario dell'ospedale) 241-243, 247, 254
Malone, Andy 131
Mezzaluna rossa siriana (SARC) 258-259, 309
Miller, Jonathan 206, 213
Misurata (Libia) 32, 42-43, 48-51, 78-79, 89-90, 150-152, 173-179
Mohamed (interprete) 63-64, 66
Mohana, dottor Parri 318
Montasser, Raeda 175
Muir, Jim 44-45, 131, 204

Mukhabarat 8-9

NATO 20, 35

Ochlik, Rémi 216, 222, 225, 226, 234, 318
Omar, generale 15-17
Ospedale Al Hikma (Misurata) 177

Patel, Ricken 315
Perrin, Jean-Pierre 64, 66-68, 71-77, 82-85, 108-109, 114, 118-119, 162, 173, 180
Peshmerga 7
Petroleum Hotel (Kahmishli) 8-9, 18

Ramsay, Stuart 52, 97
Reeda, generale 84-85
Refsdal, Paul 9
Renton, Alex 307
Russia 169
Ryan, Sean 170, 201, 204, 208-209, 211-214, 314

Salah (comandante dei ribelli) 89-90
Salah (volontario dell'ospedale) 241, 243, 245, 247, 253, 264, 272
al-Sayed, Rami 203

Shabia 258-259
Shakir, Omar 44
Sisson, Kevin 10
Sotterraneo delle vedove 149, 153, 172
Srebrenica 202, 207
Sri Lanka 19, 138, 140, 157
Sultaniya (Homs) 191
Sweeny, Kevin 10

Tameem, dottor 150
Tarif, Wissam 305, 307
Timor Est 19, 31, 157
Tripoli (Libia) 32-38, 195

Wa'el (interprete) 91-93, 97, 100-101, 112-113, 117, 129, 171, 172-173, 181, 185, 189, 190-191, 224, 228, 235, 250-251, 254, 259, 262, 265, 270-271, 274, 277, 318
Wells, Ray 201, 307, 314
Whitestone, Annabelle 314
Williams, Anna 319
Witherow, John 314
Wood, Paul 52

ez Zauia (Libia) 38

INDICE

p.   7   Prologo. «Drogano i giornalisti, cazzo»

  21   1. «Paul, ho un piano»

  40   2. Wonderbra balistico

  62   3. «Un pensionato, una donna e un idiota»

  88   4. La tana del lupo

112   5. I ribelli canterini di Homs

133   6. Desolation Row

156   7. Andiamo o restiamo?

180   8. Infausti presagi

200   9. La fuorilegge coraggiosa

219   10. Addio

226   11. Posso fumare?

239   12. Senza via d'uscita

264   13. Fuga da Homs

289   14. Nome in codice: Liverpool

318   Epilogo

321   *Ringraziamenti*

323   *Indice analitico*

I VOLTI DELLA STORIA

Claudio Rendina, *Le papesse*

Andrea Accorsi – Daniela Ferro, *Le famiglie più malvagie della storia*

Simone Venturini, *Il libro segreto di Gesù*

Andrea Marrone, *I Mille. La battaglia finale*

Yadi Sharifirad, *L'amore ai tempi della rivoluzione*

Denis Avey (con Rob Broomby), *Auschwitz. Ero il numero 220543*

Fariba Nawa, *La moglie afghana*

Mineko Iwasaki – Rande Brown, *Storia proibita di una geisha*

Paolo Sidoni – Paolo Zanetov, *Cuori rossi contro cuori neri*

Marco Lucchetti, *La battaglia dei tre imperatori*

Giorgio Albertini, *L'ultima battaglia dei Templari*

Andrea Marrone, *La disfatta del Terzo Reich*

Sara Prossomariti, *I personaggi più malvagi dell'antica Roma*

Sam Pivnik, *L'ultimo sopravvissuto*

Cristiano Armati, *Italia criminale*

John Follain, *I 57 giorni che hanno sconvolto l'Italia*

Maria Leonarda Leone, *I personaggi che hanno fatto grande il Medioevo*

Andrea Frediani, *Le grandi battaglie tra Greci e Romani*

Raffaele D'Amato, *La più grande battaglia di Alessandro Magno*

Millie Werber – Eve Keller, *La sposa di Auschwitz*

Fiona McLaren, *La cospirazione Da Vinci*

Enrico Benelli, *Vita segreta degli antichi romani*

Jonathan Clements, *La storia segreta dei samurai*

Simone Venturini, *I grandi misteri irrisolti della Chiesa*

Rory Carroll, *Storia segreta di Hugo Chávez. El Comandante*

Marina Minelli, *Le regine e le principesse più malvagie della storia*

Paolo Sidoni – Paolo Zanetov, *Pentiti*

Elena Percivaldi, *La vita segreta del Medioevo*

Giuseppe Staffa, *I personaggi più malvagi della Chiesa*

Stefania Bonura, *Le grandi donne che hanno cambiato il mondo*

Giuseppe Rasolo, *Le grandi battaglie della seconda guerra mondiale*

Thomas Harding, *Il comandante di Auschwitz*

Paolo Posteraro, *Rifugiati*

Tere Tereba, *Il gangster*

Simone Venturini, *Il libro segreto di papa Ratzinger*

Pola Kinsky, *L'amore di papà*

Tom Reiss, *Il diario segreto del Conte di Montecristo*

Paddy Ashdown, *L'operazione militare segreta che ha cambiato la storia*

Orla Borg – Carsten Ellegaard Christensen – Michael Holbek Jensen, *L'ultimo infiltrato*

Paul Conroy, *Confesso che sono stata uccisa*

Anne de Courcy, *Le ragazze di Bombay*

Eva Schloss (con Karen Bartlett), *Sopravvissuta ad Auschwitz*

Roberto Iacopini, *La battaglia che cambiò la seconda guerra mondiale: Pearl Harbor*

Tim Clayton – Phil Craig, *Diana*

Eva Schloss - Karen Bartlett

Sopravvissuta ad Auschwitz

Eva Schloss vive a Londra. Co-fondatrice dell'Anne
Frank Trust di Londra, gira il mondo per raccontare
la sua storia, cui è stata dedicata anche la pièce tea-
trale *And Then They Came for Me: Remembering the
World of Anne Frank*. Nel 2012 è stata insignita dal
principe Carlo della prestigiosa onorificenza di Membro dell'Ordine dell'Impero Britannico. Per maggiori
informazioni: *www.evaschloss.com*.

Karen Bartlett, scrittrice e giornalista, vive a Londra.
Ha collaborato con varie testate («The Sunday Times»,
«The Times», «The Guardian», «Wired»), ha prodotto
e condotto alcuni programmi sulla BBC Radio e ha lavorato in passato anche come attivista politica.

Volume rilegato di 336 pagine € 9,90

Nel giorno del suo quindicesimo compleanno, Eva viene arrestata dai nazisti ad Amsterdam e deportata ad Auschwitz. La sua sopravvivenza dipende solo dal caso, e in
parte dalla ferrea determinazione della madre Fritzi, che lotterà con tutte le sue forze per
salvare la figlia.
Quando finalmente il campo di concentramento viene liberato dall'Armata Rossa, Eva
inizia il lungo cammino per tornare a casa insieme alla madre, e intraprende anche la
disperata ricerca del padre e del fratello. Purtroppo i due uomini sono morti, come le
donne scopriranno tragicamente a mesi di distanza. Ad Amsterdam, però, Eva aveva
lasciato anche i suoi amici, fra cui una ragazzina dai capelli neri con cui era solita giocare: Anne Frank. I loro destini – seppur diversissimi – sembrano incrociarsi idealmente
ancora una volta: nel 1953 Fritzi, ormai vedova, sposerà Otto Frank, il padre di Anne.
La testimonianza di Eva (scritta in collaborazione con Karen Bartlett) è dunque doppia-
mente sbalorditiva: per la sua esperienza personale di sopravvissuta all'Olocausto e per
lo straordinario intreccio del destino, che l'ha unita indissolubilmente a quella ragazzina
conosciuta molti anni prima.

Newton Compton Editori

Orla Borg - Carsten Ellegaard Christensen - Michael Holbeck Jensen

L'ultimo infiltrato

Orla Borg è un giornalista danese del quotidiano «Jyllands-Posten» e con i colleghi Carsten Ellegaard Christensen e Michael Holbeck Jensen ha raccolto di persona la testimonianza di Storm.

Carsten Ellegaard Christensen è un giornalista danese del quotidiano «Jyllands-Posten» e con i colleghi Orla Borg e Michael Holbeck Jensen ha raccolto di persona la testimonianza di Storm.

Michael Holbeck Jensen è un giornalista danese del quotidiano «Jyllands-Posten» e con i colleghi Carsten Ellegaard Christensen e Orla Borg ha raccolto di persona la testimonianza di Storm.

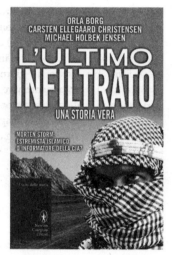

Volume rilegato di 288 pagine + 8 t.f.t. € 12,90

Morten Storm, un giovane danese turbolento e senza ideali, si converte all'Islam durante una detenzione per crimini comuni fino a diventare un jihadista convinto.

Dopo qualche anno, scosso da dubbi che mettono in discussione la sua scelta, decide di diventare una spia al servizio delle agenzie danesi e della CIA, e accetta di essere infiltrato, celandosi dietro la sua vecchia identità di fervente guerriero dell'Islam, tra le fila di al-Qaeda. Ogni giorno rischia di essere smascherato, partecipando ad azioni sempre più pericolose, fino all'ultima missione: aiutare l'Agenzia a localizzare il più importante capo di al-Qaeda dopo Osama Bin-Laden, Anwar al-Awlaki. Dopo un primo tentativo fallito, in cui viene usata la promessa sposa del terrorista (una occidentale musulmana che Storm aveva contattato personalmente per conto di al-Awlaki), la CIA riesce finalmente a localizzarlo ed eliminarlo con un attacco di droni. Morten Storm ha condotto per anni una doppia vita nelle zone di guerra più "calde" del pianeta. Eppure la CIA non è stata generosa con lui: non ha mai ammesso pubblicamente il suo ruolo nella caccia ad Anwar al-Awlaki e ad altri pericolosi terroristi internazionali. Storm ha deciso di raccontare la sua storia ne *L'ultimo infiltrato*, scritto da tre prestigiose firme del «Jyllands-Posten», il quotidiano danese finito nel mirino degli integralisti perché pubblicò le controverse vignette satiriche su Maometto. Il libro è stato premiato nel 2012 con l'European Press Prize per il miglior reportage giornalistico.

Newton Compton Editori

Thomas Harding

Il comandante di Auschwitz

Thomas Harding laureato in antropologia alla Cambridge University, ha lavorato come giornalista (specializzato in ecologia e ambiente) e come film-maker. Ha collaborato anche con il «Financial Times» e il «Guardian». Ha diretto un giornale locale in West Virginia (USA) e attualmente vive in Gran Bretagna. *Il comandante di Auschwitz* racconta la storia del suo prozio, Hanns Alexander. Per maggiori informazioni, visitate il suo sito: thomasharding.com.

Volume rilegato di 336 pagine € 9,90

Alla fine della seconda guerra mondiale viene creato un pool investigativo per scovare e assicurare alla giustizia internazionale i gerarchi nazisti responsabili delle atrocità dell'Olocausto.

Uno dei migliori investigatori del gruppo è Hanns Alexander, ebreo tedesco rifugiatosi in Gran Bretagna per sfuggire alle persecuzioni delle ss, e in seguito arruolatosi nell'esercito inglese. Il suo nemico numero uno si chiama Rudolph Höss, il terribile comandante di Auschwitz, responsabile del massacro di oltre un milione di persone e freddo esecutore della "soluzione finale" voluta da Hitler. Ma Höss, che dopo la guerra vive sotto falsa identità, è una preda difficile da stanare, e Hanns dovrà giocare d'astuzia e agire con determinazione per riuscire a catturarlo.

Questo libro – scritto dal pronipote di Alexander, ignaro dell'avventuroso passato del prozio fino al giorno del suo funerale, nel 2006 – racconta una sconvolgente pagina di storia: le vite parallele di due tedeschi. Un ebreo e un nazista destinati a incrociarsi in circostanze incredibili, fino alla resa dei conti finale.

Newton Compton Editori

Pola Kinski

L'amore di papà

Pola Kinski, primogenita dell'attore, regista e sceneggiatore di fama mondiale Klaus Kinski, e sorella della nota Nastassja Kinski, è nata a Berlino nel 1952. Già da bambina ha esordito in teatro e ha ricoperto alcuni ruoli in produzioni televisive. Successivamente ha frequentato una scuola di recitazione a Monaco e ha lavorato come attrice per molti anni. Vive a Ludwigshafen con il marito e i loro tre figli.

Volume rilegato di 320 pagine € 9,90

Pola ha tre anni quando i genitori si separano. Suo padre è il grande attore Klaus Kinski, già noto in Germania per i suoi spettacoli di teatro, mentre la madre è una cantante.
La bambina si trasferisce a Monaco con lei e il nonno, e vede il padre solo raramente. Dopo qualche anno, però, mentre la mamma decide di risposarsi e di rifarsi una famiglia, il padre comincia a lavorare per la televisione e il cinema e Pola lo segue spesso nei suoi viaggi di lavoro. Kinski è considerato un personaggio eccentrico e trasgressivo, ma nessuno può immaginare fino a quali abissi si sia spinta la sua perversione. Vuole sempre la figlia, che nel frattempo studia per diventare attrice, accanto a sé durante le riprese dei suoi film a Berlino e a Roma, e in queste occasioni la ragazza deve subire le sue ripetute violenze, fisiche e psicologiche, cadendo in una spirale sempre più pericolosa.
Oggi, a tanti anni di distanza, Pola ha finalmente trovato la forza di parlare. *L'amore di papà* è una denuncia coraggiosa e dolorosa, il ritratto di un padre privo di scrupoli che ha distrutto la vita della propria figlia.

Newton Compton Editori